JN069395

アール・デコと英国モダニズム

20世紀文化空間のリ・デザイン

菊池かおり・松永典子・齋藤 一・大田信良［編著］

REDESIGNING THE CULTURAL SPACE IN THE TWENTIETH CENTURY

ART DECO AND ENGLISH MODERNISM

【目次】

【インターメッツォ】
モダニティのさまざまな空間性・時間性

【第2部】

20世紀文化空間のリ・デザインと
グローバル化するアール・デコ

【凡例】

◉ Note（註）とWorks Cited（引用文献）は各章末にまとめた

◉ Note（註）は該当箇所に［　］の数字で示した。

◉ 文献の引用ページは本文中に（　）で示した。

序章

20世紀文化空間を、今一度、考える
──アール・デコと英国モダニズム

菊池 かおり

本書のカバーを飾るイギリスのモデルで女優のツイッギー（Twiggy）の時代に、あるいは、ミニスカート・ブームやビートルズなどに代表される特権階級への反発意識や反体制意識に満ち溢れた「スウィンギング・ロンドン」に、若者ファッションを牽引したブティック「ビバ（BIBA）」が、ロンドン中心部にあるショッピング街、ケンジントン・ハイストリートに、百貨店「ビッグ・ビバ（Big Biba）」としてオープンしたのは1973年だった。あらたな流行発信地となったその建物は、もともと、1933年にオープンした百貨店「デリー・アンド・トムス（Derry & Toms）」のもので、モダンな直線とクラッシックで曲線的な装飾、西洋と東洋のイメージなど、一見して相反するものが融合したデザインが見て取れる。そして、その空間さながら、当時、そこで売られていたビバの商品（ファスト・ファッションから、家具、壁紙、スポーツ用品や食品に至るまで）にみられる「美学」は、戦間期に建築から宝石に至るまでのデザインでもてはやされた「アール・デコ」を彷彿とさせるものであった。

2018年、イギリスの週刊誌 *The Spectator*に掲載された記事 “Modern Times” の筆者、ピーター・ヨーク（Peter York）は、このようなビッグ・ビバの「美学」を本書のカバーになっているツイッギーの写真に読み解く。1973年にビッグ・ビバで撮影されたこの写真でツイッギーは黒のビーズのドレスとヘッドバンドに身を包み、細長いパイプを手にしているが、これは、当時、「神の退廃（divine decadence）」のポーズと呼ばれるもので、クリストファー・イシャーウッド（Christopher Isherwood）の『さらばベルリン（*Goodbye to Berlin*）』（1939）をベースとしたミュージカル映画『キャバレー（*Cabaret*）』（1972）に由来する。また、ツイッギーの頭上にある藤色のライトアップが施された曲線の天井は、1920年代のミュージカル映画をもとに1950年代に舞台化され、さらに1971年に映画化された『ボーイフレンド（*The Boyfriend*)』で、彼女自身が演じたポリー・ブラウン（Polly Browne）を彷彿とさせるイメージだという。つまり、ビッグ・ビバを代表するこの一枚の写真が映し出すテーマは、「復興の復興（A revival of a revival)」だというのである。

1968年にベヴィス・ヒリアー（Bevis Hillier）がアール・デコというものを掘り起こし「発明」して以降[1]、1970年代には、アール・デコのパスティーシュが、ますます本格的に再生産され流通・消費されるようになったのだが、このような文化状況が指し示したのは、表象の対象となる現実や大衆について否定的にクリティカル・ディスタンスを保持する身振りであるアイロニーというよりは、むしろ、キッチュやキャンプにみられるような「コピーのコピー」またはシミュラークルを陽気に肯定するポピュラー・カルチャーの勃興、つまりは、ポストモダニズムの抬頭にほかならない。それにともない、ハイ・カルチャーとしてのモダニズム文学・文化やそのエリート主義は、再考されることになったし、その後さらに、20世紀後半から21世紀の現在にいたるまで、ジェンダー・エスニシティ・セクシュアリティといった社会的差異の観点からモダニズムというものが批判的に再考されたり拡張されたりすることにもなった。別の言い方をするなら、戦間期のイギリスにあらためて見い出され、再発明されたアール・デコを取り上げて論じることは、1930年代にポピュラーなかたちで変容し姿をあらわしたアール・デコやその他の多種多様なナショナルまたはグローバル／ローカルなポピュラー・カルチャーとともに、1920年代を中心とするいわゆる盛期モダニズムとその後に抬頭したポストモダニズムをその全体性において包含するような、「20世紀文化空間」についての問いを立てる、ということにほかならない。

それでは、本書のキーワードの一つである「空間」とはいかなるものか。資本と国家が巧みに編成する空間のネットワークに潜む問題と可能性を論じたアンリ・ルフェーヴル（Henri Lefevre）の『空間の生産（*The Production of Space*)』は、1990年に英訳されて以降、都市論や地理学さらには文学に至るまで、広範囲の分野において急速に読み直しおよび再評価が進められている。たとえば、イギリス文学においてアンドリュー・サッカー（Andrew Thacker）の*Moving Through Modernity*（2003）は、ルフェーヴルを含めた都市/空間論を駆使しながら、モダニストのテクストに表象される空間の複雑なネットワークを解き明した。その後も、脱領域的に理論的なフレームワークを用いてモダニストの空間描写および空間へのアプローチそのものが含蓄する重層的歴史性、政治性、文化的意義を論じる研究は後を絶たない[2]。

このようなモダニズム研究の起点となった1990年代には、「グローバル化」にまつわる研究が推し進められていた。そして2013年、「グローバル化」という言葉が、ある程度、定着したようにみえる日本社会において、今一度、「グローバル化」とは何なのか、またそのプロセスの中で起きている地殻変動の意味と「新しい公共空間」のありようを探る『グローバル化の遠近法』が出版された。そのもとになったのは1999年6月にスタートした『世界』への連載であるがゆえに、そこで論じられる「グローバル化」に対する見解と現在のものでは差異が生じるだろう。その一方で、「まさにそうであるがゆえに、現在という場所を相対化する補助的な役割」を担っているとも考えられるだろう（姜・吉見 238）。実際、「グローバル化をとらえる歴史軸」についての議論は今なお大きな意味がるように思われる。それは、89年の冷戦崩壊後にみられた「カオス的な状況をまったくあたらしい状況」として捉えるのではなく、「その一つの可能性のようなものがすでに戦間期に噴出していた」が「冷戦体制期には一度凍結されて見えなくなっていたという歴史の軸」である（210）。そしてこのような歴史軸を通して見えてくるのは、「グローバル化」がつきつける重層的な社会変動であると同時に、それが胚胎する矛盾であり、「冷戦体制の前と後の時代が共有する社会的時空」、つまり「20世紀空間」そのものだというのである（210）。

ここで、「空間」というキーワードが採択された点にも意味があることを確認しておきたい。その意味を、筆者は対談で以下のように説明する。

あえて「システム」ではなく、「空間」という言葉を選んだのですよね。システムというと、あたかも客観的なものが自律的に動いていくというイメージですが、そうではなくて、人びとの主観によって構成されていくものとして、つまり、文化や生活世界を含んだものとして考えるために、「空間」としたのです。(210)

まずここで確認すべきことは、「文化や生活を含んだ……空間」の対立項として、「システム」があげられている点であろう。そこで『グローバル化の遠近法』の執筆時期と同時期に出版された『20世紀システム』において、どのように「システム」が定義づけられ検討されているのか、そして、この「システム」に対抗して「空間」がキーワードとして採択された意義を今一度確認しておく必要があるだろう。

6巻からなる『20世紀システム』のテーマは、「アメリカによって構想され、50年代に世界的な広がりをもって形成された『20世紀システム』」(6: 342) である。第1巻の冒頭で、「20世紀における国際的政治経済関係の基本を『20世紀システム』と規定する」(1: 1) と明記されて以降、読者は第 2 巻あとがきで記されているとおり「かつてならば『構造』という言葉が使われたであろうところで『システム』という言葉が多用されていることに気がつく」一方で、「その後そのものに十分な定義がないではないか」という疑問を抱くことになる (2: 286)。そこで加えられる説明は、以下の通りである (2: 286)。

歴史的に生成していく或る全体をかつてのように「構造」として語るとき、そこではその全体のありようは強い歴史的規定性の下で記述されざるを得なかった。これに対して我々はそれを「システム」として語ることによって、歴史の時どきにおいてそれらがいわば設計図として現れたという経緯を示そうとした。……それは 1 つの構想として生じるが、現実の歴史状況の中に打ち出されるや、様々な抵抗を惹起し、それ自身変容しながら、構造化していく。我々はこの〈構想の抗争的構造化〉のプロセスをそのまま呈示するために、「シ

ステム」の語を、歴史的規定性と組み換え可能性との交差する地点において用いようとしたのである。(2: 286-87)

実際に、「20世紀システム」が「設計図」あるいはデザインとして現れ、変容しながら構造化してく過程についてはシリーズを通して検討されている。しかし、その焦点は一貫してアメリカの主導権のもとに構想され、構築された国際的な政治経済関係であり、「冷戦に象徴されるアメリカをセンターとする基軸システムとソ連が編成した対抗システムからなる抗争的構造」である(1: 4)。そのため検討される「20世紀システム」の構想を支える歴史軸は、そのシステムの起点となった第一次世界大戦と「アメリカの主導権が確定した」第二次世界大戦であり、「『危機の20年』とか『狂乱の時代』、『第二次30年戦争』といわれる戦間期の動乱を軽視しすぎる」ようにもみえだろう(1: 4)。なぜならば、先に見た「グローバル化をとらえる歴史軸」を踏まえれば、戦間期は冷戦体制後と「社会的時空」を共有し、「グローバル化」がつきつける重層的な社会変動であると同時に、それが胚胎する矛盾を検討する上で重要な時期でもあり得るのだから。

さらに、21世紀の今、このシリーズを再読するのであれば、ヨーロッパの位置づけに関しても新たな疑問が浮かび上がるだろう。イギリスが47年間加盟していたEUから正式に離脱した今、「20世紀システム」の直接的な構成要素が主権国家やそれらによって形成される国際組織であるならば、その一つであるイギリスそしてEUの加盟国は、国際的な政治経済関係において新たな位置づけを模索していると言えるだろう。「現在が過去に規定されているように、未来もまた現在に拘束される」(1: 1) のであれば、われわれが今直面している国際的な政治経済関係の動揺や、今後直面し得る問題は、過去や現在を検討することで見えてくるはずであり、「20世紀システム」におけるヨーロッパの位置づけはその手掛かりになり得る。しかし、このシリーズでのヨーロッパの扱われ方は断片的であり、「20世紀が『アメリカの世紀』といわれるとき、全体としてヨーロッパはどのような位置を占めていたのだろうか、それが、アメリカのヘゲモニーのもとでひたすら受け身の存在だったというわけではないとすれば、何を積極的に発信していたと言えるのだろうか」(5: 307)、といった疑問は避けられないだろう。

また「20世紀システム」におけるアメリカの主権を支えてきた要素の一つが「アメリカ的生産方式」やその「普遍性」だとすれば、「それは何故20世紀の『普遍』となり得たのか？アメリカ的生産方式そのものにせよ、それを支えるサブシステムのあり方にせよ、それ自体には自らを普遍化していく特性がどのように存在していたのか？」(2: 288)、といった疑問も残されている。これらの疑問に対して、後に概観するフレドリック・ジェイムソン（Fredric Jameson）の議論はいくつかの答え、少なくともその答えを導き出す手掛かりを与えてくれるように思われる。言い換えれば、「20世紀システム」の議論において提示されつつも手つかずにされた問題点は文化的な視点の拡充を暗に要求しているようにさえ見えるのである。そしてこの点を踏まえると、『グローバル化の遠近法』において提示された二項対立「システム」と「空間」の意義が色濃く映し出されるように思われる。要するに、「人びとの主観によって構成されていくものとして、つまり、文化や生活世界を含んだものとして考えるために、『空間』」（姜・吉見 210）を、覇権国家によって設計あるいはデザインされた「システム」の対抗軸として定めた意義が見えてくるのである。

このような「空間」に対する捉え方は、いみじくも、冒頭で触れた昨今のモダニズム研究にみられる地理学的なアプローチの骨格を形成するものである。しかし、このような研究動向を先行したポストモダニズム研究——たとえば、エドワード・ソジャ（Edward Soja）の『ポストモダン地理学（*Postmodern Geographies*）』（1989）やデヴィッド・ハーヴェイ（David Harvey）の『ポストモダニティの条件（*The Condition of Postmodernity*）』（1989）など——は、今や文学研究において取り上げられることは少なくなったようにみてとれる。もし、「空間」というキーワードが、モダニズム研究とポストモダニズム研究において共有されるものであり、かつ「グローバル化」とともに突き進んできた20世紀を再読、再解釈する上で重要な意味を持つのであれば、21世紀の今、アメリカ中心主義、後期資本主義によって突き動かされてきたグローバル化のプロセスとはことなる可能性を、モダニズムとポストモダニズムの重層的な読みなおしから見出すことはできないのだろうか。その可能性を探る大前提として、まず、昨今のモダニズム研究の動向を概観し、今一度、ポストモダニズムとの関係性を考える必要があるだろう。

冷戦期に制度化され欧米諸国をはじめとして、幅広く大学などで教授されたモダニズムとは、大文字ではじまる"Modernism"であり、ジェイムス・ジョイス（James Joyce）やT. S. エリオット（T. S. Eliot）そしてヴァージニア・ウルフ（Virginia Woolf）など、いわゆるエリート文化人により構築され、消費された芸術、またはもっと広義な意味で新しい社会形成へと突き進む文化エリートたちの運動として広く認識されてきた。しかしその狭義な性質ゆえに、冷戦体制崩壊後——つまり、「社会、政治、経済、文化などさまざまなレベルで根底的な変化が起こり、それが自分たちの意識の中にずっしりと感じられてきた」90年代のグローバル化（姜・吉見 209）にともない——制度化されたモダニズムの概念に対してさまざまな観点から議論が巻き起こることになる。脱領域的な方法でモダニストのテクストが内包する政治的・文化的・歴史的意義を模索する研究は、たとえば、1999年に設立されたModernist Studies Association（MSA）の機関誌 *Modernism/Modernity*などにおいて顕著である。

ここ数十年にわたるモダニズム研究の変革は、三つの視点——「時間的な（temporal）」、「空間的な（spatial）」、そして「縦断的な（vertical）」視点——における「拡張（expansion）」として論じられている（Mao and Walkowitz 737）。たとえば、「時間的な拡張」により、モダニズムの「核となる時期（the core period of about 1890 to 1945）」は曖昧なものとなり、モダニズムを「長き18世紀」や「帝国の時代」として捉えることも可能になったというのである（737-38）。また、「空間的な拡張」とは、欧米諸国のみならず、アジア、アフリカ、カリビアン諸国などの芸術品や、それらの文化的かつ経済的な取引をも対象とする視点の拡大を指し示し、「モダニズム」、「モダナイゼーション」そして「モダニティ」といったキーワードの関係性を再考する上で重要な役割を担うと分析されている

(738)。一方で、「縦断的な拡張」は、「大衆」や「文化産業」などを研究対象として認めることであり、ハイ・カルチャーの枠組みに守られてきた、もしくはそれを遵守してきたモダニズム研究にとっては、ある意味で「破壊的」なものであると論じられている（738)。そして、これら三つの方向性は、しばしば重なり合いつつ、「モダニズムは（これまで認識されていたよりも）もっとグローバルなものである」(738）としながらも、その論は「空間的な拡張」と「縦断的な拡張」に焦点があてられる。

しかし、20世紀初頭からスタートした「グローバル化」がある意味で結論をもたらしたようにみえる現社会において、先に見たように「グローバル化の歴史軸」を再考する必要性があるのであれば、われわれは、「時間的な」方向性から、もっと厳密に言えば「グローバル化の歴史軸」にそってモダニズムを再考する必然性があるのではないだろうか。つまり、冷戦期に制度化されたモダニズムとその後のポストモダニズムの関係性について、今一度、考える必要性はないのだろうか。これが、アール・デコによって英国モダニズムをとらえ直すことにより「20世紀文化空間」を探ることを試みる本書の問いである。

ポストモダニズム研究を牽引する一人であるフレドリック・ジェイムソンによれば、われわれが直面している「グローバル化」とは、実のところ「アメリカ化（Americanization)」を意味し、国際関係は経済と同様に文化とも密接な関わりを持ちながら形成されているという（Jameson 378)。そして、この現象を理解するためにはさまざまな二項対立の相関性を把握する必要があるというのである。なぜならば「グローバル化」は一般的に肯定的に捉えられているが、われわれが享受する文化とは一体「誰の文化なのか、そして誰による、誰のためのものなのか」といった問題を追及してみると、「グローバル化」の様相は一変し、文化と経済の癒着がみてとれる（376)。たとえば、なぜ、今、世界はハリウッドのアクション映画に熱狂するのか、そしてその熱狂はアメリカの覇権を容認し、ひいてはそれを補強する行為にほかならないのではないか。このような問いは、「グローバルな文化産業（global culture industry)」で構築され、消費される「正典の基準（the standpoint of the canon)」に対する問いなのである（377）。そのため、ジェイムソンは「グローバル化の反ユートピア的な側面（the dystopian side of globalization）」（376）を次のように分析する。

> Globalization still determines a center; and if the pull of gravity of American cultural consumers' goods is an immense force――even in politics, where I suspect it was not for nothing in the end of regimes in Western Europe and Russia――it may also be said there is still, in many parts of the world, the instinctive desire to be read by the West and in particular in the United States and in the English language: to be read and to be seen and observed by this particular Big Other.（377）

冷戦体制の終結とアメリカ文化の誘引力にみられる結びつきを示唆しながら提起される問題点は、まさに「文化主義の危険性（the danger of culturalism）」、つまり、文化という媒体を通して間接的に、しかし着実につくりあげられる不均衡な「ワールド・システムの性質（the very nature of the world system）」なのである（379）。そして、ユートピア的かつ反ユートピア的な側面を含蓄しながら、文化的かつ経済的な側面によって助長される「グローバル化」、もっと厳密に言えば「アメリカ化」されるプロセスにおいて、土着文化は消滅し、世界にはアメリカ文化を模倣した「属性の文化（generic culture）」が蔓延しているというのである（378）。

　このような「グローバル化」のプロセスは今にはじまったことではない。ジェイムソンによれば、それは特に1920年代のヨーロッパにおけるモダニティやモダナイゼーションと親和関係にあるというのである（378）。だとすれば、不均衡な「ワールド・システム」によって支配される今とはことなる未来を模索することは、1920年代のヨーロッパにおけるモダニティに規定される大衆文化やそのスタイルを注意深く考察することにつながるのではないだろうか。2020年度末に刊行された『週刊読書人』の「年末回顧」において、昨今、再評価が進むアール・デコに関する研究の可能性が次のように論じられている。

これらのアール・デコ論の可能性は、モダニティあるいは西洋近代のメルクマールとされる啓蒙主義以降のリベラリズムの政治・経済・社会・文化の支配的物語に対抗しつつ、あらたに大衆化されたモダニティまたは日常生活が営まれる空間が孕む大衆ユートピアを、二〇世紀モダニズムののちに勃興したポストモダニズムまたはその少し前の六〇年代のカウンター・カルチャーの空間に懐胎されていたポピュラリティによって再発明するさまざまな試みにこそあった……。(大田 4)

だとすれば、昨今のアール・デコ論をただそのまま享受するだけではなく、先に確認したモダニズム研究の「拡張」にみられる三つの方向性——「時間的」「空間的」「縦断的」な拡張の方向性——を取り入れつつ、そのモダニティに規定された大衆的な文化やスタイルの価値を注意深く考察することは、アメリカを中心としてデザインされた「20世紀システム」をリ・デザインすることにつながるのではないだろうか。本書『アール・デコと英国モダニズム——20世紀文化空間のリ・デザイン』は、ジェイムソンのいうところの「(現在の不均衡な) ワールド・システム」と親和関係にあるとされる1920年代ヨーロッパ、特に英国モダニズムを起点としながら、グローバルな時間性・空間性・縦断性においてとらえなおされる空間を、すなわち、アール・デコを媒介として浮かび上がるさまざまな矛盾と可能性を内包する奥行きのある空間を、「20世紀文化空間」として、読み解くこととする。

Notes

[1]「アール・デコ」ということばをヒリアーが「発明」したわけではないが、それまで脚光を浴びることのなかった工場や映画館を含めて、食器や装飾

品に至るまで、1920年代30年代のデザインにみられるスタイルを総括的に論じ、「アール・デコ」という用語の使用を決定的なものとした（詳細は第1部第1章を参照のこと）。ヒリアー以降、さまざまな研究が進められてきたが、近年のアール・デコ研究の概観については、Bridget EliotとMichael Windoverの*The Routledge Companion to Art Deco* (2019)を参照のこと。特に英国におけるアール・デコ論については、Anne Masseyの“Revising Art Deco in the UK” (2019)を参照のこと。

[2] たとえば、Anna SnaithとMichael Whitworthの*Locating Woolf* (2007)、Alexandra Staubの*The Routledge Companion to Modernity, Space and Gender* (2018)、そしてJohannes RiquetとElizabeth Kollmannの*Spatial Modernities* (2018)を参照のこと。

Works Cited

Elliot, Bridget, and Michael Windover, editors. *The Routledge Companion to Art Deco.* Routledge, 2019.

Harvey, David. *The Condition of Postmodernity: An Enquiry into the Origins of Cultural Change.* Blackwell, 1990.

Hiller, Bevis. *Art Deco of the 20s and 30s.* Studio Vista, 1968.［ヒリアー、ベヴィス『アール・デコ』西澤信彌訳、パルコ、1977年］

Jameson, Fredric. “New Literary History after the End of the New.” *New Literary History,* vol. 39, no. 3, 2008, pp. 375-87.

Lefebvre, Henri. *The Production of Space*. Translated by Donald Nicholson-Smith, Blackwell, 1999.

Mao, Douglas, and Rebecca L. Walkowitz. “The New Modernist Studies.” *PMLA*, vol. 123, no. 3, 2008, pp. 737-48.

Massey, Anne. “Revisiting Art Deco in the UK.” *The Routledge Companion to Art Deco*. Edited by Bridget Elliot and Michael Windover, Routledge, 2019, pp. 115-27.

Riquet, Johannes, and Elizabeth Kollmann. *Spatial Modernities: Geography, Narrative, Imaginaries*. Routledge, 2018.

Snaith, Anna, and Michael Whitworth, editors. *Locating Woolf: The Politics of Space and Place*. Palgrave Macmillan, 2007.

Soja, Edward W. Postmodern Geographies: *The Reassertion of Space in Critical Social Theory*. Verso, 1989.

Staub, Alexandra, editor. *The Routledge Companion to Modernity, Space and Gender.* Routledge, 2018.

Thacker, Andrew. *Moving Through Modernity: Space and Geography in Modernism*. Manchester UP, 2003.

York, Peter. "Modern Times." *The Spectator,* 1 Dec, 2018, https://www.spectator.co.uk/article/moderne-times.

大田信良「アール・デコの価値とポピュラリティをあらためて考えてみること」『週刊読書人』2020年12月18日、4頁。

姜尚中、吉見俊哉『グローバル化の遠近法――新しい公共空間を求めて』岩波書店、2013年。

東京大学社会科学研究所編『20世紀システム』全6巻、東京大学出版会、1998年。

【第1部】

アール・デコ時代の英国モダニズム

はじめに

モダニティ論以降のポストモダニズム、あるいは、「大衆ユートピアの夢」を「ポスト冷戦」の現在において再考するために

大田 信良

In the world of ideas, debates about *modernity* have increased, particularly as the currency of *postmodernism* ebbs. Whether embraced, redefined, or resisted, *modernization* as an issue remains current. *Modernity* sells books and provides jobs, as does *modernism*. (Susan Stanford Friedman, *Planetary Modernisms: Provocations on Modernity across Time.* Columbia UP, 2015. 325.)

…what wears the mask and makes the gestures of "populism" in the various postmodernist apologias and manifestos is in reality a mere reflex and symptom of a (to be sure momentous) cultural mutation…. In any case, one would expect a term drawn from the typology of political ideologies to undergo basic semantic readjustments when its initial referent (that Popular-front class coalitions of workers, peasants, and petty bourgeois generally called "the people") has disappeared. (Fredric Jameson, "The Politics of Theory." *The Ideologies of Theory: Essays 1971- 1986. Vol. 2: The Syntax of History.* Routledge, 1988. 113.)

> …a cultural shift, one that politicians have influenced but also had to adapt to as they have searched for a politics that can work in this new environment. To make the case, Sutcliffe-Braithwaite follows the recent trend set by historians such as Jon Lawrence, Selena Todd, and Helen McCarthy to reuse the materials generated by postwar sociology, social observation, Mass Observation, and oral history….These detailed analyses of popular attitudes are followed by discussion of two political "projects," Thatcherite and New Labour….At the center of this vision was an appeal to the "ordinary working man and woman and their family," which became a mantra of the 1980s and 1990s (and beyond)….One of its long-reaching consequences may be the kind of antipolitics in which all politicians are denounced as part of the "elite" and expertise and intellect derided….this kind of populist (anti) politics has flourished in the early twenty-first century. (Jim Tomlinson, "Book Review: Florence Sutcliffe-Braithwaite. *Class, Politics, and the Decline of Deference in England, 1968-2000*. Oxford UP, 2018." *Journal of British Studies* 58.1(2019): 250-51)

アール・デコ時代について、狭義の芸術・文化あるいはデザインの歴史研究あるいはそこでの概念規定ではなく、別のやり方で思考を試みるなら、たとえば、19世紀末・20世紀の「大衆化」を、すなわち、歴史的に17・18世紀以降の「近代化」と21世紀の「グローバル化」との間にとりあえず位置づけられることになる「近現代の歴史の大きな転換」を特徴づけるタームを、ざっくり、思い浮かべて理解しようとしてもいいかもしれない（「高等学校学習指導要領における『歴史総合』の解答の方向性①（案）」[1]）。あるいはまた、類似の身振りによって、次のように、想像力・

構想力を働かせつつ思考することもできるかもしれない。第40回新自由主義研究会および第47回冷戦読書会の合同研究会（2016年8月16日（火）於一橋大学）において、Susan Buck-Morss, *Dreamworld and Catastrophe: The Passing of Mass Utopia in East and West*. MIT, 2000を取り上げた西亮太の口頭発表によるならば、「大衆ユートピアを構築し実現することこそが、20世紀の夢にほかならなかった」。

> Whereas the night dreams of individuals express desires thwarted by the social order and pushed backward into regressive childhood forms, this collective dream dared to imagine a social world in alliance with personal happiness, and promised to adults that its realization would be in harmony with the overcoming of scarcity for all.（Back-Morss xi 下線筆者）

かつて、20世紀前半において冷戦構造が安定化すると同時に新たな社会的変化・変動が1960年代において進展するまでの時期に、米国・資本主義の西側だけでなくソ連・社会主義の東側でも同様に、大衆ユートピアが想像された時代があった、ということだ[2]。その後の歴史的進行においては「夢の世界」と「カタストロフィー」というまったく相反する両極端な姿をあらわすことになる「大衆ユートピアの夢は、第1世界と第2世界における20世紀における文化的プロジェクトを規定していた。それは、第2世界では失敗を宣言され、第1世界では意図的に放棄された」。しかしながら、「このかつては大量生産と大量消費を活気づけたユートピアの衝動には、新たな配置が可能である」そして「ほかの世界がいくらでも存在するのであり、これらの世界もまたそれぞれの夢を抱いている」とみなすことができるという。いったいなにゆえそんなふうに思考するあるいは再考することが可能だというのか。それは大衆ユートピアの夢というものが、一見相容れない対立項をなすかに思われた資本主義と社会主義のどちらの場合でも共有されたものであり、それぞれに、産業的モダナイゼーションを推進したイデオロギーであったのであり、そのうえしかも、そうした「夢自体」が、社会・自然の事物に対する集団的で政治的な欲望の備給・投資を通じて、現実の世界をラディカルに変化させるような計り知れない物質的力にほかならないからである。

このように思考してみたアール・デコ時代において、英国の文学や文化は、はたして、どのように対応したのだろうか。もしかりに、ハイ・カルチャー／ポピュラー・カルチャー、ユニヴァーサル／ヴァーナキュラー等々のさまざまな「モダン」とその対立項からなるアンチノミーや矛盾をなんなく容易にまたフレキシブルなやり方で媒介・調停してしまうかにみえるといったことがあったとするならば、そのように特異な英国のナショナルな文化状況は、はたして、どのような歴史的移行の物語を、ひそかに、表象している、とともに、そのモダニティに規定された歴史性をどのように刻印していたのか、本シンポジウムで、取り上げてみたい。[3]

＊第1部は、日本ヴァージニア・ウルフ協会第38回全国大会（2018年11月17日於神戸大学）におけるシンポジウム「アール・デコ時代の英国モダニズム」に基づいている。第1部を構成する三本の論文は、三人の著者それぞれが個別の論文として応募され、編集委員会において、審査され掲載が決定したものであるが、これらの論文がもともとウルフ協会全国大会でのシンポジウムをもとにしたこともふまえ、特集というかたちにすることが決定された。なお、各論文は、シンポジウムの発表原稿に加筆・修正等されたものである。また、特集の冒頭にある「はじめに」は、ウルフ協会ホームページ用全国大会プログラムのシンポジウム要旨に司会として準備した大田信良の原稿に若干加筆したものであり、最後にある「おわりに」は、シンポジウムならびに特集の参加者を代表するかたちで菊池かおりが執筆したものである。

Notes

[1]「モダニズム」とは区別される「モダン」なスタイルとしてのアール・デコの研究史の概説としては、Charlotte Benton, Tim Benton, and Ghislaine Wood, *Art Deco 1910-1939*. V&A, 2003 がある。また、Bevis Hillier, *Art Deco of the Twenties and Thirties*. Studio Vista, 1968、および、同じ著者の*The World of Art Deco*. E. P. Dutton, 1971も参照のこと。アール・デコの再発明あるいはリヴァイヴァルの歴史的コンテクストをなしたのはポストモダニズムであったといわれるが、1933年のニューヨークの摩天楼の頂上で咆哮するキング・コングの表象などを含む「ポピュラー」な文化をその部分として包含しつつ勃興したポストモダニズムによって、米国モダニズムを解釈し直した研究としては、すでに、宮本陽一郎『モダンの黄昏——帝国主義の改体とポストモダニズムの生成』研究社、2002がある。

[2] "… <u>the Russian avant-garde</u> had similar ideas even before the revolution. In a real sense, <u>constructivism</u> was a continuation of <u>the movement of 'art into life'</u> that had begun in <u>Europe</u> and <u>the United States</u> with <u>the arts and crafts movement</u> and had taken <u>an industrial turn with the decorative art</u> produced at the turn of the century." (Back-Morss 300 下線筆者)

[3] この問題を考えることは、また、19世紀大英帝国のパワーとマネーの時代とは異なる大衆ユートピアの夢の時代によって、英国モダニズムというものを、冷戦期に、米国を中心にあるいは英米のトランスアトランティックな諸ネットワークにおける移動を通じて、研究・教育上制度化されたモダニズムとは異なるかたちで、再考することにもなるだろう。念のためにもう一言だけ付け加えておこう。空間的・時間的にグローバルな「モダニティ」の問題に規定された「モダン」とその対立項を、ある種独特で特異な「個人主義的」なやり方で「集団的で政治的な欲望の備給・投資」を断ち切ったり大衆ユートピアの新たな配置の可能性を思考・想像することをブロックしたりすることにより、英国モダニズムの特質や英国性＝イングリッシュネスを解釈してしまうような文学・文化研究のやり方では、グローカリゼーションという形式をとって商品化とネオリベラリズムが進行してしまっている21世紀の現在に要請される文学・文化研究として、十分な議論であるとは、けしていうことはできないのではないか、ということを。

第1章

モダニズム建築の抑圧とアール・デコの可能性

菊池 かおり

1. はじめに

“Modernism”から“modernisms”へ――その名の変貌が指し示す通り、モダニズム研究は時代の流れとともにその視点を拡大させ、その性質を柔軟に変化させながら進化を遂げてきた[1]。元来、モダニズムとは、文学史や芸術史、そして建築史などにおいて、主に19世紀後半から20世紀中盤にかけて、それまでの伝統的な型にはまらない新しい表現の模索であり、新しい社会形成へと突き進む文化エリートたちの運動として広く認識されてきた。しかしその狭義な性質ゆえに、ここしばらく、その概念に対してさまざまな観点から議論が巻き起こっている。たとえば建築史において、モダニズム建築の巨匠として名高いル・コルビュジエ（Le Corbusier)やフランク・ロイド・ライト（Frank Lloyd Wright）などの男性建築家によって彩られてきたモダニズム建築史に対する問いは、その歴史に埋もれた女性建築家やデザイナーの発掘から、彼女たちの創作活動を制限し、過小評価してきたファロセントリックな建築概念――それは、外と中、作り手と使い手といった二元論を内包する概念――に対しての問いへと発展した。さらにジェンダーのみならずセクシュアリティやエスニシティの観点からも白人男性優位主義を内包した“Modernism”の再考がなされ、その歴史から排除された創作活動の社会的・文化的意義が再評価されている。言い換えれば、“modernisms”とは、多岐にわたる創作活動を一つの時代的なフレームワークに包括しながらも、各々の独自性と歴史性を強調する現在の研究動向の表れといえるだろう。

このように、ジェンダーやセクシュアリティ、そして階級やエスニシティなど、さまざまな視点と交差しながら拡張するモダニズム研究の急速な発展の一因は、その学際的な研究交流にあるといえる。では、そのような交流をさらに活性化する新たな視点の一つとしてアール・デコを捉えることはできるだろうか。また、モダニズム建築とほぼ同時期にありながら、同時に語られることの少なかった二つの歴史の関係性から見えてくるものとは一体何なのだろうか。19世紀末から20世紀初頭にもてはやされたアール・ヌーヴォーが産業化・機械化に対する反動として、主としてハイ・カルチャーなイメージをもつ一方、モダニズム建築が機能主義を旨とする大量生産・大量消費とそれによって可能になるような大衆化、あるいはそうした大衆を通じて繰り広げられる社会の制度化を目指したとするのならば、その間に位置付けられるアール・デコがもたらした意味とは何なのか。そして当時のイギリスの動向とはいかなるものだったのだろうか。これらの問いに対して、本章ではジェンダーやセクシュアリティの視点を交えてアール・デコとモダニズム建築の関係性を考察し、モダニズム研究におけるアール・デコの可能性を示唆することを目標とする。

2. アール・デコとは何か――モダニズム建築とともに

2003年ロンドンのヴィクトリア・アンド・アルバート博物館において、展覧会「アール・デコ 1910-1930（Art Deco 1910-1930）」が開催された。そのカタログには、陶器やジュエリー、そして家具をはじめとする室内装飾から建築様式に至る、当時の日常生活を彩るありとあらゆるものが「アール・デコ」という名のもと紹介されている。これらにどのような共通点があるのか。アール・デコとは一体何なのか。その定義の難しさがうかがえる。そこでまず、その名の由来とされる通称アール・デコ博――1925年パリで開催された現代産業装飾芸術国際博覧会（International Exhibition of Modern Decorative and Industrial Arts）――から、そのヴィジョンを捉えてみることとする。

1925年4月28日から11月8日にわたり、パリのセーヌ川のほとりで大規模に開催された国際博覧会の開催地は、奇しくも、1900年のパリ万国博覧会と同じ場所であった。万国博覧会直後から装飾芸術の博覧会計画は浮上していたものの、大量生産を行う商工業者とクラフツマンシップに重きを置くデザイナーとの対立などにより思うように方針が定まらず、程なくして勃発した第一次世界大戦の影響もあり、1925年までその開催は延期された（Benton 141）。このような背景もあり、アール・デコ研究の第一人者であるベヴィス・ヒリアー（Bevis Hillier）は博覧会の目的を以下のように考察する。

> . . . its ultimate aim was to end the old conflict between art and industry, the old snobbish distinction between artist and artisan, partly by making artists adept at crafts, but still more by adapting design to the requirements of mass-production.（*Art Deco* 13）

それまでのフランス装飾芸術を代表するアール・ヌーヴォーや、ウィリアム・モリス（William Morris）が主導したイギリスのアーツ・アンド・クラフト運動などがこぞって産業革命以降の大量生産社会へ反旗を翻し、中世の手仕事に帰り、生活と芸術の融合を試みたことを踏まえれば、この博覧会の意図そのものが大きな意味合いを帯びてくる。

その一方で、主催国フランスの意図を別の観点から探ることもできる。フランスやイギリスのデザイナーの多くが芸術性や美術性に傾倒する頃、ドイツでは建築家やデザイナーが芸術と産業の統一を目指しドイツ工作連盟が設立されていた。そして、その連盟に参加したヴァルター・グロピウス（Walter Gropius）は、合理主義や機能主義をモットーとした建築・美術の総合学校バウハウス（Bauhaus）を設立し、モダニズム建築の発展に大きな影響を与えた。つまり「集合的な社会ヴィジョンと民衆化、規格化されたデザインの原型を持つドイツ」の功績に対抗して、フランスは1925年の博覧会を単に自国の装飾芸術の改革を表明する場としてだけではなく、「国際的な優位性と国際市場における強いナショナル・アイデンティティの地固めとみなした」のである（スパーク 145）。そしてその「自己アイデンティティは『趣味』や『エレガンス』の概念と結びついており、それは独自性、流行、目新しさ、そしてさらには装飾芸術、純粋芸術の二つの世界の密接関係の卓越を示唆した」のである（スパーク 145）。

このようにバウハウスとアール・デコの相容れない様相は、1966年にパリの装飾美術館で開催された回顧展「『25』年代：アール・デコ/バウハウス/スティル/エスプリ・ヌーヴォー（Les années '25': Art Déco/Bauhaus/Stijl/Esprit Nouveau）」において歴史化されることとなる。この回顧展とそのカタログにおいて「アール・デコ」という用語は、1910年代から20年代のフランス装飾芸術指し示す"a style label"として用いられ、当時ヨーロッパ全土で巻き起こるデザイン運動――つまり、ドイツのバウハウス、オランダのテオ・ファン・ドゥースブルク（Theo van Doesburg）などによって先導されたスティル、そしてル・コルビュジエが先導したエスプリ・ヌーヴォーなどの運動――との違いを明確するためのものであったといわれる（Benton 18）。1900年代のデザインが全てアール・ヌーヴォーではないように、1920年代および30年代のデザインが一つに集約できるわけではない。ただし、バウハウス、スティル、そしてル・コルビュジエなどのデザインが、規格化・数値化・計量化に基づいた合理主義的・機能主義的なデザインを追求したインターナショナル・スタイルという系譜で語られるのならば、アール・デコはインターナショナル・スタイル、すなわちモダニズム建築から逸脱したものとして捉えることができるだろう。

しかし、アール・デコとモダニズム建築は必ずしも異質なものでもない。1966年の回顧展から2年後、ヒリアーはアール・デコを定義づける際、それら二つの接点を示唆している。"Art Deco ran to symmetry rather than asymmetry, and to the rectilinear rather than the curvilinear; it responded to the demands of the machine and of new materials . . . [and] the requirements of mass production"（Hillier, *Art Deco* 12-3). アール・デコと機械時代との調和は、モダニズム建築の特徴――つまり、直線的なデザインと新素材を伴った機械化による大量生産の容認――との共鳴を意味する。それゆえ、二つのデザインが混同して語られることも避けられない事実である。

たとえば、2004年に出版された*Bloomsbury Rooms*においては、アール・デコとインターナショナル・スタイルは完全に同一視され、戦間期のブルームズベリー・グループの室内美学に与えた影響が指摘されている。"[T]he sleek, mechanical aesthetics of Art Deco and the International Style have eclipsed Amusing Style enthusiasm for historical quotation in histories of design between the wars"（Reed 247）. アール・デコとモダニズム建築のデザインは、たしかに、時代の特質を共有し、その時代に応答していると解釈できるかもしれないが、その共通点だけで二つを同じ系譜に位置づけるのはいささか短絡的ではないだろうか。

さらにやっかいなのは、ジェンダーのイメージと絡み合いながらアール・デコとモダニズム建築のデザインが交差する点である。1971年、再び、ヒリアーがアール・デコを定義づける際、アール・デコのデザインにみられる相反する二つのイメージはその時代区分によって明確化され、アール・デコとモダニズム建築の関係性はより複雑なものとなる。

> . . . the feminine, somewhat conservative style of 1925, chic, elegant, depending on exquisite craftsmanship and harking back to the eighteenth century; and the masculine reaction of the thirties, with its machine-age symbolism and use of new materials like chrome and plastics in place of the old beaux-arts materials such as ebony and ivory.（Hiller, *The World of Art Deco* 45）

この定義を援用するのならば、アール・デコとモダニズム建築の同調は1930年代に限られることになり、モダニズム建築の歴史から逸脱したアール・デコは「女性的な」側面であると解釈できるかもしれない。実際、このように、どちらかの側面に焦点が当てられ、アール・デコが語られることは決して珍しいことではない。たとえば初期の研究においては、1925年の博覧会に顕著にみてとれる贅沢なフランス装飾芸術に焦点があてられる傾向が強く「現代化された伝統」といった言葉で語られてきたが、その後は「ラグジュアリー」だけではなく「ポピュラー」や「ジャズ・

モダン」などがキーワードとなり、アール・デコの多様性は幅広く研究されるようになる（Benton 18-19）。その背景にはポストモダニズム論の抬頭やそれに伴って活発化するモダニズムの再考などがあげられるだろう。

ここまで概観してきた通り、アール・デコが内包する多様性や矛盾性といったイメージは、同時代のモダニズム建築との関係性によって歴史化されたとも解釈できるだろう。言い換えれば、アール・デコの多様性やその可能性を探ることは、モダニズム建築との関係性を探ることからはじまるのかもしれない。そこで、ヒリアーの提示したアール・デコの時代的区分やそのジェンダー的なイメージに盲従するのではなく、なぜアール・デコの「女性的な」側面がモダニズム建築の系譜から切り離されるのかという疑問に立ち返り、モダニズム建築からみたアール・デコの位置づけを考えてみたい。

3. モダニズム建築による装飾批判

1925年の博覧会において、ル・コルビュジエのデザインしたパビリオン『新精神（エスプリ・ヌーヴォー）』で展示されたものは、下記に指摘されているように、贅沢な装飾が施されたものではなかった。

> His pavilion for L'Esprit Nouveau at the 1925 Paris Exhibition, with its industrial drinking vessels and tubular steel furniture, was to lead the way by rebuking the consumer-oriented displays in the pavilions of the department stores and leading artist-decorators such as Emile-Jacques Ruhlmann.（Gronberg 550）

消費者指向の強いアール・デコに対するル・コルビュジエの批判は、アール・デコ博が開催された年に出版された『今日の装飾芸術（*The Decorative Art of Today*）』（1925）に顕著にあらわれる。そこで表明されたル・コルビュジエの主張――“Whitewash is extremely moral”（Le Corbusier

192）――は、アール・デコを含めた装飾芸術に向けられた痛烈な批判であり、モダニズム建築の視覚的なイメージを決定づけるものであった。彼のデザインしたサヴォア邸（Villa Savoye 1931年竣工）をはじめモダニズム建築の代表作品は、どれも白壁で覆われており、その白壁は「機能主義、合理主義の象徴として地域性や民族性を超えた普遍的なデザインとして捉えられてきた」（北川他 923）。その一方で、ル・コルビュジエにとって白壁は、デザインの問題だけではなく、社会的な問題でもあることに留意する必要がある。なぜならば、彼にとって健全な建築空間とは、健全なる心身と社会秩序を維持する上で必要不可欠なものなのである―― "Our unworthy houses ruin our health and our morale"（Le Corbusier 88）。

では、なぜ装飾が、非道徳や非健全たる象徴として取り扱われることになったのか。女性の自立や社会進出が活発化した1920年代、「芸術と趣味と美」というタイトルの女性誌『アール・グー・ボーテ（*Art. Goût. Beauté*）』をはじめとして、インテリアや服飾装身具を含めた「モダン」なライフスタイルを指南する雑誌が次々と登場するが、これらに対してル・コルビュジエは嫌悪感をあらわにする。

> Magazine carried a taste for the arts into the home. . . . So young ladies became crazy about decorative arts. . . . At this point it looked as if decorative would founder among the young ladies. . . . Suppose there was a decree requiring all rooms in Paris to be given a coat of whitewash. (Le Corbusier 134, 192)

女性性と消費社会を紐づけて展開されるル・コルビュジエの装飾批判は1920年代に特化されたものではない。19世紀後半に数多く出版された室内装飾の啓蒙書の読者は、性別役割分業により「家庭の天使」となることを期待された女性たちであり、消費社会が拡張する中で、室内装飾は誇示的消費による差別化の手段として用いられるようになっていった。このような背景を踏まえると、モダニズム建築の「白いコート」とは、それらの女性たちにより過剰なまでに装飾が施された空間、そして装飾に表象される女性性を払拭するものであるといえる（Gronberg, 551）。つまり、ル・コルビュジエの装飾批判は、19世紀から継承される女性と居住空間の密接な関係性を基盤として、そこから脱却したモダンな空間づくりを意味するのである。

さらに、モダニズム建築の先駆者の一人であるアドルフ・ロース（Adolf Loos）の装飾批判を考慮にいれると、また別の観点がみえてくる。1908年の講演において、装飾は造形芸術の始原であるとしながら、装飾の払拭こそが「文化の発展」であり、無装飾こそが時代精神であると宣言し、その主張は、後に、「装飾と犯罪（"Ornament and Crime"）」（1913）として活字化され、ル・コルビュジエをはじめ多くの建築家へ影響を及ぼした。

> The first ornament that came into being, the cross, had an erotic origin. . . . The man of our time who doubles the walls with erotic symbols to satisfy an inner urge is a criminal or a degenerate. It is obvious that his urge convenience man; such symptoms of degeneration most forcefully express themselves in public conveniences.（Loos 29）

ロースの装飾批判の背景には、オスカー・ワイルド（Oscar Wilde）などに代表される19世紀末からヨーロッパ全土に蔓延したデカダンス文化があげられる。そのため、彼の装飾批判は、文明の発展を妨げる性的欲動の具象化として装飾をみなし、その装飾を排除しようとする試みは、異性愛のロジックに収まらない欲動を近代社会における「罪」として定義づけることを暗に意味するのである（Colomina 38）。つまり、アール・デコを含む装飾に対するモダニズム建築の理念は、女性性だけではなく同性愛との断絶をも意味し、それらをモダニズム建築によって構築される社会そのものから排除しようとする試みともいえるだろう。では、このようなモダニズム建築に対するイギリスの動向はいかなるものか、次にみていくこととする。

4. アール・デコとイギリス 1920年代から30年代に見られる変遷

1925年にパリで開かれた博覧会に参加した34か国の一つにイギリスがあげられるが、その成果は芳しいものではなかった。その様子が、海外貿易局（Department of Oversea Trade）の報告書に記されている。“It is notorious that many people both at home and abroad are looking for a new movement in England to take the place of that which William Morris became the typical representative”（94）. このような背景には、パリの博覧会開催から一か月後にロンドンのウェンブリーで「大英帝国博覧会（The British Empire Exhibition）」の再開が控えており国力がそちらに傾倒していたことも考えられるが、当時のイギリスにおけるモダン・デザインをめぐる動向はいかなるものであったのか。そして、モダニズム建築とはどのような関わりがあったのだろうか。

1926年5月、イギリスの月刊誌『建築評論（*Architectural Review*）』に掲載された記事「大陸の装飾におけるモダンムーヴメント、その一——アンサンブリエの進化」を通して浮かび上がるアール・デコ博のイギリスへの影響が次のように論じられている。「それは、長いこと多くの場所で『確固たる表現とそのエネルギーの発散』を待っていた『モダンムーヴメント』」であり、「特定の建築デザインの様式ではなく、アートとインダストリーの関係に折り合いをつけることを意味する」というのである（木下 64）。実際、博覧会から遡ること10年前に、既に、イギリスにおいては「デザインと産業の結合」を目的とした団体、イギリス・デザイン産業協会（Design and Industries Association: DIA）が発足していた。その会員の多くはアーツ・アンド・クラフツの諸団体やその思想を受け継ぐ建築家たちで構成されていたが、彼らにとってヴィクトリア時代の過剰装飾はもはや「意味のない装飾」であり、「文明は、自分たちが19世紀から引き継いできたものよりも、もっと合理的で、もっと効果的で美しく設計できるはずだ」という強い信念と確信をもっていた（Carrington 17）。その一方で、アーツ・アンド・クラフツの思想に忠実であった芸術労働者組合の存在や、骨董収集を「よい趣味」として部屋を飾り立てる中産階級の性質が、「当時のモダン建築や家具と真逆の方向性であった」ため、機能性、合理性、経済性に重きを置くDIAの「信条に対する解釈が、創設から10年たってもなお長期にわたる議題だった」のである(Carrington 41)。そのためアール・デコ博は、目的意識を共有するDIAの活動にとって追い風となったといえるだろう。事実、博覧会の報告書のいたるところに、DIAの哲学にイギリス・デザインの未来を見出そうとする姿勢がみてとれる（Naylor, 231)。

またアール・デコとイギリスの関係性をひも解く上で重要な鍵となるのが、アメリカから受けた影響である。当時、ロンドンにあるフーバー社の工場をはじめ、多くのアール・デコ建築をイギリスに建設したウォリス、ギルバート・アンド・パートナーズ（Wallis, Gilbert & Partners）は、アメリカの会社と提携しており、彼らが手掛ける建物には、モダニズム建築から排除されるべきものとして定義づけられた装飾が数多く施されていた。その背景には、アメリカ商業主義によって形作られる建築のヴィジョンがあげられるだろう。アメリカにおいて商業主義は「時代を牽引する精神（Guiding Spirit of Age)」であり、芸術活動の妨げとしてみなされていたわけではない。“[T]he building which advertises itself is in harmony with that spirit . . . there is no reason why the term “commercialism” would ever be considered as opposed to art”（Corbett 476）. そして、アメリカはアール・デコ博に参加はしなかったものの、そこで百貨店などの展示に強い影響を受けつつ、消費社会と建築の調和を通して大衆の夢を具現化しようと試みたのである。この点を踏まえれば、イギリスにおいてアール・デコがフーバー社の工場やデイリー・エクスプレスのビル以外にもセルフリッジなどの百貨店を拠点に、小さな香水瓶から建築空間に至る幅広い分野の現象として、大衆に消費されながら波及していったことも頷けるだろう。

一方、このような潮流に対して難色を示す動きがあったことも確認しておく必要がある。1927年、イギリスにおいて権威ある建築大学の一つロイヤル・インスティチュート・オブ・ブリティッシュ・アーキテクト

(Royal Institute of British Architect) において、当時の総長は学生に向けて次のように説いている。

> If your so-called modernism is sensational, restless, full of aesthetic excitement and "out to tickle tired eyes" . . . if it is self-advertising, egotistical, non-cooperative and un-English; if it is precious, abnormal, ephemeral and inhuman, chuck it. But if it is logical, harmonious and well composed; if it is well planned and well-constructed and co-operative and English; if it is sane, masculine and unaffected and human, and imbued with the quality of the eternal, let us have it. (Worthington 197)

消費社会に傾倒するアール・デコを彷彿とさせながら、それをイギリス的ではないモダニズムと定義づけ、男性的な要素で構築されるモダニズム建築と対比させていることがわかる。このような対比は、1930年代になるとモダニズム建築をイギリスに広めたとされる美術史批評家ニコラウス・ペヴスナー(Nikolaus Pevsner)と彼自身もコラムなどの執筆に携わった『建築評論』によって普及することとなる。

ナチス抬頭によって大学での職を追われ、1933年に移民としてイギリスにやってきたペヴスナーは、ケンブリッジ大学出版局より依頼を受け、当時のイギリスにおけるデザインについての研究書*An Enquiry into Industrial Art in England* (1937) を執筆することとなる。モダニズム建築の一角を担っていたバウハウスのデザイン理念を肌で感じていたペヴスナー[2]にとって、イギリスのデザインは決して賞賛に値するものではなかった。"When I say that 90 per cent. of British industrial art is devoid of any aesthetic merit, I am not exaggerating" (Pevsner 12). 彼にとって、モダンなデザインとは何よりも合理的主義かつ機能主義に基づいたものであり、モダンなデザインの追求こそが美の追求のみならず、社会的かつ倫理的義務でさえあると考えていたのである。

> [N]othing of vital energy and beauty can be created unless it be fit for its

purpose, in harmony with the material and the process of production, clean, straightforward and simple. . . . the question of design is a social question . . . To fight against the shoddy design of those goods by which most of our fellow-men are surrounded becomes a moral duty. (Pevsner 10 and 12)

モダンなデザインの要素を明確にする一方で、それに応答しないデザインを糾弾するペヴスナーにとって、アール・デコは、その "atrocities of modernistic 'jazz' patterns" や"sickening decoration" ゆえに批判の対象でしかなかった (Pevsner 19 and 112)。つまり、モダンなデザインの追求が「社会的」かつ「道徳的」にも優先されるべきであるとするペヴスナーの主張は、ル・コルビュジエやロース同様に、アール・デコの要素を「非社会的」かつ「非道徳的」として定義づけることにつながるのである。

このような思想は1930年代になるとエリート層を中心に広く支持されることになる。たとえば、本書の第3章でも指摘されている通り、オズバート・ランカスター (Osbert Lancaster) の*Homes Sweet Homes* (1938) に掲載された二つのイラスト——「機能的 (Functional)」と「近代的 (Modernistic)」【図1】——において、モダニズム建築とアール・デコはジェンダーの視点を交えて象徴的に描かれている (Naylor 234)。「機能的」と題した絵には、ル・コルビュジエを彷彿とさせる眼鏡をかけた男性が、飾り気のない部屋でシンプルな椅子に腰掛けている姿が描かれている。

【図1】オズバート・ランカスター「機能的」と「近代的」(quoted from Lancaster, 71 and 75)

その一方で「近代的」と題された絵には、ラグジュアリーでグラマラスなアール・デコのイメージを彷彿とさせるかのごとく、ジグザグ模様が施された壁には鏡がかけられ、恰幅の良い女性が腰掛けた重厚感溢れるソファーにはクッションが置かれている。さらに、男性の部屋には最新のオーディオ製品や暖房器具が設置され、テーブルには書籍が置かれているのに対して、女性の部屋には薪の暖炉とレコード・プレイヤーが鎮座しており、テーブルの上には書籍ではなくお酒が置かれている。つまり、これらの違いは、機能的かつ知的で男性的なモダニズム建築と退廃的かつ享楽的で女性的なアール・デコ、といった特徴を映し出していると解釈できるだろう。

このように、イギリスの1920年代から30年代にかけてアール・デコを取り巻く動向を探ると、先に見たヒリアーの定義にみられる時系列——つまり、20年代にみられる「エレガント」で「女性的な」側面と30年代の「機械的」で「男性的」な側面からなるアール・デコの時系列——と一致するのみならず、モダニズム建築の思想や概念を擁護し、そこから逸脱したデザインを批判するエリート層によって構築された歴史の断片が見て取れる。そして、モダニズム建築をハイ・カルチャーとするのであれば、アール・デコをポピュラー・カルチャーとして軽視してきた建築史そのものが、異性愛のロジックと男性至上主義によって構築され、またその構築の一旦を担ってきたともいえるだろう。

5. アール・デコの可能性

このような、モダニズムとアール・デコにまつわる二元論——つまり、"avant-garde/historicist, exterior/interior, structural/decorative, industrial/handmade, mass/elite, and male/female"（Elliott 110）——に対して、昨今、アンチテーゼを唱えながらアール・デコの可能性を模索する研究がなされている。その一つであるブリジット・エリオット（Bridget Elliott）の論文 "Art Deco Hybridity, Interior Design, and Sexuality between the Wars"（2006）では、モダニズム建築が隆盛を極めた時期に活躍した二組の女性

デザイナー——フィリス・バロン（Phyllis Barron）とドロシー・ラーチャー（Dorothy Larcher）、そして エア・ドゥ・ラナックス（Eyre de Lanux）とイーヴリン・ワイルド（Evelyn Wyld）——の作品が考察され、彼女たちがデザインする空間は“Modernism”の歴史によって覆い隠されてきた文化の一潮流である「サフィック・モダニティ（sapphic modernity）」の一旦を担うものとして論じられている（126）。その際、先に見たランカスターのイラストを通して、フェミニンな要素もマスキュリンな要素も取り入れた彼女たちの作品が内包するハイブリッドで複雑な性質が解き明かされる（118）。そして、二元論では決して語りつくせない彼女たちのデザインをアール・デコとその時代の特質と重ね合わせてみせるのである。

> I prefer to see their work as part of an exciting and flexible period of experimentation and art deco hybridity that we are only just beginning to appreciate as we discover a wider variety of responses to modernity. (Elliot 126)

エリオットの論においてキーワードである「ハイブリディティ（hybridity）」は、一般的に「混ざり合い」や「雑種性」を意味するが、ポストコロニアル批評家であるホミ・K・バーバ（Homi K. Bhabha）の議論を想起せずにはいられない。たとえば、バーバにとっての「ハイブリディティ」とは、簡的に言えば、植民地と非植民地、支配者と被支配者の関係性において生じる新たな文化様式であり、その過程で生まれる「第三の空間（the third space）」でもある[3]。そしてこの概念を援用するばら、30年代に一世を風靡したインターナショナル・スタイルの要素を模倣しながらも、自らのものとして取り込むアール・デコの雑種性は、その文化形成においてモダニズムとアール・デコにまつわる言説を揺るがし、そこに潜む権力関係を脅かす契機として解釈できるだろう。その一方で、バーバの概念が批判されるように、アール・デコは二項対立的思考方法を自己内部で固着化し、強いてはそのヒエラルキーを正当化する担い手としての側面があることも否定できないことになる。だとしても、二つの文化が関係を持ちながら新たな視点を生み出すとされる「第三の空間」にまつわるバーバの論は、エリオットのアール・デコ論にみられるスタンスを支持するものでもある。なぜならば、エリオットが試みたことは、インターナショナル・スタイルのモダニティに対する概念が建築史を独占する前に存在していた、もしくはその歴史によって表舞台から姿を消したモダニティに対する多岐にわたるアプローチの一旦を浮き彫りにすることであり、バーバ同様に、(モダニズム) 文化を固定的で純粋なものとして捉えようとする従来の認識に対する挑戦なのだから。

エリート主義を含蓄するモダニズムの再読がサフィック・モダニティ以外にもミドルブラウなどの観点を用いて活発に行われている昨今、アール・デコはセクシュアリティ以外にも、ジェンダーや階級、そしてエスニシティの枠組みを超えて、モダニズムに抑圧された文化を再読する上で一つの重要なフレームワークとなる可能性を秘めているといえるのではないだろうか。なぜならアール・デコは、イギリスやアメリカ以外にもイタリアやスカンジナビアをはじめ世界各地で展開されながら、"popular fantasy"を掻き立て消費されてきたのだから (Jordy 79)。だとすればアール・デコとは、機能主義によって淘汰されたモダニティの概念に抑圧された「ハイブリディティ」を踏まえて、戦間期に花開いたハイ・カルチャーとポピュラー・カルチャーの両側面からの研究を擁護する媒体として捉えることができるだろう。

Notes

[1] モダニズム研究の変革については、たとえば、Douglas MaoaとRebecca L.. Walkowitzの"The New Modernist Studies" (2008) を参照のこと。

[2] ペヴスナーのバウハウスに対する賞賛は以下の点において顕著である。"Gropius's Bauhaus was the most advanced expression of the new doctrine which is to rule industrial art in the twentieth century" (Pevsner 112).

[3] たとえば、バーバは「第三空間」について次のように論じている："[A]ll forms of cultures are continually in a process of hybridity. But for me the

importance of hybridity is not to be able to trace two original moments from which the third emerges, rather hybridity to me is the "third space" which enables other positions to emerge. . . . the process of culturally hybridity gives rise to something different, something new and unrecognizable, a new area of negotiation of meaning and representation" (Rutherford 211). また、"hybridity"の概念についての詳細は、Homi K. Bhabhaの*The Location of Culture* (2004) を参照のこと。

Works Cited

Benton, Tom, and Tim Benton. "The Style and the Age." *Art Deco 1910-1939*, edited. by Charlotte Benton et al., V & A, 2015, pp. 12-27.

Bhabha, Homi K. *The Location of Culture*. 2nd. ed., Routledge, 2004.

Carrington, Noel. *Industrial Design in Britain*. Allen and Unwin, 1976.

Colomina, Beatriz. *Privacy and Publicity: Modern Architecture as Mass Media*. MIT, 1994.

Corbett, Harvey Wiley. "The American Radiator Building, New York City." *Architectural Record*, vol. 55, no. 5, 1924, pp. 473-77.

Department of Oversea Trade, *Reports on the Present Position and Tendencies of the Industrial Arts as Indicated at the International Exhibition of Modern Decorative and Industrial Arts*, 1927.

Elliott, Bridget. "Art Deco Hybridity, Interior Design, and Sexuality between the Wars." *Sapphic Modernities: Sexuality, Women and National Culture*, edited. by Laura Done and Jane Garrity, Palgrave Macmillan, 2006, pp. 109-29.

Hiller, Bevis, *Art Deco of the 20s and 30s.* Studio Vista, 1968.

---. *The Word of Art Deco*. Dutton, 1971.

Gronberg, Tag. "Decoration: Modernism's 'Other'" *Art History*, vol. 15, no. 4, 1992, pp. 547-52.

Jordy, William H., *American Buildings and their Architects: The Impact of European Modernism in the mid-Twentieth Century,* Oxford UP, 1976.

Lancaster, Osbert. *Homes Sweet Homes.* 3rd. ed., John Murray, 1963.

Le Corbusier, *The Decorative Art of Today,* translated by James Dunnett, Architectural

Press, 1987.

Loos, Adolf. “Ornament and Crime.” *Crime and Ornament: The Arts and Popular Culture in the Shadow of Adolf Loos*, edited by Bernie Miller and Melony Ward, YYZ Books, 2002, pp. 29-36.

Mao, Douglas and Rebecca L. Walkowitz. “The New Modernist Studies.” *PMLA*, vol. 123, no. 3, 2008, pp. 737-48.

Naylor, Gillian. “Conscience and Consumption: Art Deco in Britain.” *Art Deco 1910-1939*, edited by Charlotte Benton et al., V & A, 2015, pp. 230-39.

Pevsner, Nicolaus. *An Enquiry into Industrial Art in England.* Cambridge UP, 1937.

Reed, Christopher. *Bloomsbury Rooms: Modernism, Subculture, and Domesticity.* Yale UP, 2004.

Rutherford, Jonathan. “The Third Space: Interview with Homi Bhabha.” *Identity, Community, Culture, Difference*, edited by Jonathan Rutherford, Lawrence & Wishart, 1990, pp. 207-21.

北川啓介他「建築物の言語描写における〈白〉の多義性」『日本建築学会計画系論文集』第79号698巻、2014年、923-32頁。

木下誠『モダンムーヴメントのD・H・ロレンス――デザインの20世紀／帝国空間／共有するアート』小鳥遊書房、2019年。

スパーク、ペニー『パステルカラーの罠――ジェンダーのデザイン史』菅靖子他訳、法政大学出版局、2004年。

ヒリアー、ベヴィス『アール・デコ』西澤信彌訳、パルコ、1977年。

第2章

英国アール・デコ時代のシスターフッドの夢
——フェミニストのインフラと斜塔作家のモノ

松永 典子

1. はじめに——ピープルの夢

「大衆ユートピアの建設は20世紀の夢だった。それは、資本主義と社会主義の両方にとっての産業的近代化のイデオロギー上の推進力だった」(ix)。これは、産業の近代化についてスーザン・バック＝モース（Susan Buck-Morss）が前世紀を言い表した至言である。産業の近代化は、冷戦時代に生きる東西の人びとに幸福がもたらされるという共通の夢をもたらす一方で、独裁や戦争などの破壊をもたらした。イギリスにおいても同様に、1928年の普通選挙権の達成によって、暴徒や群衆とは異なる意味での「大衆社会」の台頭を人びとは意識せざるを得なかった。

20世紀に生きたヴァージニア・ウルフ（Virginia Woolf）もまた、フェミニズムという夢を見た。彼女のフェミニストの夢は、『自分だけの部屋（*A Room of One's Own*）』（1929）や『三ギニー（*Three Guineas*）』（1938）をはじめとして、さまざまな講演原稿やエッセイなど随所に記されている。その一方で、彼女は、1924年までに書かれたイギリス近代小説の「最良の作品」の書き手として、ヘンリー・ジェイムズ（Henry James）、ジョゼフ・コンラッド（Joseph Conrad）、ジェイムズ・ジョイス（James Joyce）、D・H・ロレンス（D. H. Lawrence）、E・M・フォースター（E. M. Forster）とともに名前を挙げられる（Lodge 243）。このように1920年代を特化するモダニズムの枠組みが前提としているのは、審美的で知的なエリート集団のブルームズベリーであり、政治的なものと美的なものとの対立だろう。『三ギニー』における語り手の「私」が呼びかける相手が「教育を受けた男たちの娘」だったことを思い出してみると、この文脈では、ウルフが夢みたフェミニズムに、労働者階級たちを含めることは難しい。ウルフのフェミニズムは、あたかも教育を受けた女たちだけに限定されていたかのようである。

ウルフの一連のフェミニズム・テキストが出版された1920年代半ばから1930年代後半は、産業という観点からみると不況期の失業時代から大量生産の実現によって消費文化の広がりへと移行した時代であり、建築および美術用語ではアール・デコ期と呼ばれる時代である。本論では、アール・デコ時代に解釈され論じられた歴史的コンテクストを今一度ふまえたうえで、あらためて、オーデン・グループにつらなる英国男性モダニストたちとヴァージニア・ウルフとの関係をとらえ直すことを試みる。モダニズムの文学・文化状況を歴史化し、また、21世紀の現在にいたるまで問題とされてきたシスターフッド——フェミニズムの夢の実現——について再考するために、本論では、ウルフと文壇との論争から英国モダニズムを再読する。ただし、ここで論じるのは、有名なアーノルド・ベネット（Arnold Bennett）との論争ではなく、1920年にはじまる雑誌上でのデズモンド・マカーシー（Desmond MacCarthy）らとの一連の論争、その後の講演原稿「斜塔（“Leaning Tower”）」（1940）、とりわけそこで提示された共産主義知識人としてのオーデン・グループへの批判的言説を取りあげ、大衆ユートピアのヴィジョンとプロジェクトを包含するアール・デコと英国モダニズムそして労働者階級との関係をモノから探る。具体的には、ウルフの想定する女性作家および読者を、アール・デコ期という歴史性において英国モダニズムのシスターフッドという観点から、再解釈する。従来のモダニズムという区分ではなくアール・デコ期という時代区分を用いて明らかにしようとするのは、ウルフはシスターフッドを、男性知識人作家たちは教育を、それぞれ前提として大衆ユートピアの夢を抱いていたことと、両者の夢がモノとインフラをめぐって交差していたこと、である。

2. 労働者階級と知識人作家の1930年代

1930年代は、不況と繁栄という両義的特質を持っていた時代だった。そのことを、セリーナ・トッド（Selina Todd）の『ザ・ピープル——労働者階級の盛衰1910-2010（*The People: The Rise and Fall of the Working Class, 1910-2010*)』(2014) から明らかにしよう。20世紀初頭から現代までのイギリスの労働者階級の盛衰を考察する同書のタイトルの『ザ・ピープル』が意味するのは労働者階級である。トッドは、階級がアイデンティティや収入だけではなく「関係性」によって決まると、初版翌年に出版された改訂版に加筆された「後書き」に記す（Todd 369)。あらゆる職業人は労働者階級になり得るが、『ザ・ピープル』の労働者階級には、階級上昇を果たした者はもちろんのこと、潜在的にはその子孫も含まれるという意味で、トッドの考える階級は拡大的である[1]。

拡大と縮小という文脈から考えるならば、1930年代はその両方を人びとに感じさせた時代だった。1930年代前半は、失業手当額を決定するために実施された家計収入調査によって、政府によって人びとの選別がなされた。こうした経験を通じて、当時の人びとは自分たちの分断状況の責任が政府にあることを自覚し始めた。1930年代前半が不況期の失業保険およびそれをめぐる政策の失敗によって労働者としての意識形成がなされたとするならば、30年代後半は、人びとの経験に消費が加わった時代である(Chapter 5)。彼ら彼女らの消費行動を可能にしたのが、フランスの富豪シャルル・ブードゥー（Charles Bedaux）によって英国にもたらされたブードゥー・システムという大量生産方式である。このシステムは、米国フォード社の自動車工場に導入され、その後、フレデリック・テーラー（Frederick Taylor）によって普及されたことからテーラー・システムとも呼ばれる工場生産の管理法でもある。管理方法としての同システムの特徴は、労働およびその成果を分離して評価することにある。「労働者たちが各人の職務だけを理解していれば、職場やその機能について理解する必要はない」というテイラーの管理思想においては、労働者の最大の任務とは「要求された時間内に要求された数の業務を完了すること」であり（Todd 102)、したがって、割り当てられ担当労務以外に関心を向けることは、労働者に期待されない。労働全体に対する無関心に反比例して、そして、その代わりに消費が、労働者の心を占めるようになるのだ。人びとは、失業手当によって縮小を、産業によって拡大を実感した。

1930年代は、前半においては大量の失業の時代であり、後半においては20世紀後半に続く大量生産による消費主義的萌芽がみられた時代としてさしあたり理解することができようが、ここで注目したいのは、『ザ・ピープル』における1930年代の知識人作家の描写である。本書では従来の歴史の捉え方は神話と呼ばれ、その神話を回顧し否定しながら、労働者階級の歴史が検証される。同書の1930年代の神話は、同時代の知識人作家——ウルフ、J・B・プリーストリー（J. B. Priestley）、ルイ・マクニース（Louis MacNeice）——による労働者階級たちの観察とともに検証される。トッドは、1930年代前半に、改革をめぐってエリートと労働者階級の間に緊張関係があったと記す。その証拠として引用されるのが、ウルフのエッセイである。トッドがウルフに言及するのは、不況下における国家の窮状対策についての介入を論じる時である。それは、労働者階級自身による主体的改革か、国家による福祉改革を実現すべきかをめぐって議論され、ウルフは、前者を疑問視する中産階級の代表として言及される。トッドは、ウルフが「生活協同女性組合（Women's Co-operative Guild）」の女たちによる手記集『私たちが知っている生活／人生（ライフ）——労働者階級女性の声（*Life As We Have Known It: The Voices of Working-Class Women*）』(1931) に寄せた「序文」を引用しながら、次のように分析する。

> 彼女〔ウルフ〕は、〔労働者階級女性たちが寄せた〕寄稿文の意義を認めてはいるが、「書き手に多様性と特色がないし、客観性がなく想像力が豊かではない」と書く。そのため、「何が言いたいのか半分も分からない記述」になっていると言う。ウルフは、労働者階級女性がまだ民主的な討論に参加できる能力を十分にもっていないという不安をあからさまに記している。(Todd 92)

ホガース出版の所有者という紹介が言外に示すように、トッドはウルフを、「失業者に対して同情的」であっても「労働者階級が変化の重要な主体になるという考えを不穏なこと」(Todd 92) と考える中産階級——おそらく正確には不労所得者——の代表として見なす。

一方、1930年代後半の知識人として本書に名前が挙げられるのは、プリーストリーである。前述の改革の担い手論争における彼の立場は『ザ・ピープル』では言及されないものの、以下のような記述から判断すると、おそらく彼もまたウルフと同様に下からの改革反対論者として見なされている。トッドは、織物工場地域として知られるレスターに彼が訪れた時の経験をもとに書かれた『イングランド紀行 (*English Journey*)』(1934) を引用する。

> プリーストリーの論の要点は次のとおりだ:彼〔プリーストリー〕が〔工場を〕出ていく時には「ぽかんと口を開けてボクを見て」いた絹の靴下の労働者階級女性は、民主主義を投げ出してしまうかもしれない。自動化(オートメーション)労働に満足して、ハリウッド映画やファッションを甘受し、そこら中の道路沿い広告掲示板の炭酸飲料や休暇を宣伝する新しいアメリカ様式の広告に惑わされている、この新しい世代は、裏庭から —— もしくは、さらに困ったことに投票によって —— ファシズムもしくは共産主義を招き入れかねないのだ。(Todd 100)

引用中の「自動化」とは前述のブードゥー・システムとほぼ同義であるが、この生産システムはおもに三つの変化をもたらした。女たちが男たちと同じ条件で参政権を授与された5年後、ヒトラーがドイツで政権を掌握した年に、大量消費の可能性を拓いたという第一の変化に加えて、男性労働者ばかりであった工場に新たな労働者である女たちを迎え入れたという意味で、労働のジェンダーを変えた。それが第二の変化だ。

変化はもう一つある。プリーストリーは、女性工場労働者を「単なる歯車やてこ」だと言いながら、実は「脅威」だと見ている。つまり、第三の変化とは、上記の二つの変化の副次効果として、知識人が労働者階級を見る目が変わったことである。『イングランド紀行』の出版は、ヒトラーがドイツで政権を掌握した1933年であり、男女同権の普通選挙権が達成された5年後だった。このような歴史的変化を背景に、中産階級および知識人は、労働者であり新たな有権者である「人びと」へ懸念の眼差しを向けるようになった。そうした懸念の眼差しはプリーストリーの一人のものではなかった。「ジョージ・オーウェル（George Orwell）、ジャーナリストのイーヴァー・ブラウン（Ivor Brown）、詩人のルイス・マクニースといった男たちは、政治的な立場が左であれ右であれ、組み立てラインが民主主義と文明を破壊するだろうと心配していた」（Todd 100）。トッドが示すアイロニーは、「ぽかんと口を開け」機械の言いなりになって働いていたはずの女性工場労働者こそが、現実にはブードゥー・システムの導入反対を掲げたストライキの実践者だったことである（Todd 103）。

上記の解説が示唆しているのは、男性知識人の労働者への猜疑心であるが、同時に、その猜疑心は、それを語る人のものでもある。「左派に共感しながらもマルクス主義には懐疑的」で、政治的感情は「イタリア・ドイツの全体主義に対して嫌悪」している（Todd 101）というのは、トッドによるマクニースについての説明だが、程度の差はあれ、トッド自身の1930年代男性知識人像を言い表しているだろう。

トッドは1930年代について二つの歴史言説における神話を否定した。一つ目は、福祉改革によってヨーロッパを席巻する独裁主義の脅威から国家を守ることが可能だったはずという神話だ。福祉国家という上からの改革では独裁主義への抵抗には不十分であり、労働組合や生活協同女性組合などの「人びと」の行動という下からの改革が必要だとトッドは結論づける（Todd 91-92）。二つ目の神話は、1930年代後半は失業の脅威が消えて消費という楽しみを労働者たちが手に入れた時代だったことだ（Todd 114-15）。実際には、より多くの労働者が女中などの家事労働から工場労働へと職場を移行したにせよ、失業の不安は消えなかった。製造ラインの一部となった労働者たちの心の隙間を埋めたのが、「新たな消費文化」（Todd 115）であっただけである。ただし、失業と繁栄の1930年代についてのトッドの記述が図らずも主張しているのは、歴史的神話の否定だけではない。30年代に通底していたのは、知識人たちによる労働者階級への不信感である。もしくは、知識人作家と「人びと」の「夢の世界」の乖離であろう。歴史家が示す1930年代の知識人はジェンダーを問わず、労働者階級の夢とは接点がないらしいのだ。

3．みんなの装飾（デコ）

知識人作家と「人びと」の夢は完全に乖離していたのか。1930年代という時代区分ではなく、美術と産業を交差する概念アール・デコの観点から考えてみると、それは、必ずしも乖離ではなかったように思われる。

まず、アール·デコという語の成り立ちを検証しよう。その成り立ちは、同時代的ではなく事後的である。1968年にアール・デコという名称を冠した最初の単著を記したベヴィス・ヒリアー（Bevis Hillier）は、その語の成り立ちを次のように述べる。1925年にパリで開催された「現代装飾美術産業美術国際博覧会」はそうした芸術様式の初期の重要出来事として理解されており、アール・デコの名が定着する以前は「パリ25」、「1925年のスタイル」、「1925年のモード」のような名前で呼ばれ、1966年にパリで開催された回顧展では「1925年」と名づけられた。その展示カタログに付けられたサブタイトル「アール・デコ」を、ヒリアーは「抽象的で社会的な傾向を持っていた」様式全体の名前として選び、以降、その名が定着している。この名前を、彼が用いることにしたのは、それが、何よりも包括的で「あれこれなんでも入りの表現を1930年代に獲得した発展的な様式」（Hillier 12）を意味するからだ。つまり、アール・デコは、1925年の展覧会に端を発し1930年代に発展した概念でありながら、同時に、抽象的であったがゆえに漠然とした包括的イメージをみんなで共有可能な概念だった。装飾という漠然とした共通点があれば、誰でもが認識可能な概念である。それがアール・デコだ。

アール・デコは、同時代の芸術家つまりはモダニストにとっては、嫌悪の対象だった。彼らは、嫌悪の意を表して、通常、アール・デコを「当世風／今風（modernistic）」と評した。

> 彼らにとって、アール・デコとは真のモダニズムの非嫡出子でしかなく、恥知らずなほどに商業的だった。アール・デコとモダニズムの伝統的な二元論は、モダニズムのムーブメントの現実が詳細に評価されるにつれて、ますます疑問が呈されているが、アール・デコが表象しているとされる当世風（modernity）の希薄化や大衆化に対するモダニストたちの嫌悪感を示す逸話はたくさん残っている……このようにアール・デコの当世風とは、ふまじめな営利を目的とした新奇性／装飾／おまけ（novelty）として見なされていた。いわば、新たなものを再構築しようとする高潔なモダニズムのまったく反対のものとして見なされていた。アール･デコの解釈する「モダン」とは、モダニズムが提供しようとしていた「モダン」と比較すると、感情的で、学識に基づいておらず、大衆的どころか大衆迎合的なものだった。（Hillier and Escritt 22-23）

上記の引用で言及されるように、アール・デコは美術や建築に留まらない概念であった。1925年のパリ万国博覧会では贅をこらした建物が人びとの目を奪い、建築様式としてアール・デコはしばしば語られる。「リュルマン（[Émile-Jacques] Ruhlmann）のサイド･ボード、ピュイフォルカ（[Jean] Puiforcat）の食器セット、ラリック（[René] Lalique）やドーンの花瓶などの家具・銀器・産業美術」のシンプルなデザイン物が同展覧会では展示されたが、このような展示をみた批評家の中には、芸術と産業の対立がなくなったと楽天的に考えた者もいた（Hillier 81）。このような逸話は、この時の装飾がどれほど人びとにインパクトを与えたのかを物語っている。ヒリアーの著作で紹介される建築批評家フランク・ピック（Frank Pick）が述べるように「建物に関するあらゆる問題」が日用品にも適応できる（Pick qtd. in Hillier 82）のであれば、もはや建築と日用品の両者には大差ない。

したがって、アール・デコの特質は全体性にある。ここでいう全体性の意味するところは、国際性、社会階層（階級）の超越、「建築・装飾芸術・

最も安価な消費財を統合しうる様式」（Hillier and Escritt 22-23）という三点に集約される。いわば、装飾の力は、通常は同質とみなされない社会階層や国家を包括的に語ることを可能にするのだ。アール･デコの新規性は、建築といった特定の分野の美術様式を超えて、日常のなかに入り込んだスタイルになったという点にある。つまり、誰しもが知覚可能なデザイン、それがアール・デコの新規性である。様式の簡潔さゆえに大量生産が容易となることは、その複製品が流通することでもある。人びとはモノの所有によって同じ夢を共有することが可能になったのである。アール・デコとは､すべてを包括するスタイルであることだが､その時の「すべて（total)」の中にはモノだけでなく「みんな（total)」を統合する様式（style）なのである。

アール・デコの全体性は一方で、1930年代の政治における全体性とも接続されうる問題をはらんでいる。1930年にすでにヒトラー礼賛を表明したウィンダム・ルイス（Wyndham Lewis）曰く「1937年には誰もが政治的になるしかなかった。私たちは首までどっぷり政治に浸かっていた」(qtd. in Hillier 82)。ルイスの言葉が示すように、人びとは政治に傾倒していた。ヒリアーはその傾向をアール・デコにも読み取る。

> アール・デコは共産主義もしくはファシズムのマニフェストとして見ることもできた。その究極目標が大量生産に最も適したデザインを生みだすことにあった点では、共産主義的だった。〔また、アール・デコは〕全体主義政府の道具や、もしくは、形ばかりの民主主義における人種差別的なプロパガンダの道具に容易に変換することができたという点で、ファシズム的だった。(Hillier 84)

ヒリアーの論は、アール・デコの装飾的全体性が、共産主義とファシズムという当時の政治思想と容易に結合しうる概念でもあったことを示している。知識人におけるファシズムという全体性への傾倒という歴史と、大量生産によって誰もが所有者になり得るというアール・デコの共産主義の可能性である。アール・デコという装飾は、シンプルなデザインによって大量生産を可能にし、安価な製品を人びとに届けることを可能にした。同時に、人びとが知覚可能な統一（total）したデザインを通して、人びとがあたかも同じ夢を見ることを可能にした。つまり、アール・デコは、建築から日用品にまで及ぶ装飾であるとともに、みんなの夢を包む思想でもあったのだ。共産主義にもファシズムにもなり得るアール・デコという装飾（モノ）と夢（思想）は、1930年代の中産階級、労働者階級、知識人のみんなの夢をゆるやかに包み込みこんでいた。

4．アール・デコのジェンダー

とはいえ、デザインにおいては包括的機能をもったとされるアール・デコは、ジェンダーの観点から考えると対称ではなかった。その意味で十全に「全体的」・「包括的」であったとは言い難い。そのことを装飾やデザインをジェンダーと消費の観点から明らかにしようとしたのは、前述のヒリアーと同じく1960年代のポップカルチャーに注目したペニー・スパーク（Penny Sparke）である。19世紀後半以降の消費文化を論じる時に、女と消費行動を論じた従来の研究書においては、女たちを「近代的男性的経営者の操作」に踊らされる存在（高井 86）として位置づけることが一般的であった。モノとの関係から見ると、女は消費者としてのみ主体になり得たと言い換えてもよいだろう。しかし、スパークは消費の主体としての女という議論に問いを投げかける。「どのように、量産品がジェンダーのステレオタイプという属性をまとうようになったのだろうか」（Sparke 10）。スパークが問うているのは、女とモノの関係が消費に限定されていることである。つまりは、消費以外にモノと女との関係を構築する文化があり得たはずだ、また、その文化がどこで中断されたのかを探るべきだと、スパークは問うている。

スパークによると、女とモノの関係に変化が起きたのは19世紀半ば以降から20世紀半ばにかけての出来事である。「19世紀後半までに、近代化（modernity）の到来が生みだした大きな変化は、社会・人口・経済・美学・心理などの領域にわたって、英米ですさまじい影響力を与えた」（Sparke

4)。近代化＝モダニティによって、女たちの領域は「家庭」、「道徳・社会的な望み、趣味や装飾の実行」など「感情的な環境」へ、男たちの領域は「労働・進歩・技術・実用という……〈合理的な〉世界」へと、精神的にも物理的にも区分された。つまり、生産が重視される一方で、女の領域とされる趣味の行使行動である消費が軽視される時代であったという点において、家庭（domesticity）は女性的な趣味とともに、近代（modernity）と近代化を意味するモダニズム（modernism）によって周縁化された（Sparke 4）。スパークのモダニティとモノとモノ作りの議論が示唆しているのは、「近代化の到来」がモノのジェンダー領域を区分しただけでなく、権力を不均等に配分したことである。したがって、消費行動の表れであるという意味において、趣味とは生産の隠れた対概念である。そして、モダニズムという概念の生成過程において、「階級だけではなく、ジェンダーが私たちのモノ文化の不均衡な表象の原因となっている」のである（Sparke IX）。

モノを通したジェンダー不均衡を実践するモダニストの一人がル・コルビュジエ（Le Corbusier）である。彼は「おそらく他のどのハイ・モダニスト（high moderns）よりも劇的に、空間のユートピア的変容を、実に清潔かつワクワクするような新しい形をもつ浄化力に賭けた」（Jameson 183）建築家であるとともに、アール・デコの装飾を嫌悪していた。

> 「装飾が解決してくれる。すべてに装飾をほどこすのだ。装飾で質の悪さ（junk）を隠す。装飾は欠点・きず・あらゆる欠陥を隠してくれる。」なんたる着想、商業主義の勝利だ。あらゆる鋳物（鉄、銅、青銅、スズ）に装飾を！……あらゆる百貨店に装飾を！　文字通りすべての百貨店に装飾、装飾。百貨店はご婦人方の至福の場となった。（Le Corbusier 54-55）

上記のル・コルビュジエの言葉は、「みんな」にとってアール・デコの装飾が魅力があるという点においては前述のヒリアーの議論どおりだが、両者の主張を区分するのは、彼の描く「みんな」の夢の根底にはミソジニーが記されていることだ。彼にとってのモノとは消費を意味し、そして、その行為の主体は「ご婦人方」だ。それを反転させるならば、建築とは芸術創作の行為であり、その創作行為の主体は紳士たちである。創作の担い手のジェンダーが固定されているという意味で、彼の芸術観はジェンダー化されている。

スパークとル・コルビュジエの議論が示しているのは、19世紀後半から20世紀初頭にかけてマテリアルな文化にジェンダーの変容があったことである。トッドの著作に明らかなように、生産工程に女たちが関わっていたにもかかわらず、男たちは作り手というよりも創造者(クリエイター)に、女たちは受け手というよりも消費者になってしまった。つまり、アール・デコは、人びとの暮らしにある日用品を装飾しているだけでなく、モダニズムのジェンダー非対称を隠蔽してもいるのだ。

5．もう一つの創作論争
——アール・デコ論としての「斜塔」

これまでの議論を要約すると、アール・デコとは大量生産のモノに端を発した、人びとを連結させ得る思想である。階級や財産の異なる人びとをモノによって連結させ得る思想であるという属性は、一方で、モダニストたちが嫌った大衆性でもあった。そしてまた、アール・デコは、創作の場面においては、創作者は男、受容者もしくは消費者は女というジェンダーの非対称な性質を持っている。

上記のようなアール・デコのモノとの関わりを、同時代の男性知識人作家間との創作論争を通じてウルフは追求している。それが「斜塔」を含む一連の論争である。この論争は二段階にわたっており、その第一段階が1920年の『ニュー・ステイツマン（*The Newstatesman*)』誌上での文芸評論家マカーシーによるベネットの著作の書評とそれに対するウルフの反論である。ケンブリッジ大学を卒業したマカーシーは、ブルームズベリー・グループと親交があり、当時の『ニュー・ステイツマン』の編集者として文壇の重要人物でもあった。論争の契機となったのは、彼が「優しきタカ(Affable Hawk)」という筆名で書いたベネットのエッセイ集『我らが女たち――性の不和に関する章（*Our Women: Chapters on Sex-Discord*）』の書評である。知性、特に創造性における男女の優劣は明らかだというのが、彼の書評の骨子である。ウルフは、ベネットとともにマカーシーの性差別的なジェンダー観を批判する。

「ベネット氏とブラウン夫人（"Mr. Bennett and Mrs. Brown"）」論争よりも遥かに単純な応答に思える、両者のやり取りは、論争の第二段階「斜塔」に引き継がれる。「斜塔」は、1940年5月に「労働者教育協会（Worker's Educational Association）」での講演を元に同年出版されたエッセイである。ここでウルフによって批判されるのは第一段階と同様に男性知識人であるが、その対象は個人ではなく、セシル・デイ・ルイス（Cecil Day-Lewis）、W・H・オーデン（W. H. Auden）、スティーヴン・スペンダー（Stephen Spender）、クリストファー・イシャウッド（Christopher Isherwood）、マクニースなど男性作家全体に向けられている（Woolf, "Leaning" 165）。ウルフは彼らの属性を1925年頃に集団として書き始め、1939年にグループとして終了した作家と位置づけ（Woolf, "Leaning" 167）、彼らを「斜塔作家」と総称する。イシャウッドを除く彼らがみな、オクスフォード大学の出身者であることを考えると、斜塔作家として批判されたのは、オクスフォード大学の男性知識人たちである〔2〕。彼ら共通の基盤＝インフラは「親の地位」と「親の金」である。それを、ウルフは「中産階級の出生と高額な教育」（Woolf, "Leaning" 168）とも言い換える。ウルフは、オーデンによるイシャウッド宛の手紙の言葉「化粧しっくいの郊外住宅と高額な教育」（Woolf, "Leaning" 167）を引用し、彼らも自らの教育的公共設備（インフラストラクチャー）――パブリックスクールからオクスブリッジにおける教育――への依拠を認識していると述べる。つまり、斜塔とは、一義的には彼らの教育のインフラの崩壊を示唆している。

一方で、斜塔はまた、男性知識人の思想上の「傾向（leaning）」をも意味する。ウルフは、崩壊の傾向の始まりを、1914年の大戦開始の時で、彼らがそれに自覚したのが1930年代であることと、彼らのもう一つの特徴である「政治性」を接続して考察する。その時にウルフが言及するのが、論争第一段階の論敵マカーシーである。戦前には政治全般に無関心だったマカーシーだが、1930年には政治に関心を持たないでいることなど不可能だった（Woolf, “Leaning” 169）。なぜなら「1930年代の作家たちは政治の人（a politician）にならざるを得なかった」（Woolf, “Leaning” 173）からだ。「政治の人になる」とは、「みんなと同じ／一体化になること（to be whole）」であり、「人びとになること（to be human）」つまりは労働者階級の人びとと一体化することである。それが彼らの政治的傾向である。

しかし、斜塔作家にとって「みんな」との一体化は容易ではない。なぜなら、それは自らの特権的基盤を放棄することを意味するからだ。前述のとおり、彼らは、自分たちの基盤＝インフラが崩壊しつつあることを感じていた。

> 人生のもっとも多感な年頃に、彼ら〔斜塔作家〕は意識させられて苦しんだ（they were stung in consciousness）――自己を、階級を、モノ（things）が変化し続け落下し続けることを、さらに、これからやってくるだろう死を意識させられたのだ。（Woolf, “Leaning” 173）

その崩壊を目の前にした彼らは、その状況を認識しているようで認識していない。変化の傾向を認識すると同時に、その傾向に衝撃を受け、刺されたような（stung）痛みを感じつつも、刺されたがゆえに感覚が麻痺して正確に認識できずにいる。ウルフがこうした「傾向」を説明する時、塔だけでなく、しっくい、椅子、本などさまざまなモノの隠喩を用いるのは偶然ではないだろう。作家の形成に「躾や教育」という椅子が重要だ（Woolf, “Leaning” 165）と言うウルフにとって、これらの中産階級的モノが意味しているのは、労働者階級には手の届かない教養でもある。1918年の教育法改正によって義務教育対象年齢が12歳から14歳へと引き上げられたと言っても、大学への門戸はまだ彼らに開かれていない。現実を無意識に拒絶して書いていた人たちが、斜塔作家である。

アール・デコが建築でもあり日用品でもあったこととともに考えるならば、タイトルの斜塔は、建築物というよりモノと考えるべきだろう。モノとしての塔とは、全体主義的なアール・デコのモノである。モノによって維持され、補強されていたという点において、斜塔作家たちの隠れた全体主義を、塔の比喩によってウルフは示しているのだ。

こうした議論の最後にウルフが主張するのは、モノではなくインフラである。斜塔作家とそれ以外の人びととの間には深い溝があると考えるウルフは、斜塔作家のような教育からの部外者だったという理由で、驚くべきことに自らと労働者階級を「一般人（commoners）」と位置づける。また一般人として、本を読み、本を書こうと聞き手／読者に呼びかける。「毎日書きなさい、自由に書きなさい。ただし、過去の偉大な作家たちが何を書いたのかをつねに対照しよう」（Woolf, “Leaning” 177-78）、と。そして、執筆行為の一部として読書行為が成されるべきだとも、述べる。「実践としても文章としても、公共図書館の本を借り、詩や戯曲、小説、歴史書、伝記、新しいもの古いものを手当たり次第何でも読むことで、私たちは書き始めることができるのです」（Woolf, “Leaning” 178）。そして、本というモノの所有（購入）ではなく、本を蔵書させる公共図書館というインフラの充実を彼女は訴える。

> インングランドは、やっと、二つの世界の溝を埋める努力をしています。その努力の証がここにあります。この本です。この本は買ってきたものではありません。賃料を支払ってもいません。公共図書館から無料で借りてきたものです。イングランドが一般人に貸してくれているのです。曰く「私はあなたたちを何世紀もの間、すべての大学から閉め出してきたが、そんなあなたたちですら母語で本を読むべき時がきた」。（Woolf, “Leaning” 177）

上記のウルフの言葉は、教育から疎外されてきた「人びと」に知識を得るインフラを整備せよという、イングランド（国家）への行為遂行的な発話だ。彼女は、本というモノを備えた公共図書館という公共設備（インフラストラクチャー）――人びとが共有する設備――こそが、一般人みなが対等になるための条件だと示しているのだ。

ウルフの要求が本を借りて読むだけでなく書くことであるというのは、

アール・デコのモノに新たな意味が付与されていることを示しているのだろう。「将来、私たちの経験を指ぬきほど（a thimbleful of experience）にも知らない少人数の富裕層の青年に、私たちに代わって書かせることなどしないのだから、私たちが批評家にならねばならない」（Woolf, “Leaning” 177-78）。モノ（本）の消費者（読者）ではなく、モノの創造者（作者）になることが、消費主義的なアール・デコというモノおよび思想に対するウルフのアンチテーゼである。だからこそ、そのモノは個人によって所有されるべきではなく、図書館に蔵書されるべきなのである。

ウルフと男性知識人作家との一連の論争は、「みんな」の夢すなわち英国モダニズムにおける大衆ユートピアの夢をめぐる論争であった。「斜塔」で論じられる数々のモノは男性知識人作家たちの財政的教育のインフラを示すと同時に、前述のアール・デコのジェンダー化されたモノでもある。男性知識人たちにとっての「政治的になること」とはトッドのいう意味での「人びと」つまりは女を含む労働者階級との一体化である。しかし、彼らは「みんな」になることを恐れてもいる。男性知識人作家の無意識の恐怖とは対照的に、ウルフは、イングランドにみんなの図書を提供するという条件をつきつけることで、アール・デコのモノおよびその思想の脱ジェンダー化を試みているのだ。

ウルフが示す公共図書館とは、アール・デコのモノの夢を引き継ぎながら、公共性という点において異なる。公共図書館は、司書の雇用、建物の維持、運営や利用規程等の作成などの人びとの支援がなければ、維持され得ない。それは、公共の福祉を追求することによってしか成立され得ない。ウルフがみた「みんな」の夢は、ジェンダーの非対称性や教育の機会の不均衡を抑圧したままの全体性ではなく、ジェンダー・教育・階級を再考する公共性である。彼女の公共性の特徴は、現在の出来事を把握するためには過去を知らねばならないという点にある。だからこそ、集団の意見形成を育成し得る公共図書館という社会基盤（インフラ）が彼女の夢の前提条件となるのである。

ウルフの一連の文壇論争が示しているのは、1920年代から1940年にかけてのウルフの女性労働者階級に対する態度の変化である。論争第一段階ではジェイン・オースティン（Jane Austen）、ブロンテ姉妹（The Brontë Sisters）などの作家中心で、労働者階級女性について言及すらなかった。1931年には「何が言いたいのか半分も分からない」と述べたウルフが、1940年の講演では「批評家にならなければならない」と呼びかけた。その間に起きたのは、彼女のシスターフッド観の変化だ。以上のように女性知識人の変化を読み取るならば、アール・デコ時代を生きた他の人びともまた――無意識であったかもしれないにせよ――同じような「夢」を抱いていたのかもしれないと言えるのではないか。

6．おわりに

1920年代半ばから始まる生産と消費、不況と繁栄という変化の時代をアール・デコ期として捉えることによって得た知見は、知的エリート作家や詩人によるモダニズムという時間的に限定的な枠組みでは得ることができないものであった。その知見とは以下のとおりである。アール・デコ期のモノは、モノの所有という共通の経験をとおして、「人びと」に、ジェンダー、階級、知識、教養、思想を超えて「みんな」になり得る可能性を示唆してくれるものだった。産業モダナイゼーションが本格化する時代において、ウルフも男性知識人作家たちも大衆ユートピアの夢を抱いていた。モノをとおして大衆に脅威を感じた後者に対して、前者は、モノではなくインフラにシスターフッドの構築に願いを託した。「斜塔」という講演原稿が示したのは、大衆との包摂の夢を語りながら、女たちを排除する言説を文壇で繰り返すオクスフォードのエリートたちの矛盾であった。しかし、それは一方で「斜塔」の限界も示している。ウルフの分析は、斜塔作家に向けられた反論であったという意味において、知識人、中産階級、ロウワーミドル、労働者階級の人びとを包摂的に語ったとまでは言えない。なぜなら、ウルフは特権的教育から排除された者をすべて「一般人」と呼んだけれど、さて、彼ら彼女らが「毎日書く」時間をどのように確保するのかと問うたとしても、その答えをウルフが用意している様子は見えないのだから。知識人や「一般人」がともに見た夢があったとしても、その差異を無視することはモダニティの文学を再び単純化することになるだろう。私たちが続けるべきは、産業、製造、雇用の構造変化が起こる近代の時代における人びとの消費とは異なるモノとの関わり方という観点から、また、知識人と労働者階級だけでなく知識人間の相違に留意しながら、「モダニズム」およびモダンを捉え直すことである。アール・デコのその後を生きる私たちに残された課題は、人びとのモノによる夢の共有の有り様を、狭義な意味でのモダニズムに押し込めることなく、検証し続けることである。

＊　本研究は科研費（19K00403）の助成を受けたものである。

Notes

[1] 具体的な例としては、偏狭な炭坑夫の両親や貧困生活から逃れてオクスフォード大学に進学を果たしたが、労働者階級としての「アイデンティティの感覚」を維持したいと述べる1950年代後半の青年（Todd 235）や、サッチャー政権の政策によって階級上昇が可能になった者たちの間には、「人生を上手くやっていきたい」のなら、過去の出自を忘れるべきだとする意識があったこと（Todd 337）などが記述されている。トッドの拡大的階級概念が重要だと思われるのは、次のような現代の調査のためである。2016年の階級意識調査によると、イギリス人の約60パーセントが労働者階級という自己認識を持っている。同調査はまた、中産階級的な職業についている者で親世代が労働者階級であった者は、中産階級的仕事よりも労働者階級につながりを感じているという推測を出している。本調査が示しているのは、労働者階級としてのアイデンティティの根拠が、現在の職業や収入ではなく、親世代もしくは祖父母世代が労働者階級出身だという点である（“Identity, Awareness and Political Attitude”）。つまり、労働者階級の出自を持つ現在の中産階級の人びとがつながりを感じているのは、親世代の労働者階級（「尊敬すべき労働者階級」として製造業に従事する肉体労働者）であって、現在の労働者階級（「福

祉国家の顧客」という名の非正規労働者もしくは不安定契約による労働者）ではない。

[2] 制度としての英文学確立以前におけるオクスフォード大学およびオクスフォード大学の知識人の役割の重要性を指摘した論文としては、大田信良の「オクスフォード英文学とF・R・リーヴィスの退場――「グローバル冷戦」におけるポスト帝国日本の「英文学」とロレンス研究」『D・H・ロレンス研究』第29号を参照のこと。

Works Cited

Affable Hawk [Desmond MacCarthy]. "The Intellectual Status of Women." *A Woman's Essays*, edited by Rachel Bowlby, Penguin, pp. 30-39.

Hillier, Bevis. *Art Deco of the 20s and 30s.* Littlehampton, 1968.

Hillier, Bevis and Stephen Escritt. *Art Deco Style.* Phaidon, 1997.

"Identity, Awareness and Political Attitude: Why Are We Still Working Class?" *British Social Attitude*. NatCen Social Research, www.bsa.natcen.ac.uk/latest-report/british-social-attitudes-33/social-class.aspx. Accessed 12 Apr. 2021.

Le Corbusier. *The Decorative Art of Today.* Translated by James Dunnett, MIT P, 1987.

Lodge, David. "The Modern, the Contemporary, and the Importance of Being Amis." *Language of Fiction: Essays in Criticism and Verbal Analysis of the English Novel*, Routledge, 1966, pp. 243-79.

Sparke, Penny. *As Long as It's Pink: The Sexual Politics of Taste*. Pandora, 1996.

Todd, Selina. *The People: The Rise and Fall of the Working Class, 1910-2010*. John Murray, 2015.

Woolf, Virginia. "The Leaning Tower." *A Woman's Essays*, edited by Rachel Bowlby, Penguin, pp. 159-78.

---. "Introductory Letter to Margaret Llewelyn Davies." *Life as We Have Known It: The Voices of Working-Class Women*, edited by Margaret Llewelyn Davies, Virago, 2012, pp. ix–xxxvi.

高井宏子「ブルームズベリー・グループなんか怖くない」『現代批評のプラクティス3　フェミニズム』富山太佳夫編、研究社、1995年、57-93頁。

バック＝モース、スーザン『夢の世界とカタストロフィ――東西における大衆ユートピアの消滅』堀江則雄訳、岩波書店、2008年。

第3章

文学とアール・デコ
——雑誌『ホライズン』とH・E・ベイツ「橋」を中心に

齋藤 一

1. はじめに

批評家フレドリック・ジェイムソン（Fredric Jameson）は『目に見えるものの署名』（1992年）の第8章「イタリアの実存」第6節において、映画におけるリアリズムとモダニズムの相互関係について、以下のように述べている。

> グローバルな視点から見ると、映画作家（オトゥール）によるモダニズムの契機は、映画的なさまざまな「リアリズム」に対抗することで登場したのだが、この映画的リアリズムは、それ自体が、別の意味でグローバルに拡がったモダンに含まれるのである。このことを理解するために、ブルジョア的で家庭的なハリウッドのサウンド映画のリアリズムの出現（そして偉大なるサイレント映画の喪失）を、外国の映画の発展と同族的類似性を示すような、べつのコンテクストへと移しかえなければならない。もっとも注目すべきは、ソ連の社会的リアリズムであり、中央ヨーロッパのいわゆる「ファシズム」芸術である。（中略）たとえば逸話として考えてみても、アーヴィング・タルバーグとシュトロハイムとの関係は、ボリス・シュムヤツキーとエイゼンシュテインとの反目と、興味深く類似した関係であり、一方、エイゼンシュテインの「知的映画」の否定は、サイレント映画的モダニズムへの世界的な規模での反動と、芝居がかった形式の「エンターテイメント」への回帰として捉えるのが妥当かもしれない。（中略）このグローバ

ルな「リアリズム」の様式化は、「新しい機械」(遠洋定期船、リムジン、空中での翼幅)が、この時代に含意していたことも示している。したがって、今では伝統的に使われているこの特定の時代の様式を指す言葉、アールデコは、一九三〇年代の表象性を表す国際的なスペクトル全体を一般化することができるだろう。それは、この新しい機械の展望がどのように独特の媒介となり、私的、公的な優雅さに関する右翼の貴族的メッセージに利用されるようになったのと同じように、左翼、あるいはポピュリズムや進歩主義にとっても同じように領有できるようになったのかを理解するためには、特にそうだ。エヴァ・ウェーバーは実際に、アメリカの公共事業促進局の芸術やルイス・ハインの左翼的ドキュメンタリーは、アールデコといわれて、すぐに思い浮かぶ装飾的な家具やファッションと同じように、アールデコ一般の精神の現れだと、極めて印象的に論じている。(ジェイムソン 288-289)

国家をまたいだモダニズムとリアリズムや左右両派の美学を媒介するものとしてアール・デコという様式を捉えるというジェイムソンの見解は、1968年という政治的な危機の時代にアール・デコの始まりの多様性と包括性を説いたベヴィス・ヒリアー(Bevis Hillier)の見解の延長線上にあるだろう。

一九二〇年代に発展し、三〇年代にピークに達した断定的な現代様式。アール・ヌーヴォーの最も簡素な側面、またキュビズム、ロシア・バレエ、アメリカ・インディアン美術、バウハウスなど、さまざまな源泉から着想を得た。ロココあるいはアール・ヌーヴォーとは異なって、新古典主義のように、左右非相称(アシンメトリイ)よりも左右相称(シンメトリイ)、曲線よりも直線にむかう傾向にあった古典主義的な様式。機械の要求に、またプラスチック、鉄筋コンクリート、強化ガラスといった新素材の要求に対応。そしてその究極目標は、ある程度まで芸術家たちを手工業に精通させることによって、だがそれ以上にデザインを大量生産の必要条件に適合させることによって、芸術と産業との間に昔からあった争い、芸術家と職人との間に残っていた貴族趣味的な差別を集結させること。(ヒリアー 37)

重要なのは、両者ともアール・デコをさまざまな対立項を媒介し包括する様式として捉えているということである。

本論は、このアール・デコという様式の媒介性・包括性を、映画(ジェイムソン)や建築・家具・装飾品(ヒリアー)だけではなく、文学作品に即して具体的に検討する足がかりとして、批評家・編集者として有名なシリル・コノリー(Cyril Connolly)[1]が中心となって1939年12月に創刊され、1950年1月まで全120号が出版された雑誌『ホライズン』(*Horizon: A Review of Literature and Art*)に注目し、その創刊号(1940年1月)に掲載された小説家ヘンリー・アーネスト・ベイツ(Henry Ernest Bates)[2]の短編小説「橋」('The Bridge')を取り上げる。その主な理由は、第一に、この雑誌が美学と政治という対立を媒介し包括しようという指向性を持った雑誌であったこと、第二に、こうした雑誌に掲載されたベイツの作品が、ジェイムソンがいうところの「機械」、特に「リムジン」(高級大型自動車)と関係するモータリゼーションや地方都市の郊外化を背景にしつつ建築の装飾に触れていること、そして第三に、この作品が男性中心主義と女同士の絆の両者を媒介し包括していると読むことも可能だからである。

2.「包括的」な雑誌『ホライズン』

本論では『ホライズン』のみに言及するが、本来であればF・R・リーヴィス(F. R. Leavis)の『スクルーティニー(*Scrutiny: A Quarterly Review*)』(1932～1953)やジョン・レーマン(John Lehman)の『ペンギン・ニュー・ライティング(*The Penguin New Writing*)』(1940～1950)、あるいは以下に言及するデズモンド・マカーシー(Desmond MacCarthy)の『ライフ・アンド・レターズ(*Life and Letters*)』(1928～1935)などといった雑誌との比較検討が必要である。しかしこの作業は別の機会に譲り、本論では「産業革命以降、健康で自然なゲマインシャフトが機械によるゲゼルシャフトにとって代わられた」等々と論ずる「リーヴィスの文化観はあまりに単純すぎる」(Gross 270) ことを強く批判しつつ、1930年代以降の文芸ジャーナリズムが低調な時期においてもコノリーの『ホライズン』は「少なくとも過去の最良の定期刊行物と比較してよいだろう」(Gross 285) と評価したジョン・グロス (John Gross) の評価、つまりコノリーは二項対立的図式を使うリーヴィスのように「単純すぎる」ことはないという評価から出発したい。

グロスの評価はいささか誇張が過ぎる感があるが、その骨子は妥当なものだろう。たとえば、アシュリー・メアー (Ashley Maher) は、雑誌『ホライズン』創刊の2年前 (1938年) にコノリーが出版した著作『嘱望の敵 (*Enemies of Promise*)』に触れて、次のようなことを主張している。すなわち、この著作においてコノリーは作家の文体を「マンダリン」(エリザベス・ボウエンのような伝統的階級システムに依拠した文体) と「ヴァナキュラー」(クリストファー・イシャウッドやジョージ・オーウェルのような、政治的テーマを扱うポピュリスト的文体) に分けているが、これらの二つの文体は「モダニズム対反モダニズムのあらわれではなく、モダニズムに向かう二つに分岐したアプローチである」という (Maher 255)。コノリーの二項対立図式を避けようとするこうした発想は、雑誌『ホライズン』の編集方針にも反映されていくことになる。

ここで1940年1月の創刊号に掲載された'Comment'なる無署名記事[3]をみてみよう。この記事の執筆者によれば、我々が生きている時代は旧時代的、保守的、無責任であり、左翼の政治がもたらした力も消え失せているという。こうした時代に発刊される雑誌『ホライズン』の狙いは以下のとおりである。

> 『ホライズン』の狙いは作家に自己表現の場を提供することであり、読者に可能な限りベストの作品を提供することである。われわれの記事掲載基準は芸術として優れているかどうかであり、政治的な見

解については判断しない。('Comment' 5)[4]

ここで注意したいのは、「政治的な見解については判断しない」という言葉は、政治的論評を掲載しないということではないことである。執筆者は続けて次のように書いている。すなわち、10年前に流行した雑誌『ライフ・アンド・レターズ』は当初から政治への関心がなかったが、私たちはこの間の変化をふまえて文学の政治経済的基盤に注目するようになった。ただし党派性と文学性がお互いを邪魔しあっている政治ジャーナルとは異なり、『ホライズン』は広く平和と戦争の問題を扱うのであり、まずはJ・B・プリーストリー (J. B. Priestly)「戦争、そしてそのあと ('The War – and After')」とハーバート・リード (Herbert Read)「書くという瞬間に ('At the Moment of Writing')」という異なる意見の論者の論説を掲載すると述べている ('Comment' 6)。さらにヴァージニア・ウルフの強烈な書評家批判パンフレット「書評について」('Reviewing', 1939) に触れつつ (ただしタイトルは明記していない)、「書評」や美術評論は掲載せず「批評エッセイ」と「さまざまな思想の包括的議論」を掲載すると述べている (Comment' 6)。こうしてみると、この雑誌は美的なものと政治的なものを媒介し、異なる立場の論者の論説を包括しようとしていたと言ってもいいのかもしれない。

実際、創刊号の冒頭はヘンリー・ムーア (Henry Moore) による挿絵 ('Reclining Figures') であり、そのあとに上述した'Comment'が掲載されている。さらに後述するベイツの短編小説、ウォルター・デ・ラ・メア (Walter de la Mare) やW・H・オーデン (W. H. Auden) の詩、上述のプリーストリーやリード、さらにはスティーブン・スペンダー (Stephen Spender) の時事問題を扱った記事も掲載されている。[5]『ホライズン』誌が、多様な意見をもつ作家たちによるさまざまなジャンルの文章を掲載した雑誌であったことは間違いない。

3. ゲストハウスの「装飾」

この「包括的」な『ホライズン』誌に掲載されていたのがベイツの「橋」である。ベイツは戦間期に頭角をあらわし、田舎や農業従事者の人生を描いた『密猟（*The Poacher*)』(1935)、『女たちの家（*A House of Women*)』(1936)、『サイラスおじさん（*My Uncle Silas*)』(1940)、そして『死者の美しさ（*The Beauty of the Dead and Other Stories*)』(1941) といった小説で知られるようになっていたが[6]、この「橋」という作品も地方都市を舞台とした作品であり、パーキンフォード（Parkinford）という町を舞台とした、7歳年長のリンダ（Linda）と妹のドーラ（Dora）の姉妹をめぐる物語である。以下、作品の冒頭部分を引用するが、作品全体が一人称の「私」＝ドーラがさまざまな出来事を回想して語っている形式になっている。

> 父が亡くなった夏、姉と私は一緒にゲストハウスを始めることを決めた。もちろん私たちは愚かだったのだが、その時の私たちは、長い間家族のいない、大きすぎる赤煉瓦の家を利用すべき時だと考えたのだと思う。すでに母は6年前に亡くなっていた。生まれて初めて、私たちは独立したと感じていた。(Bates 31)[7]

両親の死後に「私」が「私たちは独立したと感じていた」のは、父親が「伝統に至高の重きをおく、頑なで慎重なタイプの、田舎の弁理士だった」ため（Bates 31)、その束縛から解放されたからであるが、姉妹が親に頼らず自活しなければならないという意味で彼女たちは独立したのでもある。だからこそ、彼女たちは家族で住むには「大きすぎる赤煉瓦の家」を改装してゲストハウスを始めるのだが、彼女たちは闇雲にこの計画を立ち上げたのではなかった。当初姉妹は観光客の利用を見込んでいた（Bates 32)。パーキンフォードは綺麗な街であり、たとえば郊外を流れる川にかかった「背中の曲がった人のような石橋」にはシダレヤナギなどが絡みついており、「私」はその情景をあたかも風景画であるかのように印象深く語っている。さらに姉は料理が得意であり、裕福な観光客を満足させられる見込みがあるため、ゲストハウスの需要はあると見込んだのである（Bates 32）。

ところが、開業してすぐに姉妹はショックを受けることになる。「新しいバイパスがパーキンフォード南部の川沿いにすぐにでも建築される」ことが年来噂にもなっており、新聞でも報道されていた。古い石橋は、冬季の川の洪水で、鉄道の線路とともに使い物にならなくなるためである（Bates 33）。やがて「大きな新しいコンクリートの橋」（a new great concrete bridge）とともにバイパスの建築が始まる。町の住民はバイパス建築を喜んでいるが、姉妹はこのようなバイパスは観光向けでないと考えて憤る（Bates 33-34）。こうしてみると、モータリゼーション（ジェイムソンが言うところの「新しい機械」である「リムジン」に対応する）と地方都市の郊外化、そしてその表現である「大きなコンクリート製の橋」、そういうものに対して姉妹は反対しているかのようである。

ただし、この小説においては、モータリゼーションによる町の変貌とそれを歓迎する人々と姉妹の対立が強調され、姉妹が「背中の曲がった人のような橋」が象徴するものにこだわっている様が描写されているわけではない。たとえば、町の住人、観光客、ビジネス客といった多様な人々が集まる場所の一つが姉妹のゲストハウスであることに注目してみたい。まず、営業を始めてまもなく、姉妹の父の秘書を20年務めていたというバーナード・パーカー（a Mr. Bernard Parker）と、姉と長年の友人であった公立図書館の司書であるミレイ嬢（a Miss Millay）がゲストになった。この二人が住み始めたことで、評判も上がり、観光客の長期滞在が見込めるようになるだろうと「私」は語っている（Bates 33）。もっとも次にやってきたのは観光客ではなくビジネス客であり、そのうちの一人が橋梁建築の専門家J・エリック・ロレンス（Mr. J. Eric Lawrence）であった（Bates 34）。さらに作品終盤では銀行員として転勤してきたバーンズ（Mr. Barnes）が住むようになる。結局姉妹は自分たちのゲストハウスをモータリゼーションがもたらす町の変貌とさまざまな人々が出会う場にしていくのである。

こうした人々が暮らせるゲストハウスは、両親と一緒に住んでいた家を姉妹が改築したものである。

> その夏ずっと天気はよかった。父が亡くなったのは3月だったが、5月、6月、7月ずっと私たちは家の再設計と改装に費やして、新しいバス、セントラル・ヒーティングを設置し、さらに二つ目の階段も作った。(Bates 31)[8]

ここで作者ベイツが「改装」(redecorating) という言葉を使っていることは注目すべきだろう。この新たに施した「装飾（デコ）」が具体的にどういうものか、これ以上はテクストからは読み取ることができないが、以下のことは指摘できる。すなわち、「私」(ドーラ) が語っているように、男性ではなく女性が「再設計と改装」をおこなったゲストハウスであること、そしてここは男性ばかりではなく女性も投宿していたこと、さらにいうならば地元の人間 (パーカーやミレイ) のみならずロンドンからやってきた建築技師や銀行員も投宿していたことを考えると、姉妹が家に施した「装飾（デコ）」は、ジェンダーや地域といったさまざまな差異を包括しうるアール・デコ的なものであった可能性はあるだろう。さらにいえば、姉妹が「改装」したアール・デコ的な部屋の空間は、シダレヤナギが装飾のように絡みつく「背中の曲がった人のような石橋」と、モータリゼーションと郊外化の記号である「大きなコンクリート製の橋」が象徴する、異なるイデオロギーがせめぎ合う空間ではなく、むしろそれらの対立が調停された空間であるのかもしれない。

ただし、この読みには留保をつける必要もある。それはベイツが「セントラル・ヒーティング」という言葉を書き込んでいるからである。ここで、この作品が『ホライズン』創刊号に掲載された前年の1939年に出版されたオズバート・ランカスター (Osbert Lancaster)『ホームズ・スゥイート・ホームズ (Homes, Sweet Homes)』にある二つの図版、「機能的」(Functionalist) と「近代的」(Modernistic) に触れておきたい (菊池かおり論文の38頁の **【図1】** を参照されたい)。

本特集の菊池論文も触れていることだが、【図1】左側の「機能的」な部屋はル・コルビュジエ的な「近代的」な男性の部屋であり、右側の「近代的」な部屋は装飾が施されたアール・デコ的な女性の部屋であるというように「モダニズム建築とアール・デコはジェンダーの視点を交えて象徴的に描かれている」(菊池 38)。もちろんこうした二元論的な理解には批判もある。菊池が参照するブリジット・エリオット(Bridget Elliot)は、モダニズム期に活躍した二組の女性カップルの作品を検討しつつ、ランカスターの異性愛中心主義的にジェンダー化されたイラストにおける「ハイブリッドで複雑な性質」(菊池 40)を解き明かしている。ただし、エリオットはランカスターの図版において左右の部屋の暖房器具が明らかに違うことを指摘していない。本論の文脈においては、左図の男性の背後にはセントラル・ヒーティングの送風口があり、右図の女性の右側奥には暖炉があることは見逃せないだろう。ベイツ「橋」におけるゲストハウスの部屋は、「再設計・改装」してセントラル・ヒーティングを備えた空間になっていることをふまえると、ランカスターの図式に寄り添えば、その部屋は左図のような機能主義的・モダニスト的な、右図の女性の部屋にあるような「装飾（デコ）」を省いた、左図のような男性の部屋であったのかもしれない。

なお、ベイツの作品における「装飾（デコ）」に関する記述は本論で示した通りごくわずかであるため、これ以上この作品におけるアール・デコ様式の問題を具体的に議論するのであれば、ベイツの他の作品や、同時期の建築や部屋を描写した、特に『ホライズン』誌に掲載されていた作品を検討することが必要だろう。

4. 女たちと男たちのあいだ

アール・デコという様式における対立項の媒介性や包括性に注目するという本論においては、ベイツ「橋」を、男性中心主義と女性同士の絆の「独特な媒介」として読む可能性について触れておきたい。つまり、「背中の曲がった人のような橋」と「大きなコンクリート製の橋」が表象するイデオロギー対立を調停していくこの作品の指向性の一つの表現として確認してみたい。

この作品の「私」の語りの内容を簡潔にまとめるとするならば、「私」(ドーラ)の語りは姉リンダと自分と男たちとの関係を語ることに終始していると言ってよいだろう。物語の中盤、リンダがロレンスに思慕を寄せていることを知った「私」は、自分もロレンスに想いがあることに気がつく。やがて「私」はロレンスとともに出奔するが、この男にはロンドンに妻子がいることがわかり関係は破綻する。「私」はそれを悔やんでおり、そのことは作品のそこかしこから読み取れる(冒頭の「私たちは愚かだった」はその一例としても読める)。情事は終わったが、姉妹の関係悪化は終わらない。男は去ったが、男が作った「大きなコンクリート製の橋」は残るからである。「J・エリック・ロレンスは去った。あの橋はそれ以来ずっと私たちの日々の生活の、目立たない(unnoticed)一部分となったままである。昨年の夏の美しさ、興奮、トラブルは過去のものとなったが、[姉と「私」の]反目は変わらない」(Bates 49)。

この「トラブル」があったにもかかわらず、「私」の関心は新たな男の存在に向かうことになる。「私たちは新たな下宿人を迎えている。バーンズという名前の若い男で、この町にある銀行の一つに転勤してきたばかりである。とても好感の持てる、服装も髪型もきちんとしていて、少しでも腹に一物を持つようなことはなさそうな男性」(Ibid.)と、バーンズの描写が続く。「私」はバーンズに好感を持つが、それならば姉も同じように考えているのだろうと「私」は自問自答する(Bates 50)。以下、作品の最後を引用する。

> もうほとんど夜である。私は長いこと[バーンズがピアノを弾くのを]見聞きしていた。あの橋は建設されてしまった。私は離れ、そして戻ってきた。姉は科の木の枝払いをしていた。家の中にはこの優しいバーンズさんがピアノを弾く音が響いている。いろいろ変わったことがある。でもある意味なにも変わっていない。さて、今度は何が起こるのだろうか?(Bates 50)[9]

この引用における「私」は、自らの「この優しいバーンズさん」への想いと、「私」と姉との新たな反目との予感を読者に伝えている。こうしてみると、「私」の回想全体を通じて姉妹の関心はつねに男性たち（父親、ロレンス、バーンズ）へ向けられているのであり、ここに女同士の絆を読み取るのは難しいと、ひとまずは結論できるだろう。

ただし、作品を丁寧に読むならば、ロレンスにしてもバーンズにしても、姉妹の人生を通り過ぎてゆくだけの存在であり、彼らとの関係をめぐって姉妹の間には感情の対立はあるが、それは姉妹の絆を揺るがす類のものではないと考えるのも不可能ではない。たとえば、新たな男であるバーンズは次のように描写されている。「彼は人の言うことをすべて細心の注意を払って聞く。明らかに、彼は人の心を傷つけることなどしない。彼はできのよいクッションのようで、そこには頭をのせていいのだ。」(Bates 50)「彼はできのよいクッションのようで、そこには頭をのせていいのだ」(He is like a well-made cushion on which you could rest your head.) という「私」の言葉の後半、つまり「頭をのせていい」に注目すれば、「私」は女性である自分が頼るべき男性としてバーンズを考えていることになり、「私」が異性愛者であることが強調されていると言える。他方、「彼はできのよいクッションのよう」であることに注目すれば、バーンズは誰でも購入できる、大量生産されたクッションのように消費される商品に喩えられているのであり[10]、バーンズは姉妹が「再設計し改装した」ゲストハウスの「装飾（デコ）」の一つに過ぎないという読み方も不可能ではないだろう[11]。

もし後者の可能性を追求するならば、私たちは作品冒頭に立ち戻り、伝統にうるさい父親がなくなったあと「生まれて初めて、私たちは独立したと感じていた」(Bates 31) という箇所を、これが女たちの男性たちからの独立宣言であり、だからこそロレンスとの関係に溺れてしまった自分たちの行動を評して「私たちは愚かだった」、女たち同士で生きていく方向性を探るべきだったのだと呟いているのだと解釈してもいいのかもしれない。あるいは作品の最後、「あの橋は建設されてしまった。私は離れ、そして戻ってきた」という「私」の呟きを、「橋」＝男性（ロレンス）

による姉妹の絆の決定的な変質ではなく、変化はあれども姉妹の絆こそが「私」のつねに立ち戻るべき場なのだと解釈してもいいのかもしれない。実際、「私」にとっては「橋」＝男性（ロレンス）の存在は「目立たない」（unnoticed）ものでもあった（Bates 49）。

この作品は決定的な答えを出してはいない。「私」にとっては「いろいろ変わったことがある。でもある意味なにも変わっていない」からである（Bates 50）。とはいえ、最終的な意味の決定は留保されているこの作品においては、男性中心主義と女性同士の絆の両者は「独特な媒介」（ジェイムソン）によって包括されているのであり、それはこの作品から私たちが読み取ることが可能なある種の答えではあるだろう。

5. 結論

本論文は、ジェイムソンとヒリアーによるアール・デコの媒介性と包括性の議論に注目し、それを文学作品の分析に応用するため、さまざまな対立を包括していく傾向があった雑誌『ホライゾン』と、その創刊号に掲載されたベイツ「橋」に注目した。そしてこの作品が、ある種のエリート主義と「大衆ユートピアの夢」（バック＝モース）との対立、たとえば風光明媚で装飾的な古い石橋を保全していこうとする立場と、モータリゼーションと地方都市の郊外化を歓迎する町の人々の立場との対立、さらには男性中心主義と女性同士の絆との対立を強調するのではなく、むしろ調停し包含していくという意味においてアール・デコ的であることを論じた。本特集に掲載の大田信良「はじめに」の言葉を借りれば、この作品は「さまざまな「モダン」とその対立項からなるアンチノミーや矛盾をなんなく容易にまたフレキシブルなやり方で媒介・調停してしまうかにみえる」「特異な英国のナショナルな文化状況」（大田 24）の産物であると結論してもよいだろう。

この作品についてさらに分析し議論すべきことは、これも大田の指摘に従えば、「どのような歴史的移行の物語を、ひそかに、表象している、とともに、そのモダニティに規定された歴史性をどのように刻印していたのか」（大田 24）ということになる。その作業は、もしかすると、作品タイトルの'The Bridge'を、モータリゼーションや男性中心主義などと短絡的に関連させて理解するのではなく、「アンチノミーや矛盾」の「媒介・調停」、つまり架け橋であると結論することで満足するのでもなく、「特異な英国のナショナルな文化状況」の彼岸に向かう「移行」を示す「目立たない」(unnoticed) 記号として考えるところから始まるのかもしれない。

Notes

［1］Cyril Vernon Connolly（1903-1974）についての詳細は以下のサイトを参照せよ（https://www.britannica.com/biography/Cyril-Connolly）（最終閲覧：2019/03/29）

［2］Henry Ernest Bates（1905-1974）についての詳細は以下のサイト（https://www.britannica.com/biography/H-E-Bates）を参照せよ（最終閲覧：2019/03/29）。

［3］おそらく編集者のコノリーの手になるものだと思われる。

［4］参考のために原文を引用する（以下註7～9も同様である）。"The aim of *Horizon* is to give to writers a place to express themselves, and to readers the best writing we can obtain. Our standards are aesthetic, and our politics are in abeyance."

［5］創刊号の投稿者と記事タイトルを以下に記しておく。――Henry Moore, 'Reclining Figures,' 'Comment',' Frederic Prokosch, 'Molière,' Walter De La Mare, 'The Others,' W. H. Auden, 'Crisis,' John Betjeman, 'Upper Lambourne,' Louis MacNeice, 'Cushendun' and 'The British Museum Reading Room,' J. B. Priestley, 'The War – and After,' Herbert Read, 'At the Moment of Writing,' Cyril Connolly, 'The Ant-Lion,' H. E. Bates, 'The Bridge,' Stephen Spender, 'How Shall We Be Saved?' Geoffrey Grigson, 'New Poetry,' '*Selected Notices*'。以上で明確だが、少なくとも創刊号は極めて男性中心主義的である。のちの号にはヴィ

タ・サックヴィル＝ウエスト、ヴァージニア・ウルフ、キャスリーン・レインなどの文章も掲載されている。

［6］註2を参照せよ。なおBritannica.comのベイツの記事ではこれらの作品に「土に根ざしたラブレー的なユーモア」を読み取っているが、「橋」にはそのような要素はない。

［7］“The summer my father died my sister and I decided to start a guest-house together. Of course we were fools, but I think we both thought it time to make something of the too-large red-brick family house where for so long there had been no family. Mother had been dead six years. Now, for the first time, we were feeling our independence.”

［8］“All through that summer the weather was lovely. My father had died in March, and we spent the whole of May, June and July replanning and redecorating the house, putting in the new baths, central heating, even a second staircase.”

［9］“It is almost dark and I have been looking and listening for a long time. The bridge has been built. I have been away and have come back again. My sister has lopped the branches of the lime-tree and now in the house there is the sound of this gentle Mr. Barnes playing the piano. Things have changed, and yet in a way they have remained the same. For God's sake what is going to happen now?”

［10］ただし、バーンズはパーキンフォードのバイパス建設に象徴される郊外化を後押ししている金融業と関係がある（銀行員）ことを重視すれば、彼が女性たちに消費される単なる「装飾」と断ずるのではなく、バーンズの比喩形象を、都市化・郊外化とそれにかかわって投資され流通する資本によって解釈する可能性もある。このことについては大谷伴子と大田信良の指摘に感謝したい。

［11］「橋」のこの箇所に注目する重要性は、「アール・デコ時代の英国モダニズム」特集の寄稿者であり、日本ヴァージニア・ウルフ協会第38会大会シンポジウムの参加者である大田信良、菊池かおり、松永典子の各氏からご教示いただいた。ここに記して感謝したい。

Works Cited

Bates, Herbert Earnest. 'The Bridge.' *Horizon* 1:1, January 1940.

Elliott, Bridget. "Art Deco Hybridity, Interior Design, and Sexuality between the Wars." *Sapphic Modernities: Sexuality, Women and National Culture*, edited. by Laura Done and Jane Garrity, Palgrave Macmillan, 2006, 109-29.

Connolly, Cyril. *Enemies of Promise*. First Edition. George Routledge and Sons, 1938.

Gross, John. *The Rise and Fall of the Man of Letters: Aspects of English Literary Life Since 1800.* Weidenfeld and Nicolson, 1969.

Hillier, Bevis. *Art Deco of the 20s and 30s*. Littlehampton, 1968.

Jameson, Fredric. *Signatures of the Visible*. Routledge, 2007.

Lancaster, Osbert. *Homes, Sweet Homes*. John Murray, 1939.

Maher, Ashley. '"Swastika Arms of Passage Leading to Nothing": Late Modernism and the "New" Britain".' *ELH* 80:1, 2013.

Woolf, Virginia. *Reviewing*. Hogarth Press, 1939.

大田信良「はじめに――モダニティ論以降のポストモダニズム、あるいは、「大衆ユートピアの夢」を「ポスト冷戦」の現在において再考するために」、『ヴァージニア・ウルフ研究』36号、2019年、21-25頁。

菊池かおり「モダニズム建築の抑圧とアール・デコの可能性」、『ヴァージニア・ウルフ研究』36号、2019年、27-43頁。

ウルフ、ヴァージニア「書評について」、『病むことについて』川本静子編訳、みすず書房、2002年。

ジェイムソン、フレドリック『目に見えるものの署名』椎名美智・武田ちあき・末廣幹訳、法政大学出版局、2015年。

ヒリアー、ベヴィス『アール・デコ』（新装改訂版）西澤信彌訳、PARCO出版、1986年。

第1部の結語

アール・デコ期の英国モダニズムにみられるダイナミズム

菊池 かおり

アール・デコ期の英国モダニズムをジェンダーの視点を交えて考えることは、その時代にみられたダイナミックな勢力関係を捉えることである。それは、広義な意味で、資本主義によって突き動かされてきた西欧中心主義を覆す可能性、さらには後期資本主義から脱却する可能性さえ示唆することもあり得るのである。

当時、モダニズム建築の理念やスタイルを使って自分たちの周囲になだれ込む無秩序をせき止め、大衆を、そしてその未来をコントロールする力を建築に見出そうとした一大勢力が英国には存在した。だが一方で、それは、国内になだれ込む他国の勢力や内的な矛盾と不整合が存在したことを裏づけることにほかならない。しかし、だからといって、その勢力やアイディアが現前するということでは必ずしもない。それらは交差しながらも、英国モダニズムからすり抜けていったようにさえ見えるのだから。

英国で著名なデザイン史学者であるペニー・スパーク(Penny Sparke)は、アリソン・ライト（Alison Light）が論じた「保守的モダニズム」を念頭に置きつつ、当時の英国の状況や動向について多角的な示唆を与えてくれる。スパークの研究はマテリアル・カルチャーと女性の関係性を主題として前景化することを目的としているのだが、その前段階として次のように論じていることに注目したい。

> 建築・デザインのモダニズムを支持する理想は大衆の意識の中へ浸透していった。……だが……モダニズムが量産およびその双子であ

る大量消費の理想社会ではなく、「現実」に対面しなければならなかったとき、そこでなされた妥協の数々は、女性文化を再び枠の中へと押し戻すことになるのである。（スパーク 138-39）

「押し戻し」作業の一例として、モダニズム建築の一角を担ったバウハウスで学び、セラミック・デザイナーとして活躍していたグレテ・マルクス（Grete Marx）に対する、英国の反応があげられる。1934年、反共産主義を掲げるナチス政権によって自身が経営するセラミック工場（Haël Werkstätten für Kunstlerische Keramik）を受け渡すことを余儀なくされ、ドイツからイギリスへ移住してきた彼女が、同時期に訪英したヴァルター・グロピウス（Walter Gropius）などの男性モダニズム建築家と同等の評価を受けることはなかった。スパークによれば、それは「本質的に保守的な性格なものとして女性的な趣味の動向をとらえたイギリスの製造業の保守性を反映してもいる」というのである（169）。

さらに英国モダニズムを取り巻く勢力の一つとして注目すべきは米国の商業文化とそこで勢力を持ったインテリア・デザイナーの存在であろう。「1930年代のイギリスではこの仕事はヨーロッパの建築モダニズムよりも、『インテリアデザイン』と『室内装飾』の区分けが明確化しはじめた20世紀初頭からのアメリカで勢力を持った室内装飾家に影響されていた」のである（173）。たとえば、女性インテリア・デザイナーのパイオニア的存在のエルシー・ド・ウォルフ（Elsie de Wolfe）は、ル・コルビュジエ（Le Corbusier）同様に、「簡素さ、ふさわしさ、プロポーション」を追求し白い塗料を大々的に用いた一方、花柄のカーテンやアンティークな家具をもデザインに取り込んだ。その結果、スパークによれば「アリソン・ライトの保守的モダニストたちのように……両大戦間期に過去と現在をつなぐ手段を模索していた女性たちに大きく訴えかけた」のである（175）。このように両大戦間期に過去と現在とを橋渡しする行為——それは、男性/女性の比喩形象で表象されたモダニズム建築/アール・デコ、インテリアデザイン/室内装飾を媒介する行為——は、実のところ、英国においても実践されたことであった。たとえば、シリー・モーム（Syrie

Maugham）やレディ・シビル・コウルファックス（Lady Sibyl Colefax）は、米国で着手された仕事——すなわち「歴史的言及と現在への傾倒の絶妙なバランスを、アルカイムズ（archaism）と近代（modernity）の容認できる結合」——を、すでに、推し進めていたのである（177）。

このように、西側の資本主義勢力と東側の社会主義勢力の狭間に位置づけられるアール・デコ期の英国には、産業的・経済的・政治的・歴史的背景のもと各々にモダンなデザインを追求する多種多様な人々やそのアイディアが入り込んでいた。しかしながら、それらの移動によって、一つの統括された大衆ユートピアの夢が共有されたわけでは、必ずしも、なく、それらのデザインに、単一つのイデオロギー的なフレームワークを短絡的に与えることは避けるべきであろう。その理由は、フレデリック・ジェイムソン（Frederic Jameson）のアール・デコの定義に見出すことができる。

> . . . art deco itself as the formal expression of a certain synthesis between modernization (and the streamlined machine) and modernism (and stylized forms), which can be inflected…in either a stylish (or “1920s”) or a populist (or “1930s”) direction.（Jameson 225）

1930年代という一つの時間的な括りの中にも、他国の勢力との関わりがさまざまな様態で共存していることを、より適切な言い方をするなら、アール・デコを通して見えてくるさまざまな矛盾の痕跡が含まれていることを、見逃してはいけないのである。英国以外の独仏を含むヨーロッパあるいは米ソといった諸勢力やその文化的なアイディアやモノが必ずしも十全に移動する以前のもともとの形で現前することなく交差しながら、すり抜け、さらに時間的・空間的に移動し続けていくことを可能にしたのが、アール・デコ時代の英国モダニズムの文化空間だった、のかもしれない。

第二次世界大戦に向けて、1930年代後期より顕著になるモダニズム建築にまつわる英国政府の政治的傾向あるいは政策・イデオロギー、そしてそれに対する後期モダニスト作家の揺れ動きを論じたアシュレイ・マハー（Ashely Maher）は、最終的に次のような結論を提示している。

> While [Elizabeth] Bowen's disdain of collectivism and her desire to seal off modernism historically in the face of its appropriation by the Left may not be surprising, [George] Orwell's and [Christopher] Isherwood's distrust of modernism' increasingly politicized form demonstrates a marked rightward turn by the heirs of the 1930s' artistic mobilization of the Left. . . . It is this adaptation of modernism to national politics that distinguishes Britain and that illuminates why Britain's literary scene moved not towards postmodernism but to the bourgeois individualism of realism as a way of countering the alliance between modernism and a state-administered collectivism, an alliance rendered visible in Britain's very landscape. (Maher 278-79)

たしかにモダニズム建築の計画は、「階級差別のない社会を標榜し、量産がマテリアルなモノの民衆化・大衆化をもたらした階級差別のない社会」の創造であり（スパーク117）、その点においては、人民戦線の戦術と一時的ではあれ重なるラディカルな左派または「共産主義」の原則と共鳴することを通じて、いみじくも、大衆ユートピアのプロジェクトを企画する文化人・知識人として政治に絡み取られた側面は否めない。しかしだからと言って、その反動としての英国モダニズムの方向性を一枚岩にして結論づけるのは、いささか、短絡的にみえる。マハーによる英国の「後期モダニズム」解釈は、まずもって、主として米国の（またはヨーロッパを含む）、冷戦期に制度化されたモダニズムの後に勃興した、ポストモダニズムとの区別や際に基づいている。そのうえで、21世紀の現在から、あらためて、モダニズムと国家が運営する集産主義の同盟への対抗として編成されたリアリズムを特徴とするブルジョワ個人主義とその系譜によって、20世紀以降の英文学の歴史を書き直そうとしている。だとしたら、そのような米国中心のポストモダニズム解釈とそれを前提に巧妙に差異化された英国モダニズム研究によって、西欧中心主義に対する批判や後期資本主義から――つまり、さまざまな格差や差別を多様に生み出し再生産するネオリベラリズムやネオコンサバティズムのイデオロギー――から脱却し新たなユートピアを夢見る世界へ移行する可能性が模索され得るだろうか。いまここにおいて必要とされ希求されているのは、モダニティやモダナイゼーションとは違って近年取り上げられることの少なくなったポストモダニズムとその大衆性の再解釈の可能性を探ることと英国モダニズムの読み直しの両方を全体的かつ重層的に遂行することではないだろうか。本書の第1部で論じた通り、アール・デコを通してみえてくる英国モダニズムは、決して、一枚岩ではなく、そしてまた、ある独特なやり方でモダナイゼーションとモダニズムとがその文化形式において「統合・総合（synthesis）」される空間においては、集産主義/個人主義、社会主義/資本主義、芸術/産業、中産階級/労働者階級、ジェンダー/セクシュアリティなど、「モダン」にまつわるさまざまな二項対立が、その境界線において媒介されたり調停されたりしながら、重層的に浮かび上がる大衆ユートピアの夢と各々のかたちで交差していたのだから。

Works Cited

Jameson, Fredric. *Signatures of the Visible*. Routledge, 1990.

Maher, Ashely. " 'Swastika Arms of Passage Leading to Nothing': Late Modernism and the 'New' Britain." *ELH*, vol. 80, no. 1, 2013, pp. 251-285.

スパーク、ペニー『パステルカラーの罠――ジェンダーのデザイン史』菅靖子他訳、法政大学出版局、2004年。

【インターメッツォ】

モダニティのさまざまな空間性・時間性

第4章

スコットランドと都市計画者の20世紀
——Patrick Geddesの植民地なき帝国主義

髙田 英和

Berlin and Boston, London and New York, Manchester and Chicago, Dublin, smaller cities as well—all till lately, and still no doubt mainly, concentrated upon empire or national politics, upon finance, commerce, or manufactures—is not each awakening towards a new and more intimate self-consciousness?

（Patrick Geddes. *Cities in Evolution.* 1915. 2.）

1．スコットランド人 Patrick Geddes の都市計画

英国が起源とされる「ガーデンシティ（Garden City)」構想を含む近代都市計画とその発展には、スコットランド人の Patrick Geddes の都市論（都市計画理論）が大いに関係している。そのポイントは、Geddes による都市形成の実現化が、初期の段階で注目されたイングランドというよりは、その外部空間である主として植民地においてなされ、それを経たうえで、Geddes の都市論はさらなる時間・空間的広がりを見せていったという点にあるだろう。それは、たとえば、経済学者の宇沢弘文の著書において、近代都市理念に関して、Ebenezer Howard とならんで、Geddes の名が挙げられ、その都市計画と功績が高く評価されていることに表れているだろう。

ハワードの考え方はパトリック・ゲッデスによって受け継がれ、ひ

ろい地域全体についての都市計画のかたちに発展していった。ゲッデスは、すべてを合理的に計算して、人々の住む環境をつくっていった。ハワードやゲッデスの考え方は、ル・コルビュジェによって「輝ける都市」(Radiant City) として、二十世紀の都市のあり方に大きな影響をおよぼすことになった。(宇沢 246)

また同様に、2007年に出されたWalter Stephen編著の*A Vigorous Institution*、その副題の*The Living Legacy of Patrick Geddes*が端的に示しているように、Geddesの都市に関する考え方などは、そのすがた・かたちを変えながらも、21世紀に生きるわれわれの世界において、「良い／正しい」イメージを伴って、綿々と生き続けているようである[1]。

このようなスコットランドからグローバルに時間・空間的に広がるGeddesを論じたもののなかでも、Helen Mellerの*Patrick Geddes* (1990) は、Geddesと都市（論）と植民地の複雑な関係性を探るには、非常に有益な本である。Geddesは、主に、アイルランド、インド、イスラエルにおいて仕事をし、そして、都市計画においては、特に「保守的外科処置 (conservative surgery)」を施すことに力点を置いていたと、すなわち、都会における暴力的な立ち退きや取り壊しによる新たな道路建設や建造物に対する代替案で、地域やその地方性・田舎性に根差したオープンスペースの提供や樹木の植え込みといった手法を重視していたという。言い換えれば、田舎と都会の関係性を斬新かつ特異なやり方で捉えた理論・実践であると、一先ずは、理解しておいて良いだろう。ただし、Geddesの都市論は、実のところ、思ったほどの成果をあげていないともいう。つまり、その計画は､実践のレベルではつねに失敗を繰り返していたということになろう。ともあれ、Mellerによれば、このGeddesの都市論、その主点をまとめると次のようになるのだというのである。

Geddes's thesis was that the concentration of power in the metropolitan capital cities was a decisive factor in encouraging governments to wage war. If provincial cities formed friendly and cultural links, this would be the greatest investment for ensuring peace in the future. Regional renewal and regional co-operation were the 'third alternative' to war or revolution.(Meller 326, 下線は引用者)

だが、このMellerの、Geddesの都市論の捉え方、特に「戦争」か「革命」かに代わる「第三の案」としての都市計画という解釈は、1980年代のサッチャリズムの時代にはじまりブレア政権以降のグローバリズム特に「第三の道」として提示されたネオリベラリズムの思想との奇妙な類似性を思い起こさせるように思われる。これに対し、本論が提示するGeddesの都市論における重要である点は、まずは、1) どうしてGeddesの都市論が「保守的外科処置」という手法を重視したのかという点、および、2) なぜGeddesの都市計画は(結局のところ、ことごとく)失敗に終わったのかという点、この二点自体に注目することにある。と同時に、これら二点を引き起こした時間と空間、すなわち、この時空間性を可能としたリベラルな歴史性に注目し、その存在・機能を再度慎重に吟味することの重要性を論じることにある。別の言い方をすれば、失敗の繰り返しとリベラリズムの推進は、同じコインの表裏の関係にある、ということになるかもしれない。本論は、このスコットランド人の都市計画者Geddesを取り上げることにより、20世紀英国の都市計画を、今一度、リベラルでグローバルな観点からだが批判的に、見ていくことを目的とする。

2. 「菜園派」から「スコティッシュ・モダニズム」へ、あるいは、スコットランドにおける田舎と都会

Geddesの都市論に入る前に、20世紀はじめのスコットランドについて一般的に語られる歴史状況を、その文学史的観点から、確認しておこう。1895年の *The New Review* のXII号に掲載されたJ. H. Millerの "The Literature of the Kailyard" という論説がある。ここで初めて「菜園派」という用語が用いられ、同時に、「菜園派」文学について述べられることになる。この論説には、(*Peter Pan* の作者の) J. M. Barrieが「菜園派」を引

き起こし、その創始者であること、そして、その Barrie に続く作家として、Ian Maclaren の名が挙げられている。以下の二枚の図版は、「菜園派」を代表する、その二人の主要な作品の表紙ならびにタイトルページである。

Fig,1, Title page from Barrie.

Fig.2. Front cover from Maclaren.

上記の図版からも確認できるように、「菜園派」作品の特徴は、田舎的で田園的な要素によって、スコットランドとその生活を感傷的に描き、それによって、人気を博し大衆化されたという点にある[2]。このようにスコットランドの長閑な日常の生活を描写することを特徴とする「菜園派」の作品は、詰まるところ、田舎・田園・感傷と密接に結びつけられ、それと同時に、逆に、それら田舎・田園・感傷が「菜園派」の作品を表わすことになる。ただ、それだけではなく、さらに、このことによって、(1880、1890 年代の) スコットランド文学、ひいては、スコットランド自体が、田舎的・田園的・感傷的として表象されることにもなる。

このような特徴をもつとされる「菜園派」とは対照的に、「スコティッシュ・モダニズム」というものが 1920 年代に盛んになり、一般的に「スコティッシュ・ルネサンス」と呼ばれるこのスコットランドのモダニズムにおいては、そのアイコンとして、Hugh MacDiarmid（本名 C. M. Grieve）が挙げられる。以下の一節からは、その MacDiarmid 自身が、スコットランド性を適切に捉え直そうとしていること、つまり、これまで「菜園派」により表象されてきた、表面的で感傷的なみすぼらしい、要するに、田舎的で田園的な、スコットランドの印象を拭い去ろうとしていることがわかる。

> The recovery and application of these [lapsed or unrealised qualities which correspond to "unconscious" elements of distinctively Scottish psychology] may make effectively communicable those unexpected aspects of Scottish character the absence of which makes, say, "Kailyaird" characters shallow, sentimental, humiliating travesties.（Grieve 63）

この MacDiarmid の主張は、「スコティッシュ・ルネサンス」という新たな活動が、Barrie らの「菜園派」小説の拒否・否定のうえに成り立っていることを示している。このように、「スコティッシュ・ルネサンス」とは、「菜園派」によって表象されたスコットランド、すなわち、田舎的で田園的なスコットランド、そのイメージ・表象を打ち壊すという点に最大の特徴がある。[3]

スコットランド人の Geddes による都市論の、特にそのキー概念の「保守的外科処置」の重要性に引きつけて、また「第三の道」の思想を同時に垣間見ながらも、上記の菜園派とスコティッシュ・モダニズムすなわち田舎と都会の対立する関係性を捉えるのであれば、そのポイントは、Geddes の都市論には、スコットランドの文学伝統をひそかに継承しながらも、スコットランドの社会と文化という側面が表層的には表れない点にこそあるだろう。その理由の一つには、Geddes が英国ひいてはイギリス帝国のリベラルな意義と精神を言説としての時空間によって、意識的に／無意識的にかかわらず、認識させられていたことにあるのは確かだが、それだけではなく、彼がスコットランド人であり、しかも、主に内的／外的植民地（アイルランド／インド・イスラエル）において都市計画者として活動していたことにある。それゆえに、英国におけるイングランドとスコットランド、ならびに、イギリス帝国における本国と植民地、それら二つの社会と文化の権力関係とでも言うのか、英国／イギリス帝国の政治学が、Geddesの都市論には、不在の表象というかたち・すがたで、表象されていよう。

ここでは、Malcolm Petrieの議論を補助線にしながら、Geddesの都市論のポイントをもう少し具体的に言い換えてみたい。Petrieは、本来ならイングランドにある意味見捨てられた感のスコットランドの特に製造業や農業でやってきた地域ではローカルな急進主義が共産主義やファシズムに展開する契機があったのに、ローカルではなくナショナルな労働党がそういうユートピア／イデオロギー的契機を抑圧したのだと指摘している。Petrieの指摘をふまえれば、「菜園派」と「スコティッシュ・ルネサンス」の二項対立という前提から、スコットランドを理解しようとするとき、そこには根本的な混乱が生じるように思われる。

英国におけるイングランドとスコットランドならびにイギリス帝国における本国と植民地といった諸関係を規定しているようにみえる田舎と都会の二項対立に孕まれたこのような混乱や問題性にこそ、Geddesの都市論が、20世紀のスコットランド人および都市計画者として、当時のイギリス帝国主義およびそのリベラリズムの言説をどのように引き受けていたかについての根本的な考察への鍵があるのではないか。それは、ひとつには、スコットランド表象の基本枠となっている「田舎」と「都会」の概念というものが、そもそもGeddesの都市論には内面化されていないということであり、また、他方、多くの論者たちが相反する要素と無意識に考えている「菜園派」と「スコティッシュ・ルネサンス」という区分が、実はそもそもGeddesにおいてはなされていないということである。Geddesの都市論は、「菜園派」、あるいは、「スコティッシュ・ルネサンス」の奇妙な変奏、もしくは、そこからの逸脱としてではなく、20世紀英国の文化空間が新たに提示した都市論として認識されなければならないだろう。

3.「市政学／市政論（civics)」における リベラリズムの失敗と大衆ユートピア

さていよいよ、Geddes の都市論を取り上げることにしよう。その彼の都市論が書かれた 20 世紀のはじめは、Giovanni Arrighi や Jed Esty の述べているように、世界の覇権がイギリスからアメリカへと移ることになる、そのような時代であった。また、Samuel Hynes や David Trotter の書物を参照するならば、この時期は同時に、「逆植民化（reverse colonisation)」の時代でもあり、「外部」の植民地から「内部」の本国・英国へ、異人種が流れ込んで来ていた時でもあった。イギリス帝国において、ヒト・モノ・マネーの移動が非常に著しい時代、あるいは、資本主義世界の大衆化が萌芽する時代であった。この点を裏書きしているように、Geddes の *Cities in Evolution* にも、都市化の問題がグローバルに進展している、その様子が記されている[4]。“Alike in Europe and in America the problems of the city have come to the front, and are increasingly calling for interpretation and for treatment”（Geddes *Cities in Evolution* 1）という *Cities in Evolution* の第一章の第一文目の文章からわかるように、当時は、都市化の問題が非常に由々しき問題であったようである。そして、この問題の対応･対処として、Geddes は次のように述べている。

> To discern, then, the ideals which build cities and which keep them, is thus the supreme problem of <u>civics</u> as history; and <u>civics</u> as science. To interpret them is <u>civics</u> as philosophy; and to renew them, city by city, is its quest, its task, its coming art—with which our “politics” will recover its ancient and vital <u>civic</u> meaning.（Geddes *Cities in Evolution* 304-05, 下線は引用者）

この引用部分には、1）Geddes の都市論のキーワードが「市政学／市政論（civics)」であること、そして、2）都市（計画）の問題は「市政学」の問題であり、その「市政学」は歴史、科学、哲学と結びついていること、が示されている。（因みに、この、Geddes の *Cities in Evolution* の副題は、“An

Introduction to the Town Planning Movement and the Study of Civics" となっている。）Geddes にとって、都市の問題は市政学の問題であると同時に、それは歴史／科学／哲学などを必然的に複合的に含んだ問題でもあるということになる。[5]

この点を言い換えると、Howard の都市論（田園都市：Garden City, Town- Country）が、【図３】にあるように、都市（town）と田園（country）を二項対立的に捉え、その二つの対立項（の塩梅）を処理・調整しているにすぎないのに対して、Geddes の都市論は、都市と田園をそのまま（ある種、弁証法的に）認識し、その両者をあるがまま（ある意味、二律背反的に）成り立たせていることになる。この点が非常に重要である。それは、【図４】に示されてもいるように、個人と社会を切り離すことなく同位・同値として捉えている点からもわかるだろう。

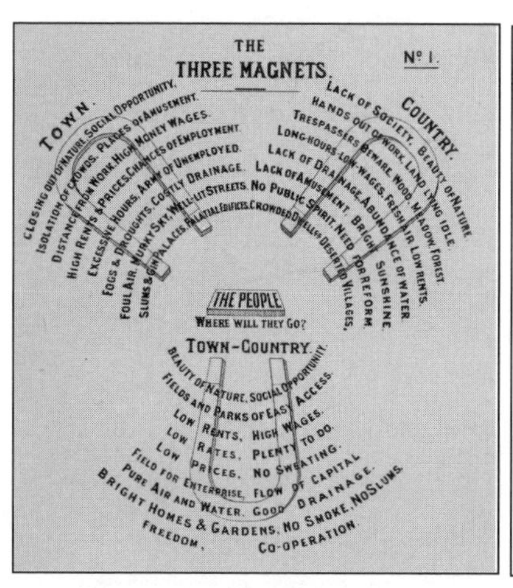

Fig.3. "The Three Magnets" from Howard [Between pages 16-17].

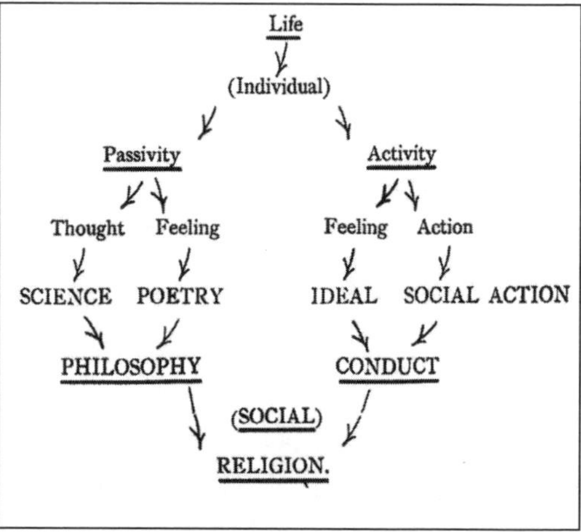

Fig.4. The individual/social life from Geddes (1903) 981.

概して、Geddes は、確かに新しいタイプの人物だと言われている。それは、たとえば、Cairns Craig が次のように指摘していることからもわかるだろう。

> The original Scottish 'renascence' movement of the 1890s, led by the polymath scientist, ecologist and geographer Patrick Geddes, had attempted to reorient Scotland towards its Celtic inheritance as an alternative to industrial modernity.（Craig 49）[6]

ここには、Geddesが「スコティッシュ・ルネサンス」と密接な関係にあることが示されている。Geddesもまた、1895年に雑誌の *The Evergreen: A Northern Seasonal*（Geddes自身が編集等に携わっていたという）に "The Scots Renascence" と題した書き物で次のように記し、自身の活動の新しさ、その正当性を、古い習慣・慣習を葬り去ることで、主張している。

> Our Flower, our Fruit of yesteryear lies buried; and as yet we have no other. Only here and there peeps and shivers some early bud. But in the dark the seed coat is straining, the chrysalid stirring. Spring is in the world; Spring is in the North.（Geddes "Scots Renascence" 137）

だがさらに、Geddesは、同年に "The Evergreen"（おそらくこの雑誌の広告・宣伝用の文章）において、文化と都市にかかわる自らの運動が、ナショナルなものである、と同時に、ナショナルな枠を超えて、「帝国的」・トランスナショナルなものである、ことをも表明していることも見逃せない。

> Thus, then, our 'Season in the North,' while it seeks, indeed, to renew the local color and feeling of Allan Ramsay's "Evergreen," has a larger aim, no less than of expressing our conception of Edinburgh as not only a national but an imperial culture-capital.（Geddes "Evergreen" 262）

それゆえに、Geddesには、20世紀のグローバル化・大衆化に対応した、新たな都会／都市のイメージが強く施され、Geddes＝都会／都市、そのような印象・表象が固定化されている、されるにいたった、ということは、多分に間違いはない。

とは言え、実のところは、Geddesが田舎／田園（性）を完全に否定していると断言することは難しい。都会を定義するにしても、何を以て、都会とするのか、あるいは、田舎に対して都会を据えるとした場合に、そこには、田舎の存在がなくして、都会の存在はないことになるし、そもそも、田舎と都会のあいだの差異は、明確には存在しない、できない、はずであるだろう。Geddesにとっては、都会は田舎であり、田舎は都会でもある、のかもしれない。（そして、それだからこそ、植民地なのかもしれない。植民地にこのような思いを馳せたと。植民地であるなら自身の考えを具現化することができるのではないかと。）Geddesが、先ほどのCraigの言うように、「博識家の、科学者／生態学者／地理学者」であることからしても、そう単純には物事が運ばないことはわかろう[7]。

このような複合的な観点を有するのがGeddesの都市論なのであるが、その意義に関して、ここでは、Robert Homeによる興味深い指摘を交えて、さらに深く考えてみることにしたい。Homeの指摘を鑑みると、1932年に死去したGeddesの都市計画は、彼が抱いた高い目標を達成することができなかったようだ。この達成不可能性は、大恐慌後の1931年は、グローバルな文明論を展開したと今ではみなすことのできる英国の歴史家アーノルド・トインビーによれば、「恐怖の年 (annus terribilis)」となったのであり、「世界中の人々が、西洋の社会体制が崩壊し機能しなくなるのではないかと真剣に考え、口々に議論した」という点と、大いに関係している。と同時にまた、ソビエトの中央集権的計画経済は未来へのモデルを提出したかに見えたこの時期、国家の経済運営から地方の都市計画への移行が、公共事業と地域の測量調査活動を通じて、容易に行われる可能性があったという点も関連している。実際保守党の政治家ハロルド・マクミランも、1933年には、レッドではないにしてもピンクの政治的身振りを示して、社会主義的な「計画 (planning)」が自分たちに課せられている、なぜなら、現在は「市場が拡大しているときには自然と自発的に作用していた古い機構」はもはや適当ではない時代だからだ、と述べたという。このような危機的なと同時にさまざまなユートピア的なといっても良い時空間が瞬間的にも出来する可能性のあった歴史的状況において、Geddesの思想は、いま一度、新たに生まれつつある新しい都市計画や地域計画の手法とともに、新たな歴史的・文化的意味を担うことになった、とHomeは示唆している。[8]ただし、言うまでもないことだが、Geddesによる都市の表象が、つねに、典型的なリベラルな都市像を提出してきたわけではない。既に確認したように、Geddesの議論は、新しい都市の誕生と、田舎の最終的なそれへの回収という二本立ての議論から成立していたわけではない。Homeの議論は最終的にGeddesの都市計画がリベラルなそれになると説明しているが、少なくとも本論については、この指摘は受け入れられない。それは、1）Geddes自身に「田舎」と「都会」のあいだの対立概念がないからであり、2）より具体的には、Geddesの都市論も最初から「菜園派」と「スコティッシュ・ルネサンス」という区別がなされてないからである。

要するに、正統な保守本流のリベラリズムの欠如によって、田舎と都会および「菜園派」と「スコティッシュ・ルネサンス」が、対立項ではなくなるという奇妙な事態が、Geddesの都市論には起こっている。そして、Geddesの都市論の意義を、ここでは、一先ず、次のように仮定しておきたい。それは、イギリス帝国において、イングランドから政治・経済的にも文化的にも分離され見放されたかのようなスコットランドが、「田舎」と「都会」を横断するネットワーク化と「グローカル」ともいうべき公共性の双方を志向する空間に媒介されて、イングランドと、英国として、（再）結合する、そのような社会のすがた・かたち（言うなればJürgen Habermasの「公共圏（Public Sphere）」の時代と場所を異にしてアナクロニスティックになされた移植）を、徴候・症候的に、否、ユートピア的に、提示したことにあるのではないかと。逆に言えば、奇妙なゆるやかさとフレキシビリティのイメージで概念化されたこの時空間のユートピア性が非常に強かったが故に、Geddesの都市論は、ことごとく、失敗に終わる運命にあったということに、その意義があることになる。この繰り返される失敗の問題は、彼の都市論において、リベラルな思考と概念の「正しさ」に疑問符が付されることと関連している。

4. Geddesと植民地なき帝国主義

失敗に規定されたGeddesのそれとは対照的に、英国の都市計画とその実現（化）の成功例に関しては、先ほど言及したHowardの都市論（田園都市）が真っ先に頭に思い浮かぶ方々が多いだろう。そして、そのHowardの田園都市計画が、後のニュータウン構想にいたるという点も、既に、たとえばMark Clapsonの論考が、その矛盾や問題を含めて、指摘している。このClapsonの議論から導き出されることは、極言すれば、英国の20世紀はじめから戦間期を含む時期までの都市計画は、結局のところ、（Howardの意図していた）都市と田園の融合はできなかったし、都会と田舎のあいだの差異は実のところより広がった、ということになる。また、Robert Fishmanも指摘しているように、Howardの田園都市計画は、資本主義の社会に代わる新たな社会の構築を目指しながらも、実のところ、資本主義を補完し温存することに加担してしまっていた、のかもしれない。それでも、この時期に、「郊外（suburb）」という概念が、ある意味、大衆・民衆のレベルにおいても浸透したのは確かである（それが良いか悪いかは一先ずおいておいて）。だが、それは（繰り返すが）都市、郊外、田園のあいだに、さらなる壁を構築したことは間違いないし、さらなる都市＞郊外＞田舎という良し悪し／優劣の構図とその階層化が確立したことも否めない。たとえば、George Orwellの*Coming Up for Air*（1939）において、郊外とその生活の様子が、主人公の視点を通して、次のように、語られている。

> I had the street pretty much to myself. The men had bunked to catch the 8.21 and the women were fiddling with the gas-stoves. When you've time to look about you, and when you happen to be in the right mood, it's a thing that makes you laugh inside to walk down these streets in the inner-outer suburbs and to think of the lives that go on there. Because, after all, what *is* a road like Ellesmere Road? Just a prison with the cells all in a row.（Orwell 10, 下線は引用者）

ここには、郊外で生活することの、退屈さと恥ずかしさ（見窄らしさ）、すなわち（田舎に対する）都会の優位さが裏書きされている。都会の劣悪な環境からの逃避、とは言え、田舎への（逆）戻り、ではない、郊外の素晴らしさ、という都市計画は、実のところ、失敗していることがわかるだろう。ここには、郊外化やグリーン・ベルト、さらにHatfieldを含む一連のニュータウンを進める戦後英国福祉国家の旧来の物語、別の言葉で言い換えるなら、米ソの大衆ユートピアにつながるアール・デコとは異なる、いかにも英国的なある種捉えどころのないとも言える形式をとったアール・デコが表れていると、捉えても良い。

この英国の田園都市計画の失敗は、現代においても依然として引き継がれ、たとえば、Owen Hatherleyの論考 “The Government of London” によると、1980年代のサッチャリズムの時代にはじまりブレア／ニュー・レイバー以降も、グローバリズムやネオリベラリズムの政策をそれぞれに推進するナショナルな政権に、政治的に、対立し続けた（ローカルな政治勢力をあらわす典型例としての）ロンドン市長のKen Livingstoneも、そもそも、戦間期英国の田園都市計画の実際、言い換えれば、地下鉄や自動車等の交通機関を含む政策をアップデートしたはずにもかかわらず、経済的なレベルでみると、特に、アール・デコ期の英国の文化空間を規定した住宅や都市の問題をみるなら、結局のところ、失敗していたという。

> But one wholly unexpected effect was that Transport for London became a means to inflate property values, as the professional middle classes and the employees of financial services—and even more, their children—abandoned their big cars and suburban houses and returned to the metropolis, lured in part by a better public-transport system. (Hatherley 101)

交通問題をロンドンの市民やふつうの人びとの側に立って解決するはずのLivingstoneの政策のまったく思いもよらぬ結果と言えば、ロンドンの土地価格のインフレ・高騰であった。というのも、公共交通システムがより便利になったことに魅力を感じて、プロフェッショナル・ミドル・クラスや金融サーヴィスに従事する別の人びとが、その子どもたちとともに、郊外住宅や大型車を捨てて、都心への回帰・移動をしてしまったからだ。逆に言えば、カウンシル・ハウスなど公共住宅や病院・学校などの公共空間の荒廃と格差社会を促したことと連動して進行した歴史状況であり、そのような状況は、1990年代以降の東京でもみられたうんざりするようなおなじみの風景だ。

先ほどのOrwellの例も、別の視点から言えば、特に英国1880年から1940年までの間に出現したさまざまなワーク・キャンプとその特殊に周縁化された空間で労働することになった男たちの諸身体を取り上げたJohn Fieldが指摘しているように、19世紀末から20世紀はじめの英国における（ある意味）都市の田舎化／田舎の都会化（の脱構築）を目指した“Alternative living in the English countryside”としての“Utopian colonies”の建設という構想もが、最終的には数年で頓挫してしまったことと密接に連動している（Field 77-98）。下の図版は、この構想の実現化の一例としての“Clousden Hill Free Communist and Co-operative Colony”（因みに場所はNewcastle近郊）となる【図５】。

Fig5. “A Free Communist Colony in England” from *Illustrated London News*.

ここにも（Howardの都市論と同様に）都市と田園が一つになった新たな英国の（理想の）生活様式が描かれてはいるが、ただし、これも、理想と現実の乖離の問題ならびに資金不足の問題により、失敗に終わっている。[9]
また、上記のような英国の都市計画の問題点と関連するかのように、たとえば、Martin J Wienerは、次のように述べている。

> [T]he English countryside became a social and cultural force. The abundance of historical associations and natural beauty with which the English countryside had been endowed by previous centuries was not an unmixed blessing for the nation. Like the existence of a vast overseas empire, it encouraged English opinion to retreat into a less demanding world.（Wiener 79-80）

Wienerは、退化の言説を英国小説に探ったWilliam Greesladeの文化研究とともに、当時の英国における、近代化による都市の荒廃と英国人の退化、特に下層階級の生活様式の堕落という問題意識から生じた田舎生活による心身の再生という言説、および、都市化とその拡大による田舎・田園生活の変化・変容そして喪失という言説が、さらに田舎＝植民地、すなわち英国がその植民地と連続しているという言説をも出現させたことを指摘している。

これらの点をふまえて、Geddesの都市論をあらためて考察してみるのであれば、20世紀はじめの英国国内の空間では、都市と田園の融合（換言すれば、都会でもあり、田舎でもある、郊外、その実現化）の不可能性が問題化されていた、とみなすこともできるかもしれない。そして、この問題化された不可能性をそれでも表象しようとした試みが、国外のあるいは今ここではない外部として想像された空間としての植民地での、新たな都市構想だった、と捉えるのが良い、否、正しいだろう。とは言え、Geddesの植民地での都市計画は、そのどれもが、結局のところ、ことごとく、失敗に終わる、だがしかし、逆に言えば、そこにこそ、彼の都市論の重要性があるのではないか。英国の都市計画が、その実現化の成功例と失敗を含めて、結局のところ、すべてがイングランドを中心にしてまわり還元されるというサイクルであるのに対して、Geddesの都市計画は、そもそも、そのようにはなっていない。それは、彼が20世紀の文化空間のなかで稀有なスコットランド人・都市計画者として生の全体性あるいは文化を経験していたからである。

Howardに代表される都市計画とは異なり、Geddesの都市論は、スコットランド内部で完結したものでないことはもちろん、モダナイゼーションが進行するなかイングランドとの単純な関係性においても特徴づけられるものでも、なかった。イギリス帝国が直接・間接に支配する植民地を含む地域・空間や新たな形式による帝国主義を掲げて勃興するアメリカとの関係性によっても規定され、重層的に思考・想像されたのが、スコットランドを起点および結節点とするGeddesの都市計画であった。たとえば、Linda ColleyやJohn M. Mackenzieらの言う、イギリス帝国の形成・拡大に多大な貢献をしたのは実のところスコットランドとその人々であった、という指摘を考慮に入れると同時に、Homeの述べる、都市は全てある種の植民都市である、すなわち、都市計画は植民地で先に実験的に行われた後にその経験とともに本国に（逆）輸入というかたちで入りそしてグローバルに広まっていった、という論点を思い起こしてみよう[10]。

だとすれば、スコットランドを起点にさまざまな失敗と変容を反復しながら移動・拡大を続けることになるGeddesの都市論は、スコットランド中心主義にそもそもなり得ない条件によって、その試みが企図されていたのではないか。Geddesの試みは、内的植民地でありイングランドで実行される前の実験をイングランド外の植民地で、まずは試みてみるという役割を担うことになったスコットランド性を基盤にして、構築された、ということができるかもしれない。極言すれば、Geddesの都市論には、その土台として、英国／イギリス帝国のリベラリズム——より正確にはニューリベラリズム——が存在・機能している、ということになる。こうして、Geddesの都市論における英国とスコットランドならびにイギリス帝国と植民地という二つのテクスト間に孕まれた空間性・時間性の差異は、20世紀のイギリス帝国の再編制やイングランド／スコットランドおよび本国

／植民地のアイデンティティの再発明が進展する歴史的過程にほかならないのかもしれない。Geddesの都市論にひそかに提示されたリベラリズムこそが、英国の、イギリス帝国の、リベラルな生活と思考の様式である、と同時に、新たに英国ひいてはイギリス帝国を再編することの、想像することの重要性を含んでいる——人種・地域・階級間の矛盾と連動したリベラル・保守・中道の対立のみならずイングランドとスコットランドならびに本国と植民地の対立・差異をも調整することによって。

Geddesの都市論にみられるこの時間・空間的な広がりに関しては、アメリカの建築（評論）家のLewis Mumfordが、イギリスの都市計画研究者で、長年ハーバード大学デザイン大学院（The Harvard Graduate School of Design）に所属していた、Mary Jaqueline Tyrwhittの編纂した書物*Patrick Geddes in India*（1947）の「序文（Introduction）」にその名を残していることは、殊に、重要である【図6】。

Fig.6. Front cover from Tyrwhitt.

その Tyrwhitt がハーバード大学において都市計画に関する仕事と研究に従事していたときに、後にシンガポールを代表する現代建築家の一人となる William Siew Wai Lim が、彼女の元で、建築やデザインなどについて学んでいたという（Surya 67-68）。そして、そのことは同時に、Lim が Geddes の都市論についての知識や思想等も習得したことを意味する。

特に、アメリカに焦点をしぼってみれば、Geddes の都市論は、1）ニューディール政策に大いに携わった Mumford のそれ[11]――特に *The Culture of Cities*（1938）、その他には *The City in History*（1961）――に移植・移入され、2）そして、（その福祉国家的で画一的な Mumford の都市計画論を批判して成り立っている）Jane Jacobs のそれ――たとえば *The Death and Life of Great American Cities*（1961）と *Cities and the Wealth of Nations*（1984）――に受け継がれ、3）さらに、（その Jacobs の都市開発論を継承している）Richard Florida のそれ――*The Rise of the Creative Class*（2002）や *Cities and the Creative Class*（2005）など――に引き継がれている。Geddes の都市論は、すがた・かたちを変えながら、今もアメリカの地で、確かに綿々と息づいている、ということになる。このことを（逆）照射しているかのように、Geddes の *Cities in Evolution* には、次のように記されている。

> For our first conurbation the name of Greater London is obviously dominant beyond possibility of competition.（Geddes *Cities in Evolution* 34-35, 下線は引用者）

> Must not therefore the town planner's reference collection and library, which is plainly needed, and not only in London, but for each and every conurbation, embrace the essential literature of civics, as well as its wealth of plans and technical reports?（Geddes *Cities in Evolution* 311, 下線は引用者）

殊に「コナベーション（conurbation）」という単語は、Geddes の造語である[12]。この「コナベーション」の概念は、トランスナショナルな観点からみれば、ある意味、植民地なき帝国主義あるいはグローバリズム、それを新たな言葉・表現で、示していると捉えることができるし、そのように捉え直すべきだ。

このようにGeddesの都市論を理解するならば、ひょっとしたら、現代アメリカの都市学者でクリエイティブ・クラスの重要性を説くFloridaが重要だと言う、都市における多様性（具体的には都市人口の同性愛者の割合・比率）の視点・指標は、Geddesの都市論から（批判的に考察され、あるいは良く言えば、弁証法的に）導かれたものなのかも、しれないと想像・妄想してみたくもなる。言い換えると、Geddesの都市論には、セックス・ジェンダー・セクシュアリティの不問の重要性が含み込まれているのかも、しれない。と言うのも、Geddesは1889年に*The Evolution of Sex*（J. Arthur Thomsonと共著）を書いているし、妻のAnna（旧姓Morton）は社会改革者のOctavia HillやフェミニストのJosephine Butlerと人脈があったという。さらに言うと、このFloridaの重視する、都市とクリエイティヴィティの関係性は、グローバル・シティとしての、アジアのメトロポリス、シンガポールの重要性（ならびにGAFA／ＧＡＦＡＭの出現やBRICsの発展）とも、密接に結びついている可能性大かもしれないし、また、それは、UNESCOが2004年に着手したプロジェクトCreative Cities Network（通称UCCN）にも行き着くに違いない[13]。そのようにみると、図らずも、Geddesの長期のかつまた広範囲の時空間的に広がる都市論は、グローバル化の文化、その始点に位置していることになる。ここに、われわれは、「ニュー」リベラリズムが——「冷戦」リベラリズムを経由して——現在の「ネオ」リベラリズムを用意したということ、この点を把握するにいたるであろう。すなわち、Geddesの都市論、それは、現在へといたるリベラルなアイデンティティの主体（とその主体の「正しさ」）を準備したということを。

アイデンティティとしてのスコットランドおよびスコットランド人という視点に重きを置く、すなわち、アイデンティティ主義の立場に立つ人びとにしてみれば、Geddesの都市とその計画に関する行動・活動の源泉・衝動が、実のところ、生まれ故郷のスコットランドの生活様式、スコットランド性にその基があり、だが、そのスコットランド性は、彼の主な活動・

行動場所が、英国はイングランド、と言うよりかは、英国（本国）／イギリス帝国の植民地、アイルランドやインドそしてパレスチナであったという事実によって、覆い隠されている点を苦々しく思うことは、それはそれとして、致し方ないのかもしれない。そして、その点を是正したいと思うことは、ある意味では、確かに「正しい」ことではある。

だが、本論が主張する点は、Geddesの都市論は、田舎のあるいは都会の、スコットランドもしくはイングランドというのではなく、その両者の側面を同時に、だが整然として含み持ち続けるという、ある意味で、理想郷・ユートピアとしてのスコットランド＝イングランド＝英国、そのすがた・かたちを、だがそれはつねに既に英国という現実のレベルでは不可能であるがゆえに、植民地の都市化、植民都市の形成に委ねていたのかもしれない、という点にある。それだからこそ、Geddesは、その都市計画において、「保守的外科処置」という手法、すなわち、古きものを排除せずに修繕し保存すること、の重要性を説いていたのではないのか。

ただし、この手法を特徴とするGeddesの都市計画は、彼の主な活動場所であったアイルランド・インド・イスラエルにおいても、最終的に失敗に終わる。だがしかし、そこにこそ、その失敗にこそ、大衆ユートピアの夢があったのではないのか。われわれが見るべきなのは、この失敗とその痕跡という点にあるはずだろう——スコットランド人が新たな都市の計画を立案し実際に植民地にて実験を行うが、その手柄はすべてイングランドとその田園都市に注ぎ込まれる、と同時に、それが実のところ（ネオ）リベラリズムまたの名を植民地なき帝国主義への加担と推進そしてその「正しさ」にいたるという観点に決して陥るのではなくて。このようなGeddesの都市論は、今や、スコットランドを遥かに越えて、世界中に広がり、それは、（元はイギリス帝国の植民地の）アメリカやシンガポールの都市とその形成にも、大いに反映、浸透している、という現実は、単なる偶然、あるいは、必然なのであろうか。Geddesの都市計画、それ自体は、いずれも失敗に終わるのだが、奇妙なことに、その思想ともいうべきものは、すがた・かたちを変えながらも、受け継がれている。なぜなら、それこそが、英国／イギリス帝国のリベラリズムとその歴史性にほかならず、それは、現代においても変わらずに、機能し続けているのであるから。

5. Geddes の都市計画の失敗と「文学」の「文化」研究

以上のように、本論では、英国モダニズムや戦間期のポピュラー・カルチャーを今解釈するときに、巧妙に延命し続けるイングランド中心主義という陥穽におちいるのでなく、スコットランドと Geddes に注目することの重要性を提案した。このような提案を実際に実践し推し進めることにより、20 世紀英国の都市計画の歴史は、新たなすがた・かたちを表しはじめたのではないか。別の言い方をすれば、スコットランド中心主義、すなわち、アイデンティティ主義をことほぐのでは決してなく、イングランドではなくスコットランドにこそ、共産主義・ファシズムにいたるとも言える、大衆ユートピア、その夢と衝動の可能性があった／あるのではないのか。本論は、スコットランド人 Geddes の都市論を取り上げ、まずは、そこに見え隠れするリベラルでグローバルな時間と空間、それを可能にする歴史性に着目し、そのうえでその機能と存在を批判的に再考することの重要性を論じたのである。

Geddes の都市論が、21 世紀の現在に生きるわれわれにとって重要であるのは、彼の都市論によって、金融国家としてのアメリカや、シンガポールのような都市国家、その基盤、文明が整備・形成されえた、という点にあるだろう。逆に言えば、Geddes の都市論なくしては、このような国家が形づくられることは有り得なかった、ということにもなるかもしれない。Geddes の都市計画自体はその何れもが最終的には失敗に終わるのだが——ただし、その反復される失敗にこそ大衆ユートピアの夢の可能性が存在していたはずなのに、しかも、その夢はとうとう現在まで実現されることは決してなかったにもかかわらず——言説と文化のレベルにおいて、Geddes の都市論は今も生き続けている。彼の都市論を 21 世紀の時点から（再）考察することの重要性は、換言すれば、われわれが依然として植民地なき帝国主義の時代を生きていて、そこはつねに既に循環する資本と金融すなわち「金（money)」が全てを支配する、「金」によって全てが支配される、世界である、ということにある。これまで見てきたように、Geddes の都市論には、言うなれば、失敗のあるいは破綻の美学とでもいうべきものが、つねに既に存在している。それゆえに、われわれは、その存在の意義と価値をきちんと見定め、見続けていくことが肝要となる。そうすることによって、植民地なき帝国主義、その終わりの可能性が、いつの日か必ずやわれわれの目の前に見えてくることだろう。

そして、最後に、Geddes の都市論を通して本論が付言しておきたいこと、それは、われわれの「文学」と「文化」、その研究と制度化についての問題である。20 世紀の文化空間において、新自由主義が息吹きはじめたのとほぼ同じ時期に、かたちとしてすがたを表しはじめた「文学」研究から「文化」研究へのシフト、その要点は、まずは、1）その多様性にあり、次に、2）その基盤をリベラリズムのうえに置いていて、そして、3）それは、そこでこそ、可能となっている、という三つにあるだろう。この一連の「文化」研究（新歴史主義やクィア理論など）は、われわれに、それまでの画一的な研究（たとえて言えば、非政治性の政治性に重きを置く「文学」研究）とは異なる、新しい研究、その楽しさと面白さ、と同時に新たな知見を与えてくれたことは確かであるし、そのことは評価すべき点であろう。ただし、この「文化」研究は、一見すれば、それまでの古い研究とその姿勢・態度を拒否・否定しているように見えるが、実のところ、非常に巧妙に以前の研究とその制度を温存し、推し進めている。たとえば、狭義の「文学」研究ではないが、フランシス・フクヤマを批判するサミュエル・ハンチントンの文明論、すなわち、アイデンティティ主義に基づく「文化」論のように[14]。つまりは、この「文化」研究は、これまでの研究とその土台に関しては、結局のところ、何も変わっていないのかもしれないし、リベラリズムのうえで戯れているだけであり、リベラル・ヒューマニズムを批判する素ぶりを見せながら、リベラル・ヒューマニストの意味を問わないというスタンスで居られることができるのだ、と捉えても良いのかもしれない。21 世紀に生きるわれわれの、これからの文学／文化研究は、本論が試みたように、それまでの言わば「文学」の「文化」研究を成り立たせてきた／いる、その成り立ちを可能にしている歴史性にこそ注目し、そして、その意義を批判的に考察し続けることにあるはずだろう。

Notes

[1]「良い／正しい」Geddesの都市論と人物像、その広まりと普及に関しては、Stephen編著の*Think Global, Act Local*も参照のこと。

[2] 当時の「菜園派」の人気と大衆化に関しては、たとえば、Oscar Wildeの*An Ideal Husband*（1895）において、Sir Robert Chilternの妹のMabelがLord Goringに、次のように、話しかけている場面がある。You can come and sit down if you like, and talk about anything in the world, except the Royal Academy, Mrs. Cheveley, or novels in Scotch dialect.（Wilde 1. 49, 下線は引用者）

[3] スコットランドの文学伝統としての「菜園派」および「スコティッシュ・モダニズム」については、高田を基にして、書き直された箇所がある。

[4] *Cities in Evolution*を出版した1915年に、Geddesが、OxfordのRuskin Collegeの長（principal）であるGilbert Slaterとの共同で、LondonのKing's Collegeの"Summer Meeting"にて、"The War: Its Social Tasks and Problems"と題する講演をしていたこと（1917年に共著の本*Ideas at War*となる）は、非常に興味深い。Slaterは、この後、インドのマドラス大学の経済学の教授に就任することになる。因みに、Geddesは、1884年に、*John Ruskin: Economist*という本を出している。"Summer Meeting"については、Welterも参照のこと。

[5] もしかすると、Geddesは、都市の問題は「生（life）」の問題である、と認識しているのかもしれない。そのように捉えると、この、Geddesの都市に対する観点は、F. R. Leavisに倣えば、それは、"the organic unity"となるだろうし、また、Raymond Williams的に言えば、"the whole way of life"となるであろう。

[6] このCraigの文章における最後の部分にあたる"an alternative to industrial modernity"という記述からは、スコットランドのモダニズムが、イングランドのモダニズム（端的にはT. S. Elliotのそれ）や、米国のモダニズム（たとえば、F. Scott Fitzgeraldのそれ）とは、異なる「モダニズム」を志向してい

たことがわかり、これは非常に重要な指摘であるだろう。本論に沿って言い換えれば、1）このスコティッシュ・モダニズムには、そもそも、大衆ユートピアの夢、その可能性があったのではないかということ、しかし、2）その夢は、リベラリズムの波によって、つねに既にかき消され覆い隠されてしまったのではないのかということになる。

［7］Geddes は教育者でもある。彼は当時の学校教育とその指導法を批判している。それは特に初等（中等）義務教育における "3 R's"（Reading, Writing, Arithmetic）という詰め込み方式である。彼は "3 H's"（Heart, Hand, Head）の重要性を説いている。因みに、"3 H's" との関連で、"Boy Scout" の良さについても言及しているのは、非常に興味深い。（この "3 H's" は、現在のことばで言うなら、"Active Learning" となるだろうか。）Geddes の教育理念については、たとえば彼の *Town Planning towards City Development* を参照。

［8］Home による指摘、その部分は、彼の著書の Chapter 6 の Conclusion にある。

［9］この時期の英国における "Utopian colonies"（Clousden Hill Free Communist and Co-operative Colony を含む）に関しては、Howkins も参照のこと。Howkins の論考は、20 世紀には Dongas すなわち土地問題の急進運動派としての Dongas road protest group の出現にいたる、「ディガーズ（Diggers）」の系譜とその意義について述べている。説明するまでもないことかもしれないが、「ディガーズ」とは、「イギリス革命（English Revolution）」の時期に、私有財産の拒否・否定と土地の均等な分配を主張し、ロンドン近くの荒地開拓を試みた人びとのことをさしていう。

［10］Home の、この指摘は、1）「英文学」の制度化が、まずは、外的植民地・インド、ならびに、内的植民地・スコットランド、にて行われ、その経験をもとに、本国・英国のイングランドにもたらされたこと、2）新自由主義の政策とその効果の検証が、一度（アメリカの内なる植民地の）チリで試験的に行われ、その後、アメリカをとおして、広まっていったこと、と根底で通じているのだろう。なお、「英文学」の制度化に関しては、たとえば、インドについては Viswanathan、スコットランドについては Crawford を参照。また、新自由主義に関して、Foucault がその萌芽期にそれを批判している点は、非常に重要であるだろう。

［11］ニューディール期のアメリカ社会については、たとえば Szalay を参照。

［12］*OED* には、"[a]n aggregation of urban areas" と、"1915 P. GEDDES Cities in

Evolution" と、ある。また、*Cities in Evolution* には、"[W]hat of 'Conurbations?' That perhaps may serve as the necessary word, as an expression of this new form of population-grouping, which is already, as it were subconsciously, developing new forms of social grouping of definite government and administration by and by also" (Geddes 34) と、ある。

[13] UNESCO Creative Cities Network (UCCN) に関しては、公式ウェブサイト (https://en.unesco.org/creative-cities/home) を参照。

[14] ハンチントンの文明論を文学・文化研究において批判的に取り上げたものとして、Michaels、三浦を参照。

Works Cited

Arrighi, Giovanni. *The Long Twentieth Century: Money, Power, and the Origins of Our Times.* Verso, 1994.

Barrie, J. M. *Auld Licht Idylls*. 1888. Hodder and Stoughton, 1895.

Clapson, Mark. "From Garden City to New Town: Social Change, Politics and Town Planners at Welwyn, 1920-48." *Planting New Towns in Europe in the Interwar Years: Experiments and Dreams for Future Societies*, edited by Helen Meller and Heleni Porfyriou, Cambridge Scholars, 2016. pp. 1-28.

Colley, Linda. *Britons: Forging the Nation 1707-1837*. Yale UP, 1992.

Craig, Cairns. "The Criticism of Scottish Literature: Tradition, Decline and Renovation." *The Edinburgh History of Scottish Literature,* Vol.3, edited by Ian Brown et al., Edinburgh UP, 2007, pp. 42-52.

Crawford, Robert. *Devolving English Literature.* 2nd ed. Edinburgh UP, 2000.

Esty, Jed. *A Shrinking Island: Modernism and National Culture in England.* Princeton UP, 2003.

Field, John. *Working Men's Bodies: Work Camps in Britain, 1880-1940*. Manchester UP, 2013.

Fishman, Robert. *Urban Utopias in the Twentieth Century: Ebenezer Howard, Frank Lloyd Wright, and Le Corbusier.* Basic Books, 1977.

Florida, Richard. *Cities and the Creative Class*. Routledge, 2005.

---. *The Rise of the Creative Class: And How It's Transforming Work, Leisure, Community and Everyday Life*. Basic Books, 2002.

Foucault, Michel. *The Birth of Biopolitics: Lectures at the Collège de France, 1978-79.* Ed. Michel Senellart. Trans. Graham Burchell. Palgrave Macmillan, 2008.

Geddes, Patrick. *Cities in Evolution: An Introduction to the Town Planning Movement and the Study of Civics.* Williams and Norgate, 1915.

---. "The Evergreen." *Good Reading about Many Books Mostly by Their Authors*, 2nd year, [edited by Anonym,] T. Fisher Unwin, 1896, pp. 253-64.

---. *John Ruskin: Economist.* William Brown, 1884.

---. "A Needed Research Institute: Geographical and Social." *East and West*, Vol. II, No. 23, September, 1903, pp. 974-87.

---. "The Scots Renascence." *The Evergreen: A Northern Seasonal*, Spring [Vol.1], [edited by Patrick Geddes et al.,] Lawnmarket of Edinburgh [by Patrick Geddes and Colleagues], 1895, pp. 131-39.

---. *Town Planning towards City Development: A Report to the Durbar of Indore*. Part II. Holkar State Printing Press, 1918.

Geddes, Patrick, and J. Arthur Thomson. *The Evolution of Sex*. Walter Scott, 1889.

Geddes, Patrick, and Gilbert Slater. *Ideas at War.* Williams and Norgate, 1917.

Greenslade, William. *Degeneration, Culture and the Novel: 1880–1940.* Cambridge UP, 1994.

Grieve, C. M. "Causerie." *The Scottish Chapbook*, vol. 1, no. 3, 1922, pp. 62-63.

Habermas, Jürgen. *The Structural Transformation of the Public Sphere: An Inquiry into a Category of Bourgeois Society.* Trans. Thomas Burger. Polity, 1989.

Hatherley, Owen. "The Government of London." *New Left Review*, No. 122, 2020, pp. 81-114.

Home, Robert. *Of Planting and Planning: The Making of British Colonial Cities*. 2nd ed. Routledge, 2013.

Howard, Ebenezer. *Garden Cities of To-morrow*. Swan Sonnenschein, 1902.

Howkins, Alun. "From Diggers to Dongas: The Land in English Radicalism, 1649-2000." *History Workshop Journal*, No. 54, 2002, pp. 1-23.

Hynes, Samuel. *The Edwardian Turn of Mind.* Princeton UP, 1968.

Illustrated London News. January 8, 1898.

Jacobs, Jane. *Cities and the Wealth of Nations: Principles of Economic Life*. Vintage Books, 1985.

---. *The Death and Life of Great American Cities*. Vintage Books, 1992.

Leavis, F. R. *The Great Tradition: George Eliot, Henry James, Joseph Conrad*. Chatto and Windus, 1960.

Mackenzie, John M. "A Scottish Empire? The Scottish Diaspora and Interactive Identities." *The Heather and the Fern: Scottish Migration and New Zealand Settlement*, edited by Tom Brooking, Jennie Coleman, U of Otago P, 2003, pp. 17-32.

Maclaren, Ian. *Beside the Bonnie Brier Bush*. Dodd, Mead and Company, 1894.

Meller, Helen. *Patrick Geddes: Social Evolutionist and City Planner*. Routledge, 1990.

Michaels, Walter Benn. *The Shape of the Signifier: 1967 to the End of History*. Princeton UP, 2004.

Miller, J. H. "The Literature of the Kailyard." *The New Review*, XII, 1895, pp. 384-95.

Mumford, Lewis. *The City in History: Its Origins, Its Transformations, and Its Prospects.* Harcourt Brace, 1961.

---. *The Culture of Cities.* Harcourt Brace, 1970.

Oxford English Dictionary. 2nd ed. [on CD-ROM Version 4.0] Oxford UP, 2009.

Orwell, George. *Coming Up for Air.* Penguin, 2000.

Petrie, Malcolm. *Popular Politics and Political Culture: Urban Scotland, 1918-1939.* Edinburgh UP, 2018.

Szalay, Michael. *New Deal Modernism: American Literature and the Invention of the Welfare State*. Duke UP, 2000.

Stephen, Walter, ed. *Think Global, Act Local: The Life and Legacy of Patrick Geddes.* New ed. Luath, 2015.

Stephen, Walter, ed. *A Vigorous Institution: The Living Legacy of Patrick Geddes*. Luath, 2007.

Surya, Shirley. "Figurations of Place and Plurality in William S. W. Lim's Incomplete Urbanism." *The Impossibility of Mapping (Urban Asia)*, edited by Ute Mete Bauer, Khim Ong, Roger Nelson, World Scientific, 2020, pp. 66-83.

Trotter, David. *The English Novel in History 1895-1920*. Routledge, 1993.

Tyrwhitt, Jaqueline, ed. *Patrick Geddes in India*. Lund Humphries, 1947.

UNESCO Creative Cities Network. 9 Dec. 2020 <https://en.unesco.org/creative-cities/

home>.
Viswanathan, Gauri. *Masks of Conquest: Literary Study and British Rule in India*. Columbia UP, 1989.
Welter, Volker M. *Biopolis: Patrick Geddes and the City of Life*. MIT Press, 2002.
Wiener, Martin J. *English Culture and the Decline of the Industrial Spirit, 1850-1980*. Cambridge UP, 1981.
Wilde, Oscar. *An Ideal Husband*. Leonard Smithers, 1899.
Williams, Raymond. *Culture and Society: 1780-1950*. Columbia UP, 1983.
宇沢弘文『経済学は人びとを幸福にできるか』東洋経済新報社、2013年。
髙田英和「F・R・リーヴィスの偉大なる伝統とスコットランド文学の分離」『D. H. ロレンス研究』第29号、2019年、43-60頁。
三浦玲一「グローバル・ポピュラー・ハリウッドとディザスター映画の流行――ローランド・エメリッヒ『インデペンデンス・デイ』の真実」『イギリス映画と文化政策――ブレア政権以降のポリティカル・エコノミー』河島伸子・大谷伴子・大田信良編、慶應義塾大学出版会、2012年、69-89頁。

第5章

ポスト・戦争国家「イギリス」と消費文化のグローバリゼーション

吉田 直希

1. はじめに

2007年から2008年にかけての金融恐慌（いわゆるリーマン・ショック以降、私たちの歴史認識は大きく変化している。とりわけイギリスでは、過去10年の間に、国民のアイデンティティは揺らぎ、その行方は未だ定まっていない。David Edgertonの*Warfare State: Britain, 1920-1970*(2006)は、そうしたイギリスのアイデンティティ・クライシスに対する一つの解決策を提示する、あるいはより適切には、そうした危機そのものが抱える問題を根底から問い直すことを示唆する、歴史学の研究書である。

本書によれば、イギリス国民が今後取るべき道筋を見定めるために、私たちはまず、20世紀イギリス史に対する認識を大胆に刷新しなければならない。そのための土台としてEdgertonは18世紀イギリス史家John Brewerによる先行研究の重要性を指摘している。Brewerは*The Sinews of Power: War, Money and the English State, 1688-1783*（1990）において、冷戦期特に60年代の歴史学が見過ごしてきた「軍事史」の視点を18世紀イギリス史に導入し、財政革命と軍事革命の接合によって名誉革命後のイギリスが新たな「国家観」を生み出していく過程を大胆に論じている。Edgertonは歴史学におけるこうした新たな潮流の中で、20世紀イギリス史に戦争国家の概念を持ち込むことにより、20世紀研究を長い18世紀へと橋渡しする視点を模索しているとも言えるだろう（エジャトン 4)。そこで、本稿ではまずEdgertonの戦争国家論を取り上げ、私たちが20世紀を歴史化する際にどのような視点をもつことが重要であるかを整理する。その後、Brewerが*The Sinews of Power*で提示した「財政＝軍事国家」（"fiscal-military state"）誕生の歴史を概観しつつ、Brewer歴史学のもう一つの柱である消費文化論との関わりを見ておこう。その上で、EdgertonとBrewerの歴史観を比較し、21世紀に向けたグローバルな歴史のリ・デザインの仕方を提示したい。20世紀文学・文化研究にとって、Edgertonが提示する「戦争国家」イギリスを今日ますますグローバル化する消費文化の観点からどのように開いていくことができるのかを考えることは重要だろう。ポスト・戦争国家「イギリス」の歴史を消費文化のグローバリゼーションが提示する問題と共に捉え直すことが本稿の目的である。

2．20世紀「戦争国家イギリス」の歴史化

Edgertonは1991年出版の*England and the Aeroplane: Militarism, Modernity, and Machines*において、戦争国家としてのイギリスを歴史化する試みをすでに行っている。ここでEdgertonは、「航空機が現代イギリス史において果たした中心的かつ明示的な役割を提示し、その歴史を辿ることで」、イギリスを「技術に無関心な福祉国家ではなく、テクノロジカルな発展を最優先させる戦争国家」（xxix）であることを提示している。ついでながら、この翌年には、イギリス国民のアイデンティティ形成の歴史を論じたLinda Colleyの*Britons: Forging the Nation 1707-1837*（1992）が出ていることは興味深い。90年代以降、私たちは主にイギリス文学・文化研究の分野でアイデンティティを巡る議論を中心に、階級や人種、ジェンダーの問題を中心的に論じてきたが、ほぼ同時期にEdgertonは、科学と技術が軍事と結ぶ関係性に焦点を当て、二つの世界大戦を軸としながら、20世紀のイギリス国家（state）の多層性を明らかにする歴史学、すなわち「20世紀自体を歴史化する」研究に取り組んでいた、という事実にどれほど多くの日本人研究者が注目してきただろうか。最近になってようやく、国家の抑圧装置とイデオロギー装置の関係を念頭においた「新しい」歴史認識に正面から取り組む必要性が、再度、これまで十分認識されてこなかった歴史状況に対応する新たなやり方によって叫ばれるようになっ

てきた。たとえば2017年、『大英帝国という経験』（2007）の著者である井野瀬久美惠は、イギリス史研究における「20世紀の歴史化」という最近の動向に注目し、「これまで衰退に悩む福祉国家（welfare state）として語られてきた20世紀のイギリスが、産官学連携で軍事・科学技術開発に突き進んだ戦争国家（warfare state）でもあった事実が暴かれたことで、『イギリスはドイツとは違う』というイギリス人の自負はこっぱみじんに吹き飛んでしまった」（井野瀬 397）と述べている。[1] ここで注目すべきなのは、このような「20世紀の歴史化」は、さらに、日本の現在にもかかわる、と述べられていることだ。「戦争国家」としての20世紀のイギリスが鳴らす「知の軍事化」への警鐘は、すなわち、その「科学・技術の総動員体制は、アメリカの軍事的傘のもとで（見えると見えざるとにかかわらず）進められつつある現代日本の『知の軍事化』とも無関係ではない」（井野瀬 397）からだ。ここで論じられているのは、社会的ニーズの点からグローバルな圧力に晒されている歴史学やイギリス文学・文化研究を含む人文学や社会科学が、「帝国だった過去」を「戦争国家」という視点によって再び歴史化することで、イギリス国民のアイデンティティという問題設定自体を、21世紀のいまここから未来に向けてさらに根本的に、問い直す必要性ではないか。

さて、原著*Warfare State*は8章立てであるが、『戦争国家イギリス―反衰退・非福祉の現代史』（2017）には、「日本語版へのあとがき」（2014年）が付されている。Edgertonは、このあとがきで、執筆後の約10年間を振り返り、自著のもつ今日的意義をまとめている。ここで、このあとがきを参照しつつ著者の問題意識を検討し、最後の2章を中心に本書を整理しておこう。[2]

「あとがき」において、Edgertonは「イギリスは戦争国家でもあり福祉国家でもある」（エジャトン 329）という点を強調し、「福祉度と軍国度の関係は時間とともに変化したし、たいてい福祉主義が高まったとされる時期には、実際に進んだのは軍国主義だった」（エジャトン 329-30）と述べている。ここで重要なのは二つの国家観（あるいは国家装置）の関係を歴史的に捉えるという点であろう。両者の関係は時代とともに変化しており、イギリスの衰退論や福祉主義に関する多くの議論に見られる決めつけは反歴史的なものとして厳しく批判される。さらに、Edgertonは最後の「二章が重要なのは、英国史が断然文民の視点から書かれ、軍人と軍の機関の役割を一貫して低く見るようになった根深い理由を明らかにするからである」（エジャトン 330）と述べ、衰退論と福祉主義を声高に叫ぶ文民の立場がイギリスの歴史の中にどれほど根強く植え付けられてきたのかを問題視している。したがって、次に見るように、第7章「イギリス戦争国家の消滅」（The disappearance of the British warfare state）と第8章「科学・技術・産業・戦争の関係再考」（Rethinking the relations of science, technology, industry and war）は、戦争国家イギリスという重要な一面を見えなくすることに加担した文民（知識人）の主張、すなわち「リベラル軍国主義」の反歴史性を歴史化するものである[3]。さらに、Edgertonが強調しているのは、第5章「反＝歴史家と技術家官僚」（Anti-historians and technocrats）において、二人の科学系知識人P. M. S. BlackettとC. P. Snowを取り上げ、比較している点である。長くなるが、その部分を引用してみよう。

> 東洋で、少なくとも科学やそれに関連する方面において、スノーがそれ以外の世界の大部分と同じように、「2つの文化」という根本から間違った概念によってよく知られていることを知って驚いたことがある。しかし日本の知識人は、スノーの論拠を無視した点で優れた知恵を示している。スノーはその存在の意義で有名というよりも、その名声のおかげで意味があったからだ。意外に見えるかもしれないが、スノーの業績はイギリスで広い影響力がある。あるいはむしろスノーは、英国の実情での科学や技術の地位について、標準的な衰退論を、特に明瞭に、また印象深く表明した。スノーをかくも強硬に批判するとき、私は影響力のある一連の著述を批判しているだけでなく、広く依拠され信じられている標準的な歴史に関わる諸説も批判している。ブラケットはそれほど知られてはいないが、さらにずっと興味深く重要である。日本ともつながりがある。1948年、

1945年の日本への原爆投下は戦争を終結させるためには不必要で、むしろ冷戦の最初の一撃となったという主張を、初めて本格的に行ったのである。(エジャトン 330)

このように*The Two Cultures*（1959）をめぐるF. R. Leavisとの論争とは全く異なる視点からSnowの*Science and Government*（1961）を取り上げることで、Snowの反歴史性を暴き出す[4]。さらにBlackettという日本ではSnowほど知名度は高くないが、有名な社会主義物理学者の存在に私たちの関心を向け、両者がどのようにして科学と軍事の結びつきを技術家官僚中心主義イデオロギーによって隠蔽してきたのか、その歴史を検証している。

Edgertonは、イギリスが第一次世界大戦以降、今日に至るまで福祉国家であると同時に戦争国家であった点を確認した後、第7章において、なぜ「戦争国家イギリス」という実像が消滅していったのかを論じている。その最大の理由は「イギリスはドイツとは違う」というイギリスのアイデンティティに重要な役割を果たすイメージの創造と流通にある。「軍国主義的で技術重視のドイツ」に対する「平和主義的イギリス」という対比が重要だったのだ。そしてこのリベラルなイギリスらしさを称揚することによって、戦争国家イギリスという記述が歴史から消滅していく。しかし、イギリスのリベラリズムは、純粋に平和主義的なものではなかった。戦間期においても軍縮はなされておらず「第二次大戦中からその後にかけて、イギリスの知的風土で非常に重要な部分が変化した」（エジャトン256）結果、戦時のみならず平時においても大陸で影響力を行使するために、戦前のドイツとは違った形で軍国主義的（militaristic）になる必要があるという主張が次第に強くなってきたのである。

第8章は、本書全体を通して問題としている戦争と科学・技術・産業との関係をこれまでの歴史研究がどのように論じてきたのかを検証し、今後の研究の方向性について提言を行っている。1980年代以降に始まったこの分野の研究は当初、どれも文民の「科学・技術・産業」という側面を強調することで戦争を文民化するという図式を用いていた。ここに言う「戦争の文民化」というのは、第7章での「イギリス戦争国家の消滅」と同じ働きをしており、戦争を不可視なものとする作用である。Edgertonによれば、従来の歴史研究は、文民の「科学・技術・産業」的側面を強調しつつ、その対立項にはモダニズムとともに消滅する「軍国主義的ロマン主義的」国家像を据えてきた。そうなると「軍事科学」や「軍事技術」という用語自体に矛盾が感じられ、結果的に軍事は科学・技術・産業の外へと追い出されていく。要するに、80年代初頭の歴史研究の限界は、軍部は民間での革新的な発明を促すが、まさにその発明を使いこなせず、受け入れないという奇妙な逆説を前提にしており、「保守的な軍部」対「創造的な民間」という図式に縛られていることに認められる。

ではなぜ、戦争と科学・技術・産業との相反する関係性が、歴史学のみならず一般に広く認められるようになったのだろうか。その最大の原因はこのような紋切り型の科学・技術・産業のイメージを戦間期の科学的知識人が広めてきたことにある。その代表として、H. G. Wellsの*The Shape of Things to Come*（1933）とJ. D. Bernalの*Social Function of Science*（1939）が取り上げられている。両者とも「戦間期科学にとっての軍の体制の重み（the importance of military institutions to interwar science）を認識し」（エジャトン 286）ていたにもかかわらず、最終的には、民間用技術（航空機）のリベラルで国際主義的な意義や産業研究の重要性を説いてしまっているため、結果として第一次世界大戦時の巨大な研究開発（R&D）を可能にした軍部の存在を見逃してしまったのである。[5]要するに、20世紀イギリスの科学について最も追求された論点は、科学的左翼が関心を向けたものであり、それは「当の科学者左翼、科学の計画、（民用）科学、科学者団体、労働組合の中央組織、加えてOR［オペレーションズ・リサーチ］といったもの」（エジャトン 294）であった。ここで少しばかり脱線して、以下のような問いを立ててもいいかもしれない。モダニズム文学のさまざまな読み直しや書き換えの試みや戦間期イギリス文化を科学・技術・エンターテインメントを含む多様性に彩られたポピュラーな文化生産や日常生活の実践という観点からのアプローチ等々、こうしたこれまでの研究は、たとえば、WellsやBernalのテクストを取り上げて20世紀イギリス＝「戦争国家」やグローバル化する「知の軍事化」との関係において、解釈する可能性を、はたして、切り拓いてきたのだろうか、と。

さて、Edgertonは、科学・技術・産業、さらには戦争の文民化の動きとは別に、軍それ自体に力や革新性が備わっていたと考え、両者の関係性を再考する必要性を訴えている。従来の歴史研究では、軍事技術を論じる際に、航空機は対象外（それがそもそも民間輸送の技術であるからという理由から）であったという事実からもわかるように、「軍事」や「科学」といった自明に思える言葉の意味も実は大きく変容させられていることがわかるだろう。Edgertonはさらにアメリカに焦点を当てた最近の研究に言及しつつ、科学・技術・産業のイノベーションにおいて鍵を握る国家の役割に注目する。[6] 英米の歴史研究が技術の起源が軍事にある点に注目し始めた過去20年に、科学と戦争に関する優れた研究が飛躍的に増大したのである。[7]

このようにEdgertonは最近の研究動向を踏まえ、レーダー、ジェットエンジン、原子爆弾などの主要な新しい戦争兵器の開発に果たした国家の役割について論じている。ここでの国家は国民を主体とするネーション・ステイトではなく、官民混交の新しいグローバルなステイトである点にその特徴が認められ、さらにその成立の起源を、ネーション・ステイト誕生以前の近代、特に名誉革命以降の18世紀に見いだせる可能性を示した点でさらに重要である。20世紀の重要な技術の多くが、イギリス的国家システムの産物であると同時にグローバルに利用されるものであり、飛行機や通信技術の開発やイノベーションは、国の次元で行われつつ、国際的に使用が拡散するのである。したがってEdgertonの提示する20世紀の歴史化は、国内／国際の境界の変化も、その分析の対象とし、国民国家の科学と技術に対する関係は、グローバルな現状を視野に入れて語られなければならないことを強く主張している。[8]

Edgertonは、最後に再び、Snowが嘆かわしいほどに、20世紀イギリスの重要な歴史家であるという指摘を繰り返している。もちろんこの指摘はSnowの重要性を別な観点から捉え直した言葉と解釈すべきだろう。要するに、通俗的な歴史記述が大事なのである。[9] 歴史家は、そして私たち文学研究者もまた、「下からの歴史認識」（histography from below）についてもう一度見直す必要があるだろう。Edgertonによれば、E. P. Thompsonは、「科学と政治経済学がイギリス文化の中心にあること、イギリスはヨーロッパの冷戦で要となる役割を演じたこと、左からも右からも中道からも行われる衰退論的分析では隠されていた、イギリスの力強い軍・産の『物』がある」（エジャトン 306）という重要な指摘を行っていたのである。こうした点をふまえて、イギリスの支配層による政治経済学と科学の一体化の動きと共に、非学術的な言説が果たした役割を同時に考察していくことが私たちにとって今後ますます重要になってくるだろう。歴史が、Edgertonが言うように、「過去と現在のやりとりであるだけでなく、その間に発達した過去と現在両方の解釈とのやりとり」（エジャトン 307）なのであれば、私たちは未来（と過去）に向けて何をなすべきか今一度立ち止まって考えるべきなのかもしれない。

3．18世紀「戦争国家イギリス」と消費文化のグローバリゼーション

このようにEdgertonはイギリスの支配層による政治経済学と科学の一体化の動きと共に、非学術的な言説が果たした役割に注目することによって20世紀のイギリスが福祉国家であると同時に戦争国家であることを明らかにした。これに対して、Brewerは、主に18世紀における行財政改革の視点から、イギリスが当時ヨーロッパ最大の戦争国家であったと論じている。すでに述べたように、Edgertonは自らの研究をBrewerによる18世紀イギリス史の新しい潮流につながるものと位置づけていた。そうであるのなら、Brewerの戦争国家論に見られる歴史化が何を問題としており、Brewerが21世紀に向けてどのような歴史的展望を示唆しているのかを確認しておく必要があるだろう。ところで、Brewerの歴史学には、これから見るように、財政＝軍事国家という視点とは別に市民社会における消費文化というもう一つの視点が重要な要素として確認できる。Brewerはトニー・ブレア政権誕生の年に、*The Pleasures of the Imagination: English*

Culture in the Eighteenth Century（1997）によって、18世紀イギリス戦争国家推進の裏で進められた独自の消費文化の誕生を論じている。Brewerの消費文化への強い関心は、20世紀後半の福祉政策の転換とその後の新自由主義政策、グローバリズムの加速という歴史状況の変化を検討する際にも重要な視座を提示してくれるだろう。そこで以下の節では、まずBrewerが論じる18世紀イギリス戦争国家論の斬新さを検討する。その上で、Brewerの描く18世紀の社会、特に市民社会で誕生した理想的な消費文化のあり方を確認し、Brewer独自の歴史観を検討してみよう。

さて、Brewerの「財政＝軍事国家イギリス」という概念はなぜ大きなインパクトを与えたのか。それは一言で言えば、自由な市民社会を前提としながらも、戦争を効率的に遂行する国家を誕生させた議会の特殊性をBrewerが見事に描き出したからにほかならない。Brewer以前の伝統的な歴史観によれば、18世紀のイギリスは戦争国家からはほど遠い存在と見なされてきた。その最大の理由としてつねに挙げられてきたのは、政府にも議会にも国益を優先した政治構造と能力が欠如しており、地主層を中心とするエリートが私利私欲の追求に明け暮れていたからというものであった。そこには社会の公共性によって自らを主体化する市民の存在は確認できない。確かに一般のイギリス史の理解では、名誉革命後のイギリスでは、議会の権限が強化され国王（宮廷）の力は大きく制限されてきたと言われてきた。しかし、戦間期のLewis Namierの実証的研究の成果として、議会において、派閥領袖の力が強く、有効な議会政治を実現することができなかった点が明らかにされていた[10]。行政組織もまた、網の目のように張り巡らされたパトロネジ・システムに縛られており、猟官も蔓延していたため、正常に機能していなかったことが示され、議会制民主主義を称揚する進歩主義的ホイッグ史観は、徹底的に批判されてしまった。重商主義的な利害集団である東インド会社も私的利益の追求に走り、国家による規制はほとんど行われなかった。さらに、地方行政に関しても、国家の干渉が及ぶことはほとんどなく、地域ごとに地主が独占的権力をふるっていた。このように、地主層が放任されていたという意味で、古き良き「自由主義」が認められていた、というのが

Brewer以前の伝統的な18世紀イギリス像となっていたのである。[11] こうした前提に従えば、軍事国家としてのイギリスという姿は全く見えてこなくても当然である。

Namier史学による18世紀の歴史観に対してBrewerはまず、名誉革命後のイギリスが、主にフランスとの長期にわたる戦争のために、大量の人的・物的資源の動員を必要とした点に注目する。大陸での戦争を継続するために政府は、巨額の戦費を捻出せねばならず、課税システムの抜本的な改革と大増税を行い、さらに国債運用に基づく赤字財政政策を採用したのである。このオランダ型の戦時財政政策を運用する中央集権的な政府は、19世紀に本格化する国民国家の礎となるイギリス的な「国家」を作り出していくのである。したがって、Brewerの議論は、財政と軍事が一体化して18世紀イギリスの政治と社会に大きな衝撃を与えた歴史を描き出しているのである。[12]

*The Sinews of Power*で特に重要なのは、パトロネジ・システムの肯定的側面と萌芽的官僚制との共生関係について論じた第3章と消費税の徴収機構の実態を描き出した第4章であり、これら2章を通して、Brewerは行財政史と軍事（制度）史を統合化し、新しい「国家」形成の歴史を提示する道筋を示している。[13]

それでは、第3章「文民政府—政府の中央部局—」を取り上げ、すでに確認した「議会と政府の癒着が甚だしく、政治はエリート層（主に地主層）の権力欲に埋没させられ、国益を優先した有効な政策が遂行できない構造になっていた」という古い18世紀観に対するBrewerの修正を見てみよう。Brewerは、名誉革命後、フランスとの戦争に対応するため、行政組織の中で特に、財政に関わる部局は急拡大をとげ、委員会または「局」が統括する新しい職が設けられていく点に注目している。たとえば、Walpole政権下では、25年間という長期間にわたる平和が続いたが、財政部門は少しずつ拡大している。その後、Pelham政権（1742–54）において財政役人の数は若干削減されたが、七年戦争に突入すると、この戦争が規模も戦費も前例のない戦いであったため、行政府はユトレヒト条約以来最大の拡大を遂げていく。このように、18世紀を通して、イギリスは戦時、平時を問わず、行財政組織において部局制の拡充が実現していったわけである。このとき、公的な通常業務を怠ることなく、個人の利益と政治的利益を行政府内部で調整する、ある種の妥協が成立していく。名誉革命後、行政府が拡大を始めた初期の段階では、ホイッグとトーリが公職任命をめぐって、激しい抗争を繰り広げ、官僚組織の円滑な運営に支障をきたしたことはあるが、18世紀以降はたとえ政敵が任命した人物であっても、有能な人材は職にとどまるように配慮されていく。また、17世紀末の政府は、その後の政府と比較すれば非公式で私的な事業体という色彩が濃く、政府の役人はみなそれぞれのパトロンに付き従っていたのだが、官職を委員会の下に委ねる方法を採用することによって、行政府省庁は個人の領分に属する縄張りから、委員会が運営する役所に変質していく。こうして、新しい役人層の帰属意識は、国王よりも君主の地位に忠実になるように変化していくのである。しかし、ここで重要なのは、古い体質が突然、捨て去られ、近代的な官僚制が一挙に成立したわけではなく、名誉革命以前の古い制度を取り込みつつ、それと共存することによって新しいタイプの役人層が時間をかけて形成されてきたという点である。[14] 18世紀を通じて「国家」という概念自体がきわめて曖昧なものであり続けた理由の一つはその点にあり、官僚制が整備されていったとはいえ、新たな役人が主体的に国益のみを念頭に置いて、公務を執っていたわけではなく、いわば公共的な市民社会の形成と共に、「国家」もそして個人も誕生していったのである。したがって、政府の行政組織は、名誉革命後も旧態依然の非効率なエリート主義に染まっていたわけでは決してなく、パトロネジ・システムの肯定的側面を残しつつ、近代的な官僚制の萌芽的誕生を明確に示していたと結論づけられるのである。

では次に、「財政＝軍事国家」出現を可能とした議会の特殊性を論じた第5章「国家権力のパラドクス」を見てみよう。Brewerによれば、「名誉革命はプロテスタントの革命であると同時に『地方』の革命であり、……中央政府の権限を削減しようとした革命」(148) であった。そうであるのなら、生まれながらの支配者、エリートと見なされてきた地主階級は、国家権力の拡大をもたらす財政革命、官僚的文民行政府の成長、常備軍といった政策には真っ向から反対するはずである。しかし、国家と対立するはずの地方イデオロギーは、有効な議会運営によって政府の自由を抑制しつつ、逆説的ながら強い国家を作り出していったのである。したがって、名誉革命後の財政革命、行政革命により、国王が自由にできる恩顧授与、官職授与は増加したが、このことは、王室自体の権力強化を決して意味しない。そうではなく、一時的に強化されたかに見える国王大権は、議会が次第に行政府を政治的に支配していく過程の始まりとして理解しなければならないのである。このとき、ウィッグ対トーリという党派対立ではなく、コート（宮廷）／カントリ（在野）という線引きが重要になってくる[15]。特に、コートを巡る利害関係は、国王大権を擁護しつつ、職業軍としての常備軍を維持する国王の権利を支持するようになってくる。ここにいわゆる常備軍論争が生じるのだが、この背景には、16、17世紀に大陸諸国でおきた「軍事革命」とよばれる変化があった[16]。これは大陸における戦争で、騎兵に代わって歩兵が戦力の主力となったこと、火器の使用とそれに伴う要塞の強化がおこったことにより国家が常備軍を編成するようになる変革のことである[17]。こうした変革により、1670年代にはオランダに代わってフランスがイギリスにとっての脅威となる。そして、ウィリアム3世治下、ヨーロッパにおける勢力均衡を目指し、フランスに対抗するために強大な軍隊の創出、維持を政府は望んだが、それには国債の安定的発行による戦費調達の容易化等財政基盤の安定化（財政革命）が必要であり、その点で、財政・行政・軍事革命は互いに他を必要とする複合的な革命であったわけだ[18]。したがって、これらの革命は別個に、しかも短期間に達成される性質のものではなく、長い18世紀を通して実現されていくことを忘れてはならない。

たとえば、財政革命にしても、土地税から消費税への重点移行がスムーズになされたわけではなかった[19]。結局、消費税推進策が本格的に採用されるのは1714年以降のことになるが、実はWilliam Pettyの政治算術に基づく消費税企画は名誉革命以前の対オランダ戦争のときのものであった。イギリスは1665年第二次オランダ戦争に突入した。この年Pettyは*Verbum Sapienti*（1691）を執筆し、国力改善の具体的提言を行っているが、Petty

の提案が時の政府に採用されることはなかった。その内容は、地主階級にのみ戦費負担を強いる税制度を是正し、地主階級3対労働者階級5で配分するというものであった。Pettyの算定では、年間総収入は前者1500万ポンド、後者2500万ポンドである。ここで、10%を税として徴収すると年間400万ポンドが見込まれ、これにより対オランダ戦費は賄われるというわけだ。さらに、労働者に税率10%をきちんと負担させるために、労働時間を20分の1だけ増加させる、と同時に消費量を20分の1減少させる。そうすると、労働者の奢侈も抑制することができるため、エクサイズのような大衆税は決して悪税ではなく、むしろ良税であるとPettyは主張している。名誉革命に先立つ20年間は17世紀末に始まる商業革命を準備した最初の時期であり、エンクロージャーも盛んに行われ、耕地も改良され、農業労働者の賃金も上昇しており、農業革命の起源とも言える変化が起きていたのである。[20]

Brewerは、名誉革命以前の商業革命や農業革命について直接言及してはいないが、彼の財政＝軍事革命論は、当然のことながら、これらの革命前の変革と決して無関係ではない。むしろ、Pettyの政治算術は、18世紀を通じて、財政＝軍事国家にとっては不可欠な政治構想でありつづけ、イギリスのその後の国家観に大きな影響を与えた政治経済学の原型を成す統治術として評価すべきであろう。Pettyの算術に組み入れられるのはそれまでほとんど税負担を免除されていた国民の半数に相当する労働者であり、ここに「国家」にたいする国民の税負担を義務として規定し、国家という権威に対する服従が人々に浸透していった点が重要である。[21]このように、Walpole以降に本格化するさまざまな政治的改革は、名誉革命以前にすでに準備されていた国家観と密接に絡み合いながら進行していったのである。要するに、Brewerは、地方の地主エリートという伝統的支配層の代議体である議会が国家と対立しつつ、自ら国家の一部として寄生し、国家をコントロールする体制を作り出す歴史的過程が「財政＝軍事国家」の誕生に他ならないと主張しているのだが、最も重要なのは、地方のイデオロギーが中央の内部でもあり外部でもある、という曖昧で自己矛盾に満ちた性格をもっているという点ではないだろうか。この捉えどころのない中間的な存在が次に見るようにイギリス市民社会という公共圏をも同時に生み出し、財政＝軍事「国家」を消費文化の面から支えていくことになるからである。

財政＝軍事「国家」として18世紀のイギリスがこのように歴史化されたとき、きわめて不明瞭な国家観が当時の市民社会に与えた影響をBrewerの*The Pleasures of the Imagination*と*Consuming Cultures, Global Perspectives: Historical Trajectories, Transnational Exchanges*（2006）を参照しながらまとめておこう。ここでは特に18世紀に消費文化がどのように生成したのかを（果たして本当にそのような文化が誕生したのかという問題も含めて）検討していきたい。たしかに、Neil McKendrickが論じているように、18世紀を通じて消費が盛んになったことはさまざまな統計資料によって明らかである（*The Birth of A Consumer Society* 9-194）。そして、消費の増大の多くは、重商主義政策とそれを支える軍事力強化によって可能となったのであり、貿易の伸びによって流通する商品が増え、併せて消費税による歳入増へと循環していくことは想像に難くない。しかし、消費が伸びることは必ずしも消費文化の発展につながるとは限らない。Brewerが提示する消費文化の問題は、消費と文化との因果関係に関するものである。

*Consuming Cultures, Global Perspectives*の序章において、BrewerとFrank Trentmannはまず、消費文化（consumer culture）を消費（consumption）や消費者（consumer）と同列に論じることを否定している。Brewerは、売買を通してモノを所有することによって、消費者としてのアイデンティティが獲得されるとは考えない。また、モノの価値は消費者によって一方的に決定されるとも考えない。人が何かを所有する瞬間に消費がなされるのではなく、その何かを欲望するときから「消費」は既に始まっており、また購入後も、そのモノの価値の変化とともに消費は続いているという立場に立ってBrewerは議論を進める。つまり、消費文化を正しく理解するためには、時間や空間、価値について従来とは異なるアプローチが必要となるのである。ここで、Brewerが標的とする消費文化に関する研究は、アメリカ型あるいはグローバルな直線的発展モデルに基づく

研究であり、その代表格はW. W. Rostowのtake off理論である。これは、冷戦期にアメリカが未曾有の繁栄を経験していた時期に出版された彼の著作*The Stages of Economic Growth: A Non-Communist Manifesto*（1960）に示された考え方で、伝統的社会からの「離陸」によって大量消費社会へと向かう過程を理想とする歴史観である[22]。しかし、Brewerは、物質的な満足とは別な次元（モノを買うことの外側）に「消費」を位置づけており、彼の提唱する消費文化の歴史は、Rostowが提示したような直線的あるいは二項対立的なものにはなりえない。たとえば、18世紀の中国陶磁器をめぐる消費文化を論じたRobert Batchelor（*Consuming Cultures, Global Perspectives* 第4章）によれば、陶磁器は商品としてだけではなく、「媒介、メディア」としても機能する点が重要で、その場合、モノそれ自体の価値よりもモノを取り巻く（情報）交換のネットワークという視点の方がむしろ消費文化理解には決定的になるのである。

このように、消費を決定づけるメディアや交換という性質に注目し、商品流通のネットワークや生産者、販売者、購買者の相互関係を分析する必要性は、*The Pleasures of the Imagination*でもすでに示されていた。たとえば、第11章では、スコットランドの書籍商John Bellの独特な書籍販売方法を取り上げ、国家をめぐる中央／周縁や革新／伝統という二項対立を無効化している（両者が混在している）ことが明らかにされる。Bellは1770年代以降、*Bell's British Theatre*（1776-78）や*Bell's British Poets*（1777-82）といったアンソロジーを売り出し、それまでの文学作品の消費のあり方を大きく変革していく。*Bell's British Poets*の場合はまず、新聞広告によって、売り出すアンソロジーが“part of a valuable national tradition”である点が強調され、それが大変貴重な商品（commodity）であること、そのためそれ相応に装飾が施されている（properly decked out and suitably adorned）点が述べられる。そして実際に手にする商品の扉絵には、当代の有名な画家（John Hamilton Mortimer）による作者の肖像画が付され、本の内容もさることながら、その装丁が重要であったことが明らかになる。また、*Bell's British Theatre*に収録されたJohn Gay原作の*The Beggar's Opera*の場合は、内容／形式ともきわめてハイブリッドな性質が表れている。まず、用いられているテクストは、原作を当時の上演作品用に改変したものであり、挿絵もダンディなMacheathを演じる名優Joseph VernonをJames Robertsの版画で配しつつ、扉絵の方は、マーキュリーがGayの胸像を抱く姿を当時の芸術家協会会長のJohn Hamilton Mortimerが描いたものが使われるという装丁に仕上がっており、コレクター向きの商品となっている。Brewerはここで、Gayという一個人の作家による作品がBritishというカテゴリーの下でまとめられたアンソロジーに加えられることによって、Gayが国民的文学遺産（national literary heritage）の一部となったこと、しかも当時の人気作家による版画イラストによって、ビジュアル面でも他人とも共有できる（見せる）貴重な商品となっており、Bellの革新的な販売スタイルは新しい消費文化の誕生を告げるものとなっている。Bellは自身が編集したアンソロジーにBritishという呼称を用いているが、実際にはスコットランド、アイルランド、ウェールズの文人の作品は収められていなかった。それでも、このことは出版市場、読者層がロンドンを中心とする都市に限定されるものではなく、消費文化の空間的な広がりを予期するものであったため、この後、多くの書店がこぞってBellの手法を模倣するようになったのである[23]。

前段で、Brewerが消費文化の拡大を論じている点を指摘したが、ここでのポイントは、商品としてのアンソロジーの売り上げではなく、消費を決定づけるメディアや交換のあり方が国民的文化の形成に大きく関与しているという点であろう[24]。それは、原作の改変と有名作家による版画、さらにはコレクターの所有欲を刺激する装丁を巧みに組み合わせることで、商品の「効用」を最大限引き出し、特定の作家、作品によって創り出される国民的文化を共有する感覚を都市／地方の境界を越えてネットワーク化していく国家的プロジェクトと言ってもいいものである。国家の政治的制度（特に財政、軍事部門）の専門化が進んでいた時に、書籍商も出版部門と販売部門へと分業化が起こり、それぞれの分野で新しい価値が創造され、それに応じて利益が生み出されるように販売、流通の形態が変化していく。このとき、私的利益の追求とともに公共の「美」の集大成として擬似国家的文化が市民社会の中で創造されていたのである。要するに、Brewerによる18世紀の新たな歴史化は、財政、軍事、消費が国家によって一元的に規定されるものではなく、「国家」と個人の中間に位置する団体が活動する公共的な空間における流動的な力によって、19世紀以降のナショナルな国家が誕生することを導き出すものである。その際、とりわけホイッグ主導で進められた議会と議会を取り巻くアソシエイツの革新的な力を最大限に評価するBrewerのホイッグ史観は、政治史的にはJ. H. Plumb、そして経済史的にはP. G. M.Dicksonの研究を受け継ぐものであるのだが、Brewerの独自性は、従来の国家論にそれまであまり注目されてこなかった「軍事に関する研究」という視点を取り入れた点にあった[25]。なぜ、財政革命と軍事革命を結びつけることが斬新だったのか。Linda Colleyによれば、1960 ～ 70年代の歴史学の中心にあった「自由を求めるイギリス人、特に階級意識を強く意識する労働者」の存在意義は80年代以降、次第に弱まっていき、それと共に歴史学の中で「下からの歴史」への興味も薄れていった（“Strong Government”）。その理由の一つとして、Thatcher政権誕生後、ますます中央集権的になっていく政府に反発する運動が弱体化していったことが挙げられる。こうした社会情勢の変化とともに80年代の歴史研究は、イギリスのEEC加盟への対応とフォークランド紛争をきっかけに、グローバリズムと愛国心という相対立するふたつの主義を軸に展開されていく。同時代のこのような政治状況を見据えてBrewerは財政＝軍事国家としてのイギリスを提示する。それは、冷戦期のThatcherism（国家主導のグローバリゼーション）を強く意識しつつ、名誉革命後の国家の誕生にその源泉を見出そうとする試みと言えるだろう。たしかに、冷戦後の国家はもはや国民と結びつくことをやめ、グローバル国家として機能しているかのように見えるが、それは国民国家を脱却したという意味で全面的に肯定される成長や発展ではない。Brewerは経済史的視点においては、RostowやMckendrickのような直線的発展モデルを退け、中間的領域で展開される生産と消費のプロセスに注目しようとしているのである[26]。

最後に、Edgertonが提示する「戦争国家」イギリスをBrewer的な18世紀イギリスの財政、軍事、消費文化にいかに接合しうるのかを検討し、21

世紀に向けた文学・文化研究の新たな可能性についてまとめておこう。すでに見たように、Edgertonによる20世紀の歴史化は福祉国家の顔をした戦争国家がいかに長期にわたって存続していたかを明らかにしている。Edgertonが扱う時代は二つの大戦とその後の冷戦期が中心ではあるが、冒頭で見たように、Brewerの財政＝軍事国家イギリス論への言及からもわかるように、戦争国家の歴史はおそらく名誉革命まで遡ることが可能だろう。Brewerの議論はウェストファリア秩序による勢力均衡を柱とする権力関係を前提とし、いわゆるネーション・ステイトが確立する以前のヨーロッパにおける「国家」間の連携と対立、そして「国家」内部におけるさまざまな利害集団の錯綜した力関係が流動化することによって、まず市民社会という公共圏が生まれてきたことを前提としている。このとき、イギリスの議会政治が特殊であったのは、議会がこの市民社会を形成する自由な集団を基礎にしつつ、政治的にも経済的にも有効に機能した点に認められる。地主層が放任されていた伝統的な「自由主義」は徐々に変容し、エリート地主階級は、自らの存在を脅かす「国家」の誕生に強く反対しつつ密かにそれを容認した。こうして、長い18世紀を通じて、重商主義に基づく軍事力（主に海軍力）に基礎をおく国家が、新しい「自由主義」的政治経済学によって徐々に形成されていくのである。軍事力を支える財政革命、行政改革は確かに重要であるが、それらの改革・革命もそれを支える市民社会の消費なしには語れない。Brewerの*The Sinews of Power*は、財政に関してはDicksonの先行研究を下敷きにしていることが明確だが、軍事については、特にその技術的観点からの分析は皆無に等しい。ようするに、18世紀の財政＝軍事国家イギリスというのは、自由な公共圏における消費によって、しかも文化としての消費によってその成立が可能となるという視点が最も重要だったのではないだろうか。Brewerが考える公共圏、そこでの中間団体の活動は、都市／地方の境界を曖昧にするだけでなく、より広範囲にグローバルな展開を視野に入れるものでもあった。そうであるなら、Brewerによる20世紀の歴史化、つまり18世紀イギリス史の20世紀的総括は、ネーション・ステイト誕生以前の市民社会における消費文化をThatcher政権以後の新自由主義の未来の可能性に接合するものと位置づけられるが、このとき、戦争国家としてのイギリスは奇妙にも私たちの前から姿を消してしまう。そうであるなら、ポスト・戦争国家「イギリス」と消費文化のグローバリゼーションを生み出した18世紀の財政＝軍事国家イギリスを見事に接合したBrewerの歴史学はEdgertonによる科学・技術・産業の反未来志向によって再び歴史化されなければならない。

Notes

[1] ここでの井野瀬からの引用は『大英帝国という経験』(2007) の「学術文庫へのあとがき」(2017) からのものである。井野瀬は90年代・ゼロ年代以降をふり返りつつ、「アイデンティティ・クライシスからブレグジットへ」という変化を次のように提示している。

> 2007年、「なぜ今われわれは『帝国』を語りたがるのか」という問いで本書「おわりに」を締めくくってから10年が過ぎた。この問いのゆくえを含めて、まずはこの10年をふり返ってみたい。…本書で述べたように、「帝国だった過去」は、連合王国の再編に絡みつきながら、「イギリス国民」の創造、再創造に常に寄り添ってきた。とりわけ、本書を執筆した21世紀初頭、イギリスは国民としてのアイデンティティの危機の真っただ中にあった。(井野瀬 393)

リーマン・ショック、ブレグジット、ドナルド・トランプに代表される俗悪なポピュリズム以前のある期間、必ずしもつねに帝国やグローバリゼーションの問題に取り組んだわけではなかったイギリス文学研究も、アイデンティティ・ポリティクスやイングリッシュネス／ブリティッシュネスといった同様の研究主題を前景化していたことは、いまさらいちいち例を挙げるまでもないだろう。

[2]「日本語版へのあとがき」については、引用は全て日本語版を使用するが、それ以外の箇所からの引用は原著から訳したものであり、必要に応じて原文を付している。

[3]「リベラル軍国主義」については、Edgertonの“Liberal Militarism and the British State”を参照。ここでもEdgertonは、20世紀イギリス国家の軍事部門はつねに、科学・技術・産業と深く結びついており、戦時経済は十分に成功を収めていた点を指摘し、軍拡がきちんとなされなかったために衰退を招いた（Perry Anderson）、あるいは戦時下に福祉国家政策に着手したために戦後経済で壊滅的な衰退をもたらした（Correlli Barnett）といった衰退論を批判している。「リベラル軍国主義」が リベラルである理由は次の4点とされている。①徴兵制に反対②マンパワーではなく技術重視③敵国の市民と経済力を攻撃対象④世界秩序としての技術の平和を旗印とする。ここでも科学・技術・産業に目を向ける必要性は繰り返し述べられる。また、イギリス衰退の原因を戦争国家における技術革新の歴史と経済的視点から論じたものとしては、G. C. Pedenの研究を参照。

[4] *Science and Government*は元々1960年にSnowがハーバード大学で行った連続講演を元にしたもので、朱牟田夏雄の翻訳では『科学と政治』(1961)となっている。Edgertonは、この本を「オペレーショナル・リサーチ（OR）と戦略爆撃の道徳性と有効性」(operational research and the morality and effectiveness of strategic bombing, 204）に関するものと位置づけている。Snowはここで、いわゆるティザード／リンデマン論争（Tizard /Lindemann dispute, 205）を取り上げて、チャーチルの戦略爆撃を正当化するLindemannを悪者、変人として、ORの父と呼ばれるP.M.S.Blackettと行動を共にした左翼系科学者Tizardを正常な善人として描いている。Snowは二人の伝記的エピソードを交えつつ、貧しいながらもイギリス的なTizardが金持ちのドイツ的なLindemannの不合理な決定に屈する過程を小説的手法によって「物語」っている。しかし、Edgertonによれば、TizardもBlackettも当時、戦略爆撃という作戦自体に反対していたわけではなく、計画策定の際に用いられた特定の計算に異議を唱えていたということが明らかになる。要するに、Snowが示す反歴史性は、自身が表面上は批判の槍玉に挙げている文学者のレトリックを用いつつ、科学と技術が軍事から密かに距離を取りつつ、政府（政治）をコントロールする方法を模索するものであり、その後の歴史を振り返ってみればSnow的アプローチが十分に成功し、今も一定の影響力を持ち続けていると言えるだろう。もちろん、Snowは小説家でもあり、「二つの文化」を融合できる特別な立場に自らがいることを効果的に利用して

いる。この点に関して朱牟田は、「ふたりの間柄をえがく著者の筆は、周到な資料の調査に裏うちされている上に、あとでもしるすように小説家としても高名なこの人のことであるから、単なる未知の二人物の間の「物語り」をよむような態度でよんでもこの部分は非常に興味深い読みものといえる」（132）とまとめている。Guy Ortolanoは、SnowとLeavisが共に、能力主義の理想（meritocratic ideals）を追求し、平等主義の要求（egalitarian demands）を拒絶した点を指摘している（250）。

[5] Edgertonは、政治経済学が第一次世界大戦以前から、戦争を新しい産業、科学、技術によって形成されていたことを十分に認識していたと指摘している。したがって、政治経済学の分野では、戦争において兵士のロマン主義的な武勇が勝利をもたらすという考えは完全に否定されており、戦争自体を一種の「専門的職業」（a specialist profession, 310）と見なしていた。しかし、こうした科学、技術、戦争の関係を戦間期に違った形で一般に伝えたのは、当時の科学的知識人（WellsとBernal）であった。

[6] Edgertonは、アメリカの技術の歴史に関する伝統的な見方を大きく修正したMerritt Roe Smithの研究に言及し、19世紀の「アメリカ的製造システム」が、部品の互換性を必要とした軍事体制の誕生によって構築された点に注目している。また、戦後イギリスの原子爆弾は、兵器研究所であった旧ウーリッジ研究本部に所属していた数学者チームによる設計によって生まれたという重要な指摘もなされている（エジャトン 298-300）。もちろんEdgertonがここで強調しているのは、技術とりわけ生産、通信、管理の知識に関する技術において、主としてナショナルなレヴェルで、国家や軍が果たしてきた役割に注目しつつ、グローバルなレヴェルにおいても、「知の軍事化」の歴史的過程を見据える必要がある、ということである。

[7]「知の軍事化」については*boundary 2* 44.4（2017）の“The Militarization of Knowledge”特集号も参照のこと。特に、Julian Bourgは“Of Partisans and Paranoid Experts” (77-94) において1948年から60年を決定的な転換点として、イギリスとマレーシアの関係をグローバルな観点から取り上げており、重要な視座を示している。

[8] Edgertonは、*The Shock of the Old: Technology and Global History since 1900*（2019）第2版への序文で、グローバリゼーションの技術について論じる際に重要なのは、イノベーションよりむしろイミテーションであると論じて

いる。古いモノの歴史的価値についてのEdgertonの関心は、戦争論にも応用可能である。たとえば、戦争のモダニズム性とポスト・モダニズム性の関係性について言えば、旧式の兵器や戦術を有効に使用しつつ、先進的な技術と融合させるという発想が今後ますます重要になると考えられる。

[9] Snowがなぜ嘆かわしいほど重要なのかという問題は、今日の教育制度、教授法とも密接に関わっているだろう。この点に関してはOrtolano 101-39を参照。

[10] NamierとBrewerの関係については、近藤和彦による次の指摘が参考になる。すなわち、「ブルーアはネイミアと同じ時期の政治社会を対象とし、彼のきらったイデオロギー・世論に注目し、民衆政治と儀式シンボリズムを考察した。その政治社会論は、ただネイミアを否定して政党とイデオロギーに意味はあったというにとどまらず、政治社会の研究における社会史･文化史、そして思想史の重要性を確認するものである。」（『スキャンダルと公共圏』23-24）また、これと関連して、近藤は、Namierが「思想、産業、民衆文化、性」といったテーマに対して無関心である（Brewerはまさにこうしたテーマを前面に取り上げる）点と「地域社会の統治（行政と司法）」を分析対象にしない点を批判し、Namier史学の限界を彼の伝記（孤独なデラシネが二つの大戦を通してエスタブリッシュメントを支える歴史家として成功を収める物語）を通して説明している（近藤「ネイミアの生涯と歴史学」93-94）が、こうした歴史的解釈が、何を目的にどのような国家観（あるいは国家の歴史）を隠蔽しようとしているのかを、Snowをはじめとするテクノクラシー中心主義に基づく衰退論の物語を分析するEdgertonの歴史学と比較してみることが今後必要かもしれない。

[11] Brewer以前の18世紀イギリス像については、『財政＝軍事国家の衝撃』の訳者あとがきを参照。

[12] この時期のオランダ型の戦時財政政策については、Pepijn Brandonを参照。

[13] BrewerによるNamier史観に対する修正は、旧体制から新体制への単純な移行ではなく、前近代的な君主制・貴族・教会による政治的支配の力を新勢力がいかに取り込みつつ変容させていったのか、という点を重視するものである。

[14] Brewerは、18世紀を通じてパトロネジと親戚関係のつながりは依然として強力であり、部局ごとの縄張り意識（ライヴァル心）においても、古い

パトロネジ的人間関係が重要であった点を指摘している（96)。また、政府官職は特定の家系に代々伝えられることが多く、「1660年から1800年のあいだに一族から3人以上の役人を出した家系は47にのぼる」（92-93）こともわかっている。

[15] Namier史学によるカントリ・イデオロギーに対する無関心（近藤 94）と、そうした歴史観に対するBrewerのここでの議論は、地方と中央の対立／協調をめぐる捻れた関係性を改めて強調するものとなっている。「土地所有ではなく官職を権力の源とする特殊な統治層の出現」（ブリュア 163）に対するカントリ・イデオロギーのアンビバレントな態度についてはブリュア第5章の162-65を参照。イギリスの地方イデオロギーは、地域ごとのイデオロギーといったものを意味せず、極めて中央に近いところで権力と対峙していた点が重要なのだが、こうした特殊な地方イデオロギーは後に見るように「公共的なるもの」と密接に関係してくる。

[16] 1648年に始まるいわゆるウェストファリア的秩序において重要なのは、ヨーロッパにおける諸国家の競合、勢力均衡であり、その力（force）は、戦争、外交、常備軍によって維持されていくと考えられていた。このとき、国家は自己保存を目的とし、統治性（governmentality）の技術を開発していく。統治性に関するFoucaultのポリス論では、人々の「生」を活用することによってしか国力を高めることはできず、そのために、①人口②生活必需品③健康④流通がポリスの対象となる。William Pettyの政治算術がこの時期に重要であった理由はこの統治性と深く関わっている。なお、Pettyは空位期にアイルランド測量官を務めているが、彼が最終的に数量化しようとしたのは「経済」という抽象概念であったとMary Pooveyは述べている。Pooveyによれば、この経済は国家の価値を特徴づける指標であり、アイルランドとイングランドの関係を財政的な関係で捉え、両者の関係が健全かどうかは、数量化できる貨幣によって計測されたと考えられる。また、18世紀における軍事力組織化の歴史と意義についてBrewerは、第二章で陸・海軍の兵力数の変遷、兵站の重要性、外国人兵（傭兵）への支出、海軍の維持のためのメンテナンス施設等について説明している。Edgertonの議論との観点から言えば、半官半民的性質をもつ海軍の特殊性と兵站が結ぶ軍と国内経済との関係に関する考察は今後の課題として重要であろう。

[17] ヨーロッパにおける軍事革命については、ジェフリ・パーカー『長篠合

戦の世界史』を参照。

[18] 戦費調達のための国債発行をはじめオランダ式の財政システム導入については、ウィリアム3世と敵対関係にありながらオランダ共和国をフランスから防衛するための政策を実行したJohan de Wittが重要である。Wittは科学的・数学的知識を駆使し、戦費と国費の捻出のため、年金販売を行ったが、そのために平均余命のデータが必要となった。Wittは数学的確率（事前確率）の割当から直接年金額を計算していた。保険には別な側面もある。最も古い保険は海上保険であるが、1764と74年の「賭博条例」成立まで、年金とともに保険はギャンブルと等しいと見なされていた。また、海上保険は、さまざまな統計的情報に基づき、法的なやり方で保険料に重みが付けられてきており、こちらも伝統的に重要だった。de Wittの財政システムについては、重田園江（258-65）を参照。これに対して、Pettyのモデルは、個別データを用いて年齢階層集団別の死亡表を作成し、年金計算にその死亡表を利用するものであった。

[19] むしろ、名誉革命直後は、国王の財政依存を強めるため、議会は一般消費税の導入には消極的で、むしろ土地税を優先していた。なぜか。Brewerによれば、名誉革命前のジェイムズ2世の時代、間接税（関税と消費税）によって国王が財政的に自立できていたことに対する強い警戒心から議会は消費税拡大に消極的であったのである。また、ジェイムズ2世は自らに充当される収入を最大限引き上げるために行政効率を上げるキャンペーンもすでに行っており、効率のいい官僚制を築くこと（行政組織改革）にある程度成功していたため、これについても下院は消費税拡大に抗議した人物を優遇することで、ジェイムズ2世時代の消費税委員が実施した行政刷新策を撤廃している。こうして、ウィリアム3世は平時にあっても経常収支で自立することはできず、財政的につねに議会に依存しなければならない状態におかれたのである。Brewerは国家と地方イデオロギーの歴史的関係性について次のようにまとめている。すなわち、「ルイ14世との戦争には複数の理由があったが、なかでも最も重要な目的は、ある特定のプロテスタント政体を創出すること、あるいは保全することにあった。ところがすでに述べたように、その政体を防御するには、イングランドの社会と政治のあるべき姿を脅かす国家を生み出すというコストを払わざるをえなかったのである。したがってこの時代の大きな政治的関心事は、プロテスタント体制を

維持しつつ、その体制の増長を防ぐ適切な航路をどのように舵取りするかにあった。……逆説的ながら、政府の提案にことごとく反対した強い議会は、最後にはより強い国家を生み出すことになったのである。」(168) と。

[20] Pettyの戦費調達方法については大倉正雄を参照。

[21] Pettyはこのように国家の生産性に対する個人の貢献を前景化し、人間の価値を量で判断する。Pettyの思想は、Charles Davenantにとっても重要であった。以下、Davenantの思想については野原慎司を参照。Davenantは軍事革命について、勝敗を決めるのは勇気ではなく貨幣であると考えており、「イングランドを自存させ繁栄させる調和とは、全ての人々から払われる、この政体を構成する諸部分にたいして法が与える権威に対する適切な尊敬と服従から生じねばならない」(120) と主張している。さらに「統治の技術は少数者によって多数者を支配することにある」(120) と考えたDavenantは、商業社会の重要性を強く認識し、製造業のみならずさまざまな分野（軍事や行政も含めて）で技術改良と分業が進められる必要性を主張している。なお、Petty、Davenantらによる社会情報の分析に数学的知識を応用した点については、Brewer 221-230を参照。

[22] Ortolanoによれば、*The Stages of Economic Growth*はSnowのリード講演の前年にケンブリッジで行われた連続講義をもとにしたもので、そこに示されている「第三世界」の発展を念頭においた近代化理論は、*The Two Cultures*の最終章 “The Rich and the Poor”と奇妙に共鳴する。Ortolano 209-210を参照。

[23] これとは別にBrewerは*The Sinews of Power*で、18世紀のロビイストの活動に関して、『下院日誌』(*Journals*) へのアクセス能力が重要視されるようになるにつれ、印刷された政府資料が「有用な知識」(useful knowledge) とみなされていく過程を辿り、それらが「公的な知識」(public knowledge) へと、さらには「普遍的な」(universal) 知識になる点に注目している。*The Sinews of Power* 227-28を参照。

[24] Brewerは*The Sinews of Power*で、七年戦争によって債務が倍増したにもかかわらずイングランド政府の赤字政策が非常にうまく行っていた点について説明している。そこで、戦中期に書かれたAdam Smithの*The Theory of Moral Sentiments* (1759) を取り上げ、そこに登場する「見えざる手」の表象について見てみよう。Smithは、第4部第1節 “Of the beauty which the appearance of Utility bestows upon all the productions of art, and of the extensive

influence of this species of Beauty" の冒頭で、効用（utility）が美の源泉（the principal sources of beauty）であること、物のもつ効用は主人に快楽や利便性（pleasure or conveniency）を想起させるものである点を説明している。そしてSmithは、最終的には、「効用」という観点から、国王が政治的関心をもち、国家の統治機構や対外貿易の重要性、戦争について考える必要性にまで議論を広げていくのである。Bellが採用したアンソロジー企画は、Smithが論じている「効用」を最大限に引き出す創意工夫とそれに対する読者の共感の両方を要求するものといえるだろう。

[25] Plumbの*Sir Robert Walpole: The Making of a Stateman*（1956）はSnowの*The Two Culture*と同年に出版されている。SnowとPlumbの長期にわたる個人的親交についてはOrtolanoを参照。Plumbは、Namierから強い影響を受けつつも、次第にNamierの「統計分析が経年的な進歩を認定できなかった」（Ortolano 146）として、両者は次第に対立を深めていく。Plumbはまた、1982年にはMcKendrick, Brewerとの共著*The Birth of a Consumer Society*において "Commercialization and Society"の章を担当している。

[26] Brewerの歴史学については、ジョン・ブルーア『スキャンダルと公共圏』に収められている近藤和彦「18世紀イギリスとブルーア」を参照。近藤はケンブリッジ時代のBrewerの学術的交流を辿り、彼がNamierやThompsonらの影響を強く受けつつも、彼らとは一線を画し、独自の中間的立場を確立してきた点を強調している。なお、この本に収められている「スキャンダルと政治」で取り上げられているJohn Wilkesに関する議論は、*The Birth of a Consumer Society*（2018）においてすでに論じられている「政治の商品化」についての考察を下敷きにしている。Brewerによれば、急進的な過激思想によって反政府運動を進めてきたWilkesの「自由」を18世紀の多くのクラブ、団体が支持し、議会外政治団体が一定の力をもつようになった背景に、Worcestershireの陶磁器製品等に彼の肖像画が刻まれるようになった点を指摘している。ここに飲料メーカー、セラミックメーカー、印刷・出版業者の連携が生まれ、スキャンダルをネタとする過激な週刊紙（誌）によって政治への関心が高まったことに注意すると、消費文化から政治への影響が確認できるだろう。

Works Cited

Batchelor, Robert. "On the Movement of Porcelains: Rethinking the Birth of the Consumer Society as Interactions of Exchange Networks, China and Britain, 1600-1750" *Consuming Cultures, Global Perspectives : Historical Trajectories, Transnational Exchanges*. Eds. John Brewer and Frank Trentmann. Berg, 2006.

Bourg, Julian. "Of Partisans and Paranoid" *boundary 2*, vols.44, no.4, 2017, pp. 77-94.

Brandon, Pepijn. "'The whole art of war is reduced to money': remittances, short-term credit and financial intermediation in Anglo-Dutch military finance, 1688-1713" *Financial History Review* 25.1, 2018, 19-41.

Brewer, John. *The Pleasures of the Imagination: English Culture in the Eighteenth Century*. Farrar Straus Giroux, 1997.

---. *The Sinews of Power : War, Money, and the English State, 1688-1783*. Harvard UP, 1990.

Brewer, John, and Frank Trentmann. *Consuming Cultures, Global Perspectives : Historical Trajectories, Transnational Exchanges*. Berg, 2006.

Colley, Linda. *Britons: Forging the Nation, 1707-1837: With a New Preface by the Author*. Pimlico, 2003.

---. "Strong Government" *London Review of Books*, vol. 11, No. 23, 1989.

Edgerton, David.*The Shock of the Old: Technology and Global History since 1900.* Kindle ed. Profile Books, 2019.

---. *England and the Aeroplane: Militarism, Modernity and Machines.* Penguin, 2013.

---. *Warfare State : Britain, 1920-1970*. Cambridge UP, 2006.

---."Liberal Militarism and the British State," *New Left Review*, vol. 185, 1991, pp. 138-69.

McKendrick, Neil, John Brewer, and J. H. Plumb. *The Birth of a Consumer Society : The Commercialization of Eighteenth-Century England.* Indiana UP, 1985.

Ortolano, Guy. *The Two Cultures Controversy: Science, Literature and Cultural Politics in Postwar Britain*. Cambridge UP, 2009.

Peden, G. C. *Arms, Economics and British Strategy: From Dreadnoughts to Hyrdrogen Bombs*. Ed. Hew Strachan and Geoffrey Wawro. Cambridge University Press, 2007.

Poovey, Mary. “The Social Constitioun of ‘Class’: Toward a History of Classificatory Thinking” *Rethinking Class*. Eds. Wai Chee Dimock and Michael T. Gilmore. Columbia UP, 1994.

Rostow, W. W. *The Stages of Economic Growth : A Non-Communist Manifesto*. Cambridge UP, 1960.

Smith, Adam, *The Theory of Moral Sentiments.* Eds. D. D. Raphael and A. L. Macfie, Liberty Fund, 1984.

Smith, Merritt Roe. *Military Enterprise and Technological Change: Perspectives on the American Experience*. MIT P, 1985.

井野瀬久美惠『大英帝国という経験』講談社、2017年。

エジャトン、D『戦争国家イギリス――反衰退・非福祉の現代史』坂出健・松浦俊輔・佐藤秀昭・高田馨里・新井田智幸・森原康仁訳、名古屋大学出版会、2017年。

大倉正雄「初期啓蒙とペティの経済科学」『啓蒙のエピステーメーと経済学の生誕』田中秀夫編著、京都大学学術出版会、2008年、39-98頁。

重田園江『統治の抗争史――フーコー講義1978-79』勁草書房、2018年。

近藤和彦「ネイミアの生涯と歴史学――デラシネのイギリス史」『英国をみる――歴史と社会』草光俊雄、近藤和彦、斎藤修、松村高夫編、リブロポート、1991年、83-96頁。

スノウ、C. P.『科学と政治』朱牟田夏雄訳、音羽書房、1961年。

野原慎司「17世紀末イングランド常備軍論争――商業と国制――」『イギリス哲学研究』30巻、2007年、111-24頁。

パーカー、ジェフリ『長篠合戦の世界史――ヨーロッパ軍事革命の衝撃　1500～1800年』大久保桂子訳、同文舘出版、1995年。

ブリュア、ジョン『財政＝軍事国家の衝撃――戦争・カネ・イギリス国家1688-1783』大久保桂子訳、名古屋大学出版会、2003年。

ブルーア、ジョン『スキャンダルと公共圏』近藤和彦・大橋里見・坂下史訳、山川出版社、2006年。

第6章

『あるびよん——英文化綜合誌』から再考するヘルス・ケアと（英語）教育

大道 千穂・大田 信良

はじめに

21世紀に入って20年が過ぎた今、各分野で20世紀という時代の見直しが進んでいる。20世紀は「アメリカの世紀」であったという表現を世界に広めたのは『タイム』誌（1923-）、『フォーチュン』誌（1929-）、『ライフ』誌（1936-）などの創刊者、ヘンリー・ルースだった。『ライフ』誌の1941年2月17日号に「アメリカの世紀」と題した論文を掲載したルースは、そこでアメリカがそれまでの孤立主義を捨て、国際主義の立場からその生産力と生産様式、自由と正義の理念を世界に広げていく「強烈な使命感」を持つことが、「アメリカの世紀」というヴィジョンを実現させる条件であり、全人類がより豊かな生活を手にする条件であると主張した（管 3-4; 亀井 68-71）。

ルースがこの時に抱いたヴィジョンは、たしかに実現されたようにも感じられる。アメリカの強力な軍事力、技術力、経済力、そして文化力を抜きに20世紀という時代を語ることはできない。ハード、ソフトの両面から世界の覇権を握ったかのように思われたアメリカはしかし、皮肉にも、冷戦の終結、つまり一見最終的なアメリカの勝利と思われるところからほころびを見せ始める。ソ連という差し迫った大きな敵が消滅したことが、アメリカを再び孤立主義へと向かわせるとともに、アメリカの理念や結束を希薄にしてしまったのだ。冷戦終結後のアメリカがアイデンティティの危機に陥ったひとつの原因について、菅は次のように述べている。

冷戦の終焉は、米国自身によって、共産主義に対するリベラリズムの勝利だと位置づけられたことによって、逆説的に、米国自身がこれまで追求してきた理念や目標が実現してしまったかのような印象を米国民に与えてしまい、その結果、目標喪失の状況に置かれてしまったのではないか、と考えられる。さらに冷戦後は、国民国家の相対的地位が後退し、国際社会における多様な行為主体が、米国の理念をいわば「ハイジャック」する形で、主体的に自己主張をしはじめているという状況が生じており、このような視点に注目するならば、米国の理念がもはや、米国の存在意義を証明する専有物ではなくなりつつある、ということであるかもしれない。(菅 9-10)

グローバル化したアメリカの理念が、アメリカという国の独自性、あるいはアイデンティティを奪ったというのである。「20世紀はアメリカの世紀であったが、21世紀もやはりアメリカの世紀ではないかと思う」(木村 2)、というような意見ももちろんある。現在のアメリカは製造業における生産力こそ世界第一位ではなくなったかもしれない。しかし、「世界中の優秀な人材を集めるトップレベルの大学群を擁し、シリコンバレーやベンチャーキャピタルなどの新しい産業を生み出すメカニズムを作り出し、世界経済を引っ張っていく新たな企業の母体となっている」(木村 2) アメリカは、間違いなく今でも、際限ない生産力を誇っているというのが木村の言い分だ。しかしそれでも、冷戦終結以降のアメリカが、アメリカをアメリカたらしめるものは一体何なのかという大きな問いに直面しているということに変わりはない。

そしてこれはアメリカだけの問題ではない。アメリカが今、建国以来の理念、歩みを振り返り、見直しているのであれば、第二次世界大戦が終わってから半世紀以上の間、アメリカを参考に、その影響を強く受けながら戦後国家を作ってきた日本もまた、戦後日本の歩みを振り返るべき時を迎えているのではあるまいか。本稿では、終戦から4年も経たない1949年6月から1960年8月まで、原則的には隔月の出版ペースで計48号発行されたイギリス文化研究誌、『あるびよん』を再読する。一見ひたすらアメリカを追い続けた半世紀のように思われがちな日本の戦後だが、実は戦後の再建モデルをアメリカではなくイギリスに見ようとしていた一群の知識人たちがいた。『あるびよん』はそうした人々によるイギリス研究誌である。本稿では「アメリカの世紀」という概念を一度括弧にくくって日本の戦後を振り返り直してみたい。そうすることで、今までは見落とされてきた日本の歩みの一側面が見えてくるかもしれないからだ。本稿では特に、アメリカ的な個人主義、自由主義の追求だけでは解決できない、つまり国家や社会の介入なしには解決不能な領域と考えられるヘルス・ケアと教育に焦点を絞って、『あるびよん』への投稿を中心に考えてみたい。

次節以降は、まず機関誌『あるびよん』がどのような性質を持つ雑誌であるかを整理していくことから議論を始め、続いてヘルス・ケア、教育について論考していく。ヘルス・ケアについては世代間の差異や人口問題に密接にかかわる高齢者に注目することにより、また、教育については英語教育という切り口から考察することにより、『あるびよん』の歴史的・空間的意味を読み解いていくことになるだろう。

1.『あるびよん』[1]

『あるびよん——英文化綜合誌』は、1949年5月に発会した英文化研究クラブ、あるびよん・くらぶの機関誌である。ジャーナリストの古垣鐵郎や松方（義）三郎、経済学者の木村健康、実業家の小池厚之助、評論家の林達夫、英文学者の福原麟太郎ら25名の発起人たちは、発刊当時から日本にとってアメリカがいよいよ重要な存在になっていくことに十分に気づいていた。しかしそれでも、「英國、及び英國人といふものを知ることが今日緊要である」（「創立の趣意」）として、彼らはイギリスにこだわった。「極言すれば、英國の文化と、それが世界史上に有する意義とに對する認識の不徹底が、今日の我國の不幸を招いた」（「創立の趣意」）、とまで断言したのである。なぜなのだろうか。

『あるびよん』創刊号に掲載されている「創立の趣意」の言葉を借りるならば、それはひとつには、「明治維新以來、我國における自由主義、民主主義の傳統は、英國のそれに啓發された我々の先輩等の活動に發し、英國にその範を求めることによつて、培はれて」(「創立の趣意」)きたからだ。あるびよん・くらぶの創立メンバーにとっては、アメリカ文化の最も本質的な部分である「自由の精神」もまた、もともとイギリスの伝統である。つまり両国の根底には同じ「アングロ・サクソン民族の文化的な傳統」(「創立の趣意」)としての自由の精神があるのだ。

もうひとつには、戦後アメリカの状況は敗戦国日本とは異なりすぎて参考にならないということがあった。その点イギリスは戦勝国であったが、その戦後は厳しかった。1945年の米英金融協定は「金融援助と引き替えに、アメリカの論理に基づく自由貿易体制の受入をイギリスに迫」(山本 28)るものであり、その協定の締結は、金融面からみても通商面からみても、第二次世界大戦後の世界経済の中心がアメリカにあることを世に知らしめた。その後イギリスは植民地をどんどん失っていき、経済面からも、領土面からも、大英帝国の崩壊を経験していく。しかし、このような逆境の中にありながらも戦後のイギリスは明るかった。あるびよん・くらぶの会員たちはそういうイギリスにこそ、戦後の模範をみようとした。『あるびよん』創刊号の「創立の趣意」は、

> 今次大戰の戰中戰後を通じて英國國民が如何に闘ひ、又堪へ抜いたかを見るならば、我々日本人にとつて大に學ぶべきものがあるのみならず、我々にとつて學ぶべき凡てのものがあるとすら感ぜられるのであります。(「創立の趣意」)

という強い言葉に続き、「今こそ……改めて英國の歴史と文化について英國および英國人といふものの本質を究め、祖國の再建に寄興すべき時機が到來した」という決意でしめくくられている。

イギリス政治でもイギリス経済でもイギリス文学でもなく、漠とした大きな表現であるイギリス国民の戦後の闘いから学ぼうとするあるびよ

ん・くらぶの態度は、独特な機関誌を生み出した。当時英国大使館情報参事官であったハーバート・レッドマンは、その特色をとらえ、機関誌『あるびよん』を

> 知識人の生活というものが充實された生活であり單に詩人や學者の仕事にしか興味を持たないというものではなく、政治上の色々な動きや、現代の社會的な、また經済上の不安や、それから又、ジャナリズムとか映畫と言った、人間の精神のそれほど「高級」でない産物とも密接な交渉があるものなのだということを、はつきりと認めている雑誌（レッドマン 12）

と評している。会員も政財界で活躍する人々、学者、科学者、ジャーナリストから夫のイギリス駐在についていった主婦まで多岐にわたっており、したがって投稿された文章も、各分野に関する学術的な文章から留学時代の思い出や主婦の生活スケッチまでさまざまである。レッドマンが文章を寄せていることからもわかるように、この機関誌にはイギリス大使館関係その他のイギリス人文化人の投稿もあった。まだ外国旅行や外国留学が多くの人にとって難しかったこの頃にあって、『あるびよん』は、イギリスという国とその国民について、多くを伝える雑誌であっただろう。

次に、このような雑誌の中で、戦後イギリスが敷いた福祉国家体制下におけるヘルスサービスの在り方がどのようにみられていたかについて、触れていきたい。

2．福祉国家下のヘルスサービス

1）ベヴァリッジ報告

前節で、戦後のイギリスは経済的窮乏にもかかわらず明るかったと述べた。その明るさはどこから来ていたのだろうか。あるびよん・くらぶの会員であった池田潔がイギリスの学生たちを評し、どんなときにも「笑

ひの餘裕」（池田 82）を持つと述べたようなイギリス人の精神性は[2]、この問いに対するひとつの答えかもしれない。しかしこれだけでは説得力をもたない。より大きくは、「ゆりかごから墓場まで」という表現に代表される、福祉国家というイギリスの戦後復興の柱に寄せる期待が彼らを支えたのではなかろうか。

戦後イギリスの社会保障政策の原型は、経済学者であり社会政策学者であったウィリアム・ベヴァリッジが1942年11月に提出したベヴァリッジ報告にある。この報告書を考案したベヴァリッジの計画は、欠乏、疾病、無知、不潔、無為（Want, Disease, Ignorance, Squalor, Idleness）という戦後の国家再建の障害となる5巨悪を、それぞれ所得保障、医療保障、教育政策、住宅政策、完全雇用政策によって撲滅しようとするものであった（一圓 275; 吉中 5）。ベヴァリッジ報告の最後は、かつてない規模、かつてない残酷さで戦われている世界大戦の最中に戦後の社会保障政策について考えることの意義を正当化しようとする、ベヴァリッジの叫びのような文章となっている。ここで彼は、この報告は「平和時と戦時とを通じて政府の目的が、支配者や民族の栄光ではなく、普通一般の人びとの幸福であるという信念を形にしたもの」（269; 段落459）であるということ[3]、そして「この問題についての関心は、おそらく一般の人びとが感じているところをそのまま反映したものであろう」（270; 段落460）ことを強調している。実際ベヴァリッジ報告は、出版されると3時間で7万部、要約版も含めると1年間で62万分5000部を売り上げたらしい（毛利 220）。

ベヴァリッジ報告がここまで広く国民に受け入れられたのは、その内容がイギリス人が大切にする自由を奪うような「過保護」なものではなかったから、ということもあるのかもしれない。ベヴァリッジは次のように書いている。

> 生活の保障を追求することは誤った目標であると考える人がいる。彼らは、生活の保障と、独創性、冒険心、個人責任などとが、相容れないものであると考えている。それは、この報告で計画している社会保障に関する正しい考え方ではない。我々の計画は、どのよう

な人にも無料で何の苦労もなしに何かを与えようとするものではなく、また支給後永久に受給者に個人責任を問わないというものでもない。我々の計画は、労働と拠出を条件として最低生活の所得を保障するものであり、人びとを就労にふさわしい状態にしそれを維持することのために最低生活の所得を保障するものである。……それは、経済的にも道徳的にも正当化することのできない肉体的欠乏という不面目の状態から自らをきっぱりと脱却させようという民主主義国イギリスの全力を集中した決断によってだけ遂行できるものである。……

……いろいろな形の……悪の全てに対する防護策を追求することにより、またこれらを保障することと自分の生活のための個々人の自由や冒険心や責任とは両立することを示すことにより、イギリス国民およびイギリスの伝統を受け継いでいる他の国民は、人類の進歩に重大な貢献をなすことになるのである。(266-67; 段落 455-56)

ベヴァリッジは救貧法や失業法を不面目、あるいは屈辱と感じるイギリス人の心に寄り添い、「国からただで手当を受けるよりも、保険料と引き換えに給付を受けるほうが、イギリス国民の望むところである」(13; 段落21) という原則のもと、拠出を条件とする保障制度を提言したのである。一圓は、「自由主義者ではあるが欠乏をなくすためには社会主義的な手法も取り入れるべきだとするベヴァリッジの考え方」(一圓 279) は、イギリス人にとって支持を得やすいものであったと論じている。

2) ヘルス・ケア

さて、ベヴァリッジは5巨悪のひとつに疾病を挙げたが、ベヴァリッジ報告において、医療制度に関する記述はごく一部に過ぎない。その理由を冨澤達弥は「報告書が医療無料化は政府が実施すべき当然のこととして取り扱っているから」(冨澤 79) としている。さらに一圓は、ジョゼ・ハリスのベヴァリッジ伝から、1948年に生まれることとなる国民保健サービス制度 (NHS) が社会保険制度以上に国民に支持されて福祉国家イギリスを代表する社会制度となっているが、この制度についてベヴァリッジ報告は社会保障の前提として財政的な要点について触れているに過ぎない(426-439)。しかし、多くの国民はこの国民保健サービスの生みの親もベヴァリッジであると思っていて、ベヴァリッジ自身がそれに戸惑っているほど（一圓 277）

であったと説明している。これらの記述を考え合わせると、無料の医療を提供するというアイディアはベヴァリッジ報告の中に見出せるが、実際の法制化は政府の手にゆだねられたということになる。たしかにベヴァリッジ報告には、「疾病を予防し、医療によって疾病と障害を治療する国民保健サービスを提供すること」(247-48; 段落426)、および「医療と医療後の処置により雇用に向けたリハビリテーションと職業訓練のサービスを提供すること」(248; 段落426) は社会保障政策の三つの前提（児童手当、包括的な保健及びリハビリテーション・サービス、ならびに雇用の維持)の中のひとつであると書かれている。「[保健サービスは]誰であっても拠出要件なしで必要な場合はいつでも提供される。患者が健康を回復することは、他のどのようなことにも優先して、国家および患者自身の義務である」(249; 段落427) という見地から、ベヴァリッジは「あらゆる種類の十分な予防的医療、治癒的医療を、あらゆる市民に例外なしに、さらに所得制限なく、どの時点をとってもそれを受けることを遅らせる経済的な障害なしに提供する保健サービス」(254; 段落437) が理想の形であるとしている。

NHSという形に結実したベヴァリッジの精神は、日本の戦後の医療制度にも影響を及ぼした。第二次世界大戦後の日本は連合国の占領下におかれ、政策の立案、実施はGHQの統制を受けた。GHQの中で医療、公衆衛生等の分野で中心的な役割を担ったのは軍医であったクロフォード・サムスである。日本に対する医療改革モデルはアメリカにあり、「英国のような国営医療を日本に導入する意図は毛頭なかった」(島崎 53) ことをサムスは明らかにしている。GHQは自由開業制や患者の医師選択の自由を尊重し、国民健康保険の拡充には好意的ではあったが、民主主義の原則から強制加入を伴う国民皆保険の路線には難色を示した。ここにアメリカとイギリスの自由の考え方の違いがはっきり出ている。簡単に言えば、アメリカではどのような場面においても個人の自由が最優先されたため、医療においては個人個人の医療従事者が自由に能力を伸ばし、自由に仕事をすることができ、患者も自由に医者を選べる環境がよいとされた。一方イギリスでは国民全員が一律の医療を受けられるということが、個人が自由をよりよく享受するために必要な前提条件と考えられ、そのような環境を整えるために国民が一定の制約を受けるのは仕方がないとされた。一定の制約を受け入れることでより大きな自由を享受できるという考え方は、イギリス社会ではしばしば見受けられる。

1947年10月に社会保険制度調査会が答申した「社会保障制度要綱」は、「全国民を対象とし、傷病、廃疾、老齢、失業等を保障事故［ママ］とする総合的社会保障を確立する」（島崎 55）といった案を盛り込んだ、ベヴァリッジ報告の影響を強く受けたものであった。これはGHQや政府の方針とは合致しないものであり、したがって実現可能性はなかった（島崎 55）。日本で国民皆保険が実現するのは1955年に自由民主党が結成され、1956年1月30日の施政方針演説において、時の首相鳩山一郎が、「全国民を包含する総合的な医療保障を達成することを目標に」（島崎 60）計画を進めることを発表してからである。1958年に国民健康保険改正法が制定され、すべての市町村が国民健康保険の保険者となることが義務づけられた。国民皆保険は1961年に達成された。1959年に制定された国民年金法も1961年に実施となった。国民皆保険・皆年金体制が施行に至った1961年は、日本における社会保障制度確立の年と考えられている。[4]

3）『あるびよん』から考える戦後世界のヘルス・ケア

敗戦国日本の多くの国民に、イギリスの手厚い社会保障制度とその精神は戦後世界のヘルス・ケアの範例として眩しく映ったのだろうか。『あるびよん』にも、「福祉国家」という言葉は繰り返し登場している。特に、労働問題を専門とする渡辺華子が1959年6月から3回に分けて連載した「英國の老令年金受給者の生活」（45-47号）には、当時の高齢者の日常生活が事細かに分析されており、社会に守られたイギリスの高齢者の暮らしぶりがよくわかる。渡辺の連載内容に関しては拙論「自立した女たちの老後——戦後イギリスの高齢者福祉の始まり」で既に分析したのでここでは割愛し、本稿では渡辺の連載がちょうど、前節でとりあげた国民年金制度の試案が発表された時期に始まったことに着目したい。この時点で既に2年余りをイギリスで過ごし、福祉国家制度下のイギリスの暮しを目の当たりにしている渡辺は、これから社会保障制度を整えていこうとする日本を外から見て、日本人の楽観的な「人任せの」態度に強い懸念を表明している。

> まず英国の社会保障問題を語る前に、私は日頃日本から送ってくる日刊新聞や定期刊行雑誌などの社会保障問題の取扱い方を見ていて、いま最も痛切に感じている一つのことを指摘して、この報告書全体に瓦る一つの主題を提供したい。それはおそらく現下の日本にあまりにも生活困窮マージンすれすれの国民が多くて、それだからこそ国民年金制度の実施を一日も速やかにしなければ、国民の経済生活が底なしの桶に水を汲むような悪循環から立上がれない深刻な現実があるからには違いないが、それだからといって、国民年金制度さえ実施されればもうそれだけで直ちに生活困窮者が救われ、日本国民の生活が保障されるのだといったような、一足飛びでイージーゴーイングな意見を吐く人たちが、いわゆる知識人や社会の指導者の中にあまりにも満ち溢れているということである。（英國の老令（1）: 70-71）[5]

渡辺は、「国民年金制度さえ実施されれば、もう生活は保障され、国家の金で生きていかれるから大丈夫だといったような、あまりにも国民年金制度を絶対視し、理想化した考え」（英國の老令（1）: 71）が日本に蔓延している空気を感じ取り、危機感を抱いているのである。三回の連載を通して渡辺が福祉国家体制下の老人の生活の様子をこまごまと描写したのは、イギリスの高齢者たちが「国家の金」だけで豊かな生活を手に入れているわけではないことを伝えたかったからであるように感じられる。ベヴァリッジにとって、市民(citizen)とは「社会政策の受給権を有する者」というだけではなく、「社会政策で守り育てるべき、自治的な社会の積極的な構成員」であった。だからこそ「誰もが拠出に基づいてナショナル・ミニマムの給付を獲得できる」(一圓 281)社会保険が提案されたのだ。結果的にはベヴァリッジの見通しには甘さがあった。しかしこのような自律的、積極的な市民像を打ち立てたからこそ、ベヴァリッジ報告はイギリスで支持を得て、イギリスの福祉国家体制が一定期間機能したのである。

渡辺は1954年、1ヵ月間のイギリス視察のためにイギリス政府に招かれて渡英した日本の労働組合幹部(鉄鋼労連の今田委員長、自治労東北地連の小林委員長、関西私鉄の山本委員長、新聞労連の坂田副委員長)の一行に、通訳として同伴している。その時のことを綴った報告記、「イギリスへ招かれて」において、渡辺は渡英中に参加した英国労働省における英國労働運動史、労使交渉機関、斡旋、仲裁、賃金審議会、労使合同諮問委員会などに関する一連の講義で、どれだけ「ヴォランタリ」という言葉が多用されていたかについて書いている。労使間の問題は労使がヴォランタリ(自発的)に解決すべきであり、政府の介入は最小限であるべきだということが強調されていたと渡辺は報告している(渡辺「イギリス」24)。「ヴォランタリ」の存在は、イギリスでは同じ時代の社会保障制度を語るうえでも不可欠といえそうだ。

イギリス型福祉国家の特性の中で日本では十分に周知されていない重要な点は、「社会サービスの供給における民間非営利団体の役割が、量的に無視できないほど大きいということである」(武川 7)。武川正吾は著書、『福祉国家と市民社会——イギリスの高齢者福祉』の中でこのように指摘し、次のように続けている。

イギリスでは社会サービスのそれぞれの領域で、大小さまざまな民間非営利団体が存在し、さまざまな社会サービスの供給を有償無償でおこなっている。なかには、調査部門やロビー活動部門もそなえた全国規模の組織もある。これらの民間非営利団体は、全国に散らばる無償のボランティアと、有給のスタッフによって支えられている。そこで雇われている有給スタッフの総数は、全地方自治体の社会福祉担当職員の一五パーセント以上にも相当するという推計もあるくらいである。

そしてまた、イギリスの民間非営利団体は量的に無視できないだけでなく、質的にも重要な役割を果たしている。こうした民間非営利団体は、利用可能な公的サービスに関する情報を人びとに流したり、時代の要請に敏感に反応して新しい種類のサービスを発明したり、運動団体として政府に社会サービスに関する要求を突きつけたりする。そうした活動のすべてによって、イギリスの民間非営利団体は、イギリスにおける福祉国家の発展に寄与してきた。(武川 7-8)

武川によれば、イギリスが他の西欧諸国に比べて社会保障費の支出が少ないのはこうした民間非営利団体の存在が大きいからであり、民間非営利団体、あるいは市民社会を無視してイギリス型福祉社会を語ることはできない。武川がこうしたイギリスの社会サービスの実態の視察のために、勤務先であった社会保障研究所からイギリスに派遣されたのは1985年であり、その成果の一端としての著書『福祉国家と市民社会——イギリスの高齢者福祉』を出版したのは1992年だ。そう考えると、イギリスの社会保障制度について日本人が誤った理解をしていることに警鐘を鳴らし、イギリス福祉社会を成立させているのは国家の金だけではなく多くの非営利民間団体、そして多くの市民の自主的な無償労働であることを、1959年という早い時期に指摘した渡辺華子の仕事の貴重さに改めて気づかされる。渡辺の見解はイギリス型福祉社会が成立していた時代のファースト・ハンドの経験を示しながら構築された、同時代の貴重な記録でもある。

「英國の老令年金受給者の生活」には、たとえば、高齢者に食事を作って運ぶサービスを行っている民間の婦人有志団体、WVS（Women's Voluntary Service）の活動が紹介されている（渡辺「英國の老令」(2)：75-78)。この団体に属する各地の女性たちは、少ない者ならば週にほんの数時間程度の労働奉仕をすることで、高齢者の生活を支えている。定期的な高齢者宅への食事の配達はミールス・オン・ザ・ウイールという事業になるが、これはただ健康的な食事が配られるというだけでなく、病気の早期発見や、保健婦や医者への連絡、また高齢者の寂しさを緩和するといった複数の副次的な利点があった。外出したいが機会がないという高齢者たちに対しては、数名を一カ所に集めて同時に食事をサービスすることでそうした機会を提供した。そして有志たちのこうした活動が、イギリス国民が嫌う屈辱的な「慈善の施し」にならないよう、高齢者たちはごくわずかであるが、こうしたサービスに対して支払いをするシステムになっていた。また、たとえば集まって食事をしようとしていたところその中の誰かが具合が悪くて出席できなかった場合は、出席している他の高齢者が欠席者に食事を運んだりすることもあった。これは「ミール・サービスを受ける者も、これを与えてくれるものの社会事業に協力のチャンスを与え自分も何かの役に立っているという意識を持ってもらうため」の仕組みである（渡辺「英國の老令」(2)：77)。サービスを受ける側のわずかな出費（1人1食平均1シリング強)、地方自治体の補助金、個人の寄付という頼りない収入源でこのような事業が成り立つのは人件費が不要であったからに他ならない。

渡辺のレポートの10年前にあたる1949年にはスコットランド保健省が、翌1950年には英国保健省が、それぞれ地方自治体に高齢者福祉におけるヴォランタリ団体の重要性を強調する通達を出したことは興味深い(Ramsey 501)。通達の内容は、高齢者の自宅訪問や高齢者クラブの仕事といった、高齢者の生活を支える個人レベルのヴォランタリ業務をいっそう積極的に行うよう全力をあげて促すように、というものであった。英国の福祉社会あるいは戦後世界のヘルス・ケアは、その始まりから、ヴォランタリ・ワーカーの存在なしには実現することができないものだったのである。

歴史を遡れば、WVSは第二次世界大戦の勃発が避けられない情勢が色濃くなった1938年に、時の内務大臣サミュエル・ホアが設立した女性ヴォランタリ組織である[6]。ホアにこの組織の運営を任されたのは、第一次世界大戦の際に看護師として精力的に活動したレディング侯爵夫人（Stella Isaacs, Marchioness of Reading）であった。彼女の活躍により、1939年9月に開戦した時、WVCにはすでに16万5000人の会員がいた。この団体の初期の主だった業務は、都市から田舎に疎開した母子家庭やヨーロッパ諸国からの難民の生活支援、空爆を受けて家を失った人々を迎え入れる保養所の開設とその運営、食事や衣服の提供、洗濯をする場所の確保等、多岐にわたった。彼女たちの主たる業務はつねに衣食住に関するサポートであったが、そのサポートの幅は戦況に合わせて広がりを見せた。1941年末には会員数は100万人を超えたという。戦争が終わると、内務省は、WVSの活動があと2年ほど続くことを望んだようだが、結果的には、主として高齢者の福祉サービスを提供する団体として今日まで活動を続けている[7]。こうして歴史的な流れを見てみると、VWSの活動は、最初から国家と緊密に結びついたものであったといえるだろう。この団体に限らず、イギリスにおいては、「ヴォランタリ」が国家と手を結ぶこと、市民の自主的な活動と国家の活動が相互補完的なものであることに、矛盾はないのである[8]。

渡辺のレポートに話を戻すと、彼女がみたイギリスの高齢者向けの社会保障は、高齢者を囲い込み、日常生活から切り離して守るのではなく、「一人住いで貧しい老令者には買物に出るな、危い所を歩くなというよりも、彼等にとって唯一の社会との接触の場である買物を一人で危なければ腕を借してあげ、道を横切るのを助けて上げても老令者の自由意志の方を伸すべき」（渡辺「英國の老令」(3)：79）であるという精神に貫かれたものであった。自立した市民として社会に参加するためのナショナル・ミニマムを保障しようというベヴァリッジ報告の精神が、そのまま生かされた社会の在り方であったといえよう。

渡辺のレポートは、高齢者の平均的な生活の家計収支を1）収入、2）食生活、3）家賃と住宅政策、4）家事手伝い、5）洗濯、6）月賦購入、古着クラブ、7）老令者と飼犬（猫）を相手とする老人、老人クラブ、8）教会、クラブ費、シネマ代、9）薬品の九つの項目に分けて細かく説明していき、そこから高齢者の生活の実態を報告するというかたちがとられている。つまり、金銭の動きがない生活活動については、渡辺のレポートには入ってこないのである。高齢者の生活についてのレポートでありながら、病気という言葉がこの連載に出てこないのは、イギリスにおいて無料の医療サービスが提供されている証拠といえる。一方で、彼女のレポートから高齢者が一定額の薬品代を支払っていることがわかる。薬品という項目は短いが、渡辺は次のようにレポートしている。

> 英国は社会保障国家で立派な国民健康保険があり医療の問題は解決しているといえる。全国民がこれにカバーされているからだ。しかし制度上はそうでも実施の上では地方によっては病院ベッドの不足、分布の問題、医者看護婦スタフの不足、また生活費上昇による彼等の賃金引上問題、訓練の問題など日本の健康保険の場合同様に存在し、制度が一度できたからといって実施は一定の予算さえとれば軌道にのると思ったら仲々そうゆかないことを示す。……薬品の点では当初無料であったものが一シリングは治療を受けた患者持ちとなり、また昨年からは更に「後退」して処方箋の薬品一種類につき一シリング二種使えば二シリングと値上げになった。（売薬の場合は別である。）後者は慢性病などを持つ老令者が最も被害を蒙ることが引上げ当時指摘されたが、これなどは健康保険全体をすくう為の一種のシワ寄せで、この種の問題は社会保障制度ができ上った後もいろいろ起る問題である。（渡辺「英國の老令」（3）：78）

渡辺は医療保険制度、広くは社会保障制度の成功と綻びを挙げ、それが必ずしも政策の失敗ではなく、社会保障とはいくらあっても足りなくなるもの、永遠の理想郷ではないことを日本の読者に教えている。それはひとつには、人間の欲求は、決して満たされないからだ。「人間の要求とは何と限りなく月日と共に進むものか……。たとえ最低をでなく、国民皆が楽な生活ができるところまで国家が保障できたと仮定しても、人間が人間である以上、そこで要求が停止するものではない」(渡辺「英國の老令」(3)：83)。当時の日本人から見たら、イギリスの福祉国家は眩しかったかもしれない。しかしその国家もまた、イギリスの人々にとっては不十分であった。もっともっとと政府に期待し要求し続ける人々の姿を、渡辺は見たのである。

渡辺は、社会保障とは「政府は国民自身の一部分で別の存在ではなく、国民が直接やることも政府を通してやることも、みんな国民が国民の為にやることだという考え」(渡辺「英國の老令」(2)：79) の徹底なしには成功しないということを、繰り返し主張している。「中世、封建時代から民間の人類愛、隣人愛に目覚めたものが自発的に隣人を助けることが、社会全体のレベルを上げ、全体を救うものだ」(渡辺「英國の老令」(3)：81) と考える伝統があったイギリスでは、「民間がやっても政府がやっても社会事業は自分たちの互助のため」(渡辺「英國の老令」(3)：85) であるという認識が自然に育ったのだと渡辺は考えている。そのイギリスをモデルに日本の社会保障を整備するのであれば、まず、政府は'They'ではなく、「政府も国民も『We』」(渡辺「英國の老令」(3)：85) なのだという認識が、国民側に必要なのである。そのためには、ひとりひとりが自立的で積極的な市民でなくてはならない。政府がやるべきことと自分がやるべきことの間に垣根を作り、社会保障にすべてお任せ、という認識では、少なくともイギリス型の社会保障は機能しないのである。

このように戦後世界のヘルス・ケアを含む社会保障をとらえ直す、つまりリ・デザインしてみることができるならば、福祉国家下におけるそうした国民あるいはふつうの人びとの認識は、まことに奇妙かつ不思議なことに、「社会なんてものはない。あるのは個々の男たちと女たち、家族である」というあの有名なサッチャーの言葉と呼応してくるのである。さらにいえば、21世紀を迎え、トランプ大統領率いる世紀初頭のアメリカが、国際保健協力を牽引してきたその地位を捨てる方向に動いた中、WHOのテドロス事務局長が提案した仕組みのひとつが、「ユニセフのように市民から寄付金を募るなりして、安定的な財源を確保する仕組み」

(詫摩 248) の構築であった。アメリカの政権は民主党へと移り、今のところアメリカは、再び国際協調を重視する意向を示してはいる。しかし、この先の動きはまだわからない。アメリカの世紀を終えた今、ことによると、新たにとらえ直された組織による制度の整備と個人のヴォランタリな精神が支えるイギリス型の医療保障の在り方が、グローバルに展開する可能性もみえてきたのかもしれない。

3．20世紀文化空間と福原麟太郎の英語教育

「アメリカの世紀」とされる20世紀が終わり21世紀を迎えた英国がかかえる主として国内の社会問題を批判的に吟味するうえで、とりわけヘルス・ケアそして教育に注目するのは、マーク・フィッシャーであった。『資本主義リアリズム——この道しかないのか？』のなかでフィッシャーは、ネオリベラリズムのイデオロギーによる「自然化」は、量的とは区別される質的な価値すなわち倫理的な価値の範疇を消去しようとしてきたのであり、ヘルス・ケアや教育もビジネスとして運営・経営されるべきであるという「存在論」をインストールした、と論じた（Fisher *Capitalist Realism* 16-17）[9]。教育に関していうなら、その問題は「難読症（dyslexia）」にある。すなわち、いまの若者世代は、時間性に規定された物語・ナラティヴとはいわないまでも、一定量以上の書かれた文章なかでも哲学的または文学的テクストを、一定の時間をかけて精神を集中して論理とレトリックを追って理解することが「退屈」でたまらずそうした学習・訓練に耐えることができない。メールやファスト・フードのように一瞬でたいした規律など必要とせずに満足を得ることができないならば、教室という空間で教師・教員がサービスを提供する客・消費者である生徒・学生たちは自分たちにはとても不可能だということをすでによく知っている（Fisher “Reflexive Impotence”）。

現代英国の10代の若者たちが、メンタル・ヘルスの問題だけでなく、リーディングの行為に規定された学習困難を抱えている、と自らの教育実践の経験をふまえてフィッシャーは述べているのだ。彼ら／彼女たちは、

いまの状況が最悪で生きづらいこと、さらに酷いことに、その状況についてなにかしてどうにかすることなどとてもできないことを知っている。そうした「知識」は、内省によって予定通りに成就される予言として獲得される。ここから「内省的無気力」、ある意味アクティヴに自己・個人と社会・世界との関係や状況をとらえることで、本来は政治的な問題であるはずのものを非＝脱政治的に心理学化・内面化してしまう、そして、問題を集合的に政治・経済および文化・教育の領域を横断するようなやり方で解決するというよりはゲーム・インスタグラム・ドラッグに依存して、虚無感・ニヒリズムとともに、快楽を追求し続けることしかできない事態が出来する。別の言い方をするなら、メディアとしての書かれたテクスト・書記言語（エクリチュール）に関して、フィッシャーは次のように洞察している、いまの10代を構成する世代が抱える学習困難は、単なる「難読症（dyslexia）」としてのみ診断してすますべきものではなく、後期資本主義とネオリベラリズムの文化を特徴づけるポスト書記言語（あるいは “a post-lexia”）の兆候であると。

たしかに、ニヒルな無気力を特徴としながらも、電子化された視覚表象やビッグ・データをはじめとして、資本がさまざまに表象される高密度のイメージ・データ——スペクタクルやシミュラークルとも呼ばれることもある——を「処理する」ことに、若者たちは、少しも苦にすることなく楽し気に従事している、ようにもみえる。それは、実のところ、国家が「退場」するどころかその介入を市場や人びとのワーク・ライフに拡大し官僚組織が増大してグローバルな規模におよぶ空間で規制やコントロールを進行している状況にある意味順応・適応して応答しているのだといっていいかもしれない[10]。同様の状況のもと、雇用を望む若者たちにそうした応答の要請が企業においてもなされていて、製薬や広告・プロパガンダはまさにそのようななんら批判や抵抗などすることなく数値化されたりイメージに変換されたりしたデータを処理する労働力を求めている（Fisher “Reflexive Impotence”）、と彼らは「知っている」のかもしれない。

だとするなら、すでにある現状を受動的に観察しただけのものというよりは、個人の責任というだけでは解決できない領域、つまり、新自由主義の浸透が不可能であった領域が、ヘルス・ケアと教育の二分野なのだ、といえるかもしれない。実のところ負うことのできない責任を自己責任として個人が負わされることによって起きてきたひずみや断層が社会に出現し、多くの人びとがストレスに苛まれるのが現代の資本主義世界であるとするならば、今一度、個人と社会、政府と民間の連係によって編制される「一体感」を前提とするイギリス型福祉国家の精神と構造を歴史的にまたクリティカルにとらえ直すことは、これからの社会が進むべき道に関し、なんらかのヒントを与えてくれるかもしれない。

さて、フィッシャーが見のがしえぬ社会問題のひとつとして取り上げた現代英国の教育と第二次世界大戦敗戦後の冷戦期に『あるびよん――英文化綜合誌』が国民国家の境界をトランスナショナルに空間移動し文化的に移植・翻訳した教育とはどのように比較し評価・判断することができるだろうか。以下では、特に、戦後の日本英文学会で英文学研究者として最初の会長を務めるだけでなく、中野好夫とともに、公衆・大衆向けに啓蒙活動をおこない、当代一流の随筆家として愛読もされた福原麟太郎の英語教育が20世紀文化空間において有した歴史的意味を、『あるびよん――英文化綜合誌』への福原の関与も視野に入れながら、解釈することを試みたい。

福原の英語教育は、周知のように、「新しい日本」の復興・建設という課題に応えようとしたものであったが、第二次世界大戦で敗戦を経験した日本の大衆に対して米国から輸入・紹介され実践された学習とは差異化されたものであった。『英語教育論』所収の「英學復興」は1946年の語学教育研究所の講習会における講演をもとにしたものであるが、そこでは「単に英語又は米語を教へることではない」「わが国に……正しい英米を取り入れる為に開けられた窓」というレトリックを使用した教育観あるいは文化教養説が示されている、「正しい英語教育を行うことが出来て初めて我々は正しいものを学ぶことが出来る。学校の英語はその役目をもってゐる。教育である。標準である。ただぺらぺら英語を喋舌ることではない」、と（福原『英語教育論』3-4）。そして、外国語としての英語を学ぶことが国民を刺戟し利益を与える点が二つあり、「一つは、言語に対する意識を鋭くし、従って国語に対する自覚を生むことである。もう一つは、その外国語を通じてその国の文化に対する理解を与へ、従って自国文化に反省を促すことである」(福原『英語教育論』4)。いわゆる「教養英語」としてイメージされるそれは、外国文化特に米国文化の門番として智識・識見をもった英語教師がどんどん流入する新しい考え方や風俗のなかから——ハイ・カルチャーとはいえないポピュラーで低俗ですらあるような英会話・新聞・雑誌・小説の氾濫するなかから——日本に入れるべきものとそうでないものを点検して区別して示すこと、つまり文化の批評者の存在が前景化されている(福原『英語教育論』6-7)。このような「英學復興」のプロジェクトは、アメリカナイゼーションまたは米国の大衆化・商品化された文化が氾濫する現実にはそぐわないことは承知しつつもあえてそうした時代の流れ・動きに対して、非現実的なやり方で、抗う身振りにすぎないのだろうか。だが、旧制中学に代わって戦後いわば大衆化して姿をあらわした新制中学の教育空間に、ハイ・カルチャーとしての英文学の高級で高尚な原文テクストを導入することが提案されているわけではないことに注意が必要だ。福原によれば、人間的教養の育成は、「教材として用いる英語の程度が高い場合」でその思想的・知識的内容によってのみではなく、「初歩の英語を教授する際に於いてすら」認知され経験される言語形式を通じてもなされるからだ。「簡単な英語の発音や文章の構造の中にも、日本と外国との差違は、するどく感じられ、言語の意識を磨き、文化の多様性に気づく縁となる」(福原「刊行のことば」1)。福原の非現実的またはユートピア的ともいえる英語教育・「英學」が隠喩的にあらわす戦後日本の歴史は、文化・教養といった大正期にみられたエリート向けのロジックが拡大解釈されて、新制中学の外国語科(英語)にも適用されていった時代(寺沢 182)、あるいは、英語教育の大衆化によってしるしづけられる、ということになるのだろうか。[11]

と同時に、戦前の戦間期にまで少し歴史を遡行してみて20世紀文化空間に配置し直すならば、岡倉由三郎の代筆者としての福原が『英語教育の目的と価値』の最初の章「英語教育ということ」において帝国日本の臣民（または臣と民）あるいは非国民と区別された国民に向けて示した英語教育は、英語教授と二項対立をなすものでもあったことも、また、確認することができる。「英語教育というふのはどういふ事であるかといふと、英語を通じて行ふ教育といふことである。英語といふ知識を授ける——それは特殊な知識であるが、すべて教育は特殊な知識を縁として非教育者の精神を陶冶するものであるから、英語を教へながらもその精神陶冶に力を尽す、さういふ立て前で、英語教授といはないで英語教育といふ。だから、英語教育は英語教授と区別されなければならない」（岡倉 1; 若林「あとがき」）。しかしまた、英語教育は、単に学校の教育の一課程としてのみ論ずべきではないような、国家の問題であると論じられることも確認しておこう。『英語教育の目的と価値』の序の冒頭では、国民が愛国心をもって国家の健全な発展をはかるために外国文化の輸入消化ならびに批判が必要だ、大日本帝国の隆盛も国家がたどる同様の歴史にみられたものであり、英語教育はこのような見地からまずは論じられるべきなのだ、とされる（岡倉 iii; 若林「あとがき」）。

国際共産主義の動きに対抗してやがて日独伊の三国防共協定が成立して全体主義の民主主義に対する挑戦がますます露骨になってきたとされる1936年以降の戦間期を取り上げた清水貞助によれば、37年にはオーラル・メソッドによる教授法をめぐり沢村寅二郎と論争を『英語青年』誌上で展開して話題にもなった福原麟太郎は、英語教授とは異なる英語教育を「英国文化の研究を通して欧州文化の理解に導くもの」、そして、「日英関係は文化的関係として見る方が恒久的であり、かかる着眼点の英語教育を受けたものは英文学以外でも一般教養として役立つに相違なく、今日の英国の態度を批判しその対策を考え得る筈である、という教養主義を述べている」という（清水 36)。と同時に、英語教授研究所による第16回英語教授研究大会が1932年に開催されたときの総会および部会における研究討議題には、「読書力と新教授法」・「英作文の実際化」・「女子の教養としての英語」とともに、「新東亜建設と英語教授」があげられた。「新東亜建設はわが国が指導的立場に立って初めて可能である。日本精神に基づいて、支那において非常に勢力のある英語を手段として、新東亜建設に協力すべきである」、というのが「新東亜建設と英語教授」での有力な意見であった（清水 41）。ここにみられるのは、福原の教養英語論にも使用された文化の多様性あるいは多文化主義の言説・レトリックが、それとは異なる実用英語の重視・称揚で用いられるときに露わになるグローバルなメディアとしての英語を手段・道具とした帝国主義への協働・コラボレーションの姿と総力戦体制に動員され取り込まれた大衆化の形象ということになるだろうか。ちなみに、語学研究所に名称が変わる前の英語教授研究所とは、オーラル・メソッドで知られる英国の英語教育学者ハロルド・E・パーマーが創立し、初代所長となるだけでなく東京高等師範学校附属中学校でもそのメソッドを実践する拠点となったものであるが、これは第一次世界大戦後の欧米教育視察に来ていた元文部次官澤柳政太郎との出会いと松方幸次郎の経済的援助があって可能になったものでもあった。

このように、20世紀文化空間に進行したグローバル化がもたらした文化の多様性の認知・認識とそれに対応した多種多様な大衆化がみられたわけだが、敗戦後の日本の教育空間に福原が英語教育に関して啓蒙する際に、直接に受容してそのまま移植しようとしてもはなから不可能であり実際には文化的翻訳の過程を経て変容されることになった英国の教育・社会の伝統とは一体どのようにとらえられたのか、『あるびよん——英文化綜合誌』の公衆によって勃興的に編制されたかにもみえる公共圏の場合を一瞥して確認しておきたい。3冊目以降隔月発行となりその後出版社も日本放送出版協會にかわって出版された『あるびよん』4月號（1951年）の座談会「思い出の學生生活（一）」で、東京大学助教授高津春繁のオクスフォード大のまず大学院教育そして次に学部の教室の訓練が最初の話題となったのを受けて、司会者でもあった福原麟太郎（東京文理科大学教授・ロンドン大学）は、高津春繁「イギリスの學生と古典」を引き合いに出しつつ[12]、次のように発言した。

福原　ギリシア語について、いきなり新聞をもって來てこれをギリシア語で書いて見ろという訓練の方法は日本で行われていないけれ

ども、又それを行うわけにもいかんが、やはりそれは學校の若さじゃないかと思うのです。(福原ほか 9)

日／英の差異を高等教育の歴史の新／旧あるいは戦後日本の教育における「若さ」に言及しながら、ここで福原が羨望をこめて指摘しているのは、英国の教育の少なからざる変容を経験しながらも保持しつつある古く長い英国的というしかないような独特に特異な伝統にほかならない——「傳統というか、何というか、そういうところ羨ましいですね」(福原ほか 9)。オクスフォード大学やケンブリッジ大学には「古い學問」があって「段々段々せり上げて來て、そういう學問のコクみたいなものが出來ている」のに対して、日本の大学・大学院教育はそうした伝統の系譜を継承する「學問のコクみたいなもの」をそのまま模倣して移植することは不可能だ——「われわれ眞似したいけれども、眞似してもコクをもっていないから駄目です」——と、福原は断じている(福原ほか 9)。

異文化の空間移動や大衆化のためのなんらかの翻訳なくしては可能とはならない英国におけるヨーロッパの古典語の教育というトピックをさらに受けて、英文学の教育について発言しているのが吉田健一だ。ケンブリッジ大学では、先生が詩や散文の一節をいって、それを書いた人間を、これはキーツだとか、ディケンズだとか当てる訓練の例が出されるのだが、吉田によれば、そうした訓練によって試験されるのは、ブランク・ヴァースでもシェイクスピアとミルトンでは違うことを理解・把握するといったような、英文テクストの内容ではなく形式すなわちスタイル・「文體」であった。このような英文学の授業は戦後の日本でも期末試験や入学試験のかたちをとることに修正されつつも1980年代前半まではいくつかの学部教育でもみられた風景だったかもしれない。とはいえ、英文学の古典・キャノンを構成した英文テクストのスタイル・「文體」を歴史的に規定したのは、日本の歴史とは別の道程をたどって、ヨーロッパ古典古代からモダニティの条件のもと英国の教育空間に移植・翻訳された修辞学・レトリックだった。と同時にここでもう一つ吉田にとって大切な要点は、英語教育が生活化されること、言い換えれば、「學問が或る意味では遊戯」になりしかもそれは「抽象的な遊戯」ではなく個別の生活経験・体験に根付く「非常に具體的な遊戯」である点であった（福原ほか 10）。福原が、「日本と外国」との差異や「文化の多様性」を体験的に無意識にすら認知・認識させずにはおかないような人間的教養の育成は、高度な英語教材の思想的・知識的内容だけでなく「初歩の英語」における「簡単な英語の発音や文章の構造」を通じてもなされると論じた時（福原「刊行のことば」1)、オクスフォードでの高津の古典学やその系譜にあるケンブリッジでの吉田の英文学に示された教育の実践としての教室の訓練が、歴史的に、英国の市民社会における近代化以上にさらなる大衆化を産み出す文化的翻訳に媒介され、日本の英語教育に移動されていく可能性が表象されていたのかもしれない。

福原の新たに復興された「英學」によって立つ英語教育が、そしてまた、英文学研究が、公共圏の理念に発する政治の生活化とも連携・協働することを志向したものであったことにも注意しておこう。冷戦期日本の文化・教育が編制される空間に生産・流通した「世界市民」の言説・表象とも共存しときに重ね合わされたこともあったのかもしれないが、歴史的には、福原が提示した教育理念・思想は、一方で、アダム・スミスが経済学・道徳感情論とともに産出し教授した修辞学に代表される18世紀スコットランドの啓蒙主義とりわけ市民社会論に遡行することができる、と同時に他方、19世紀のロンドン大学における比較文献学に基づいた「英文学」の教育実践への変容・継承に結びついたものであった。修辞学からスタイルへという書記言語の歴史（ロラン・バルト）のきわめて英国的なヴァージョンが、そこにはあったのではないか。『あるびよん』創刊號には、19世紀にはリベラリズムを代表した『パンチ』誌を具体例として取り上げて、日本における英国のさまざまなレベルでの受容・異文化理解を、政治教育の貧弱さ、政治意識の欠乏ないし政治的無力の点で批判したのが、福原麟太郎「ぽんちゑ」だった（大道「あるびよん・くらぶ再評価」)。また、創刊號（1949年6月）だけでなくその後もたびたび寄稿している池田潔の英国教育論は、大衆化とアメリカナイゼーションが展開する20世紀に対応して再発明されたリベラリズムとしての「新保守主義」という歴史的コンテクストにおいて解釈することができる（大田「自由と規律」）。また、この英文化総合雑誌の編集・形式自体に注目してみるなら、『あるびよん』10月號（1949年）は興味深い、英国の政治・経済について紹介・論じた蠟山政道「政治の學校――イギリス」と小泉信三「イギリス雑感」の2篇が、思想・気質を概観した長谷川如是閑「私のイギリス觀」とその生活化を座談会で語った小池厚之助・松方三郎・吉田健一・河盛好藏「イギリスの生活を語る」の間に挿入されるかたちになっている。ここに一瞬かすかに断片的ながらも姿をあらわしたのは、『あるびよん』の書き手と読み手からなる公衆によって編制されつつあった公共圏の勃興的形態だった、のだろうか。

英文学者・随筆家として公衆・大衆を啓蒙する福原がデザインした理念・ヴィジョンにおいては、英語教育における教育価値を重んじること、すなわち、英語教育の生活化こそ、肝要であった。それは、実用価値というよりは教養価値または国家やその歴史の問題に密接に結びついた文化的価値を評価することであった。たとえば学校教育における英語の経験は、その場限りで一回きりしか通用しないかもしれない道具的価値ではなく教養・洗練されたコクのある趣味を産出し持続的に再生産し続ける教育的価値に、換言すれば、試験・就職・（立身）出世の成功のための学力・学歴につながる選別機能ではなく人間形成という教育機能においてとらえることを求められることになる。福原の英語教育は、政治の生活化とも連携・協働した、そのような英語教育の生活化に端的に特徴づけられるような文化・教養によって、新たにリ・デザインされたのだ、ととりあえず、結論づけることができる。結局のところ、『あるびよん――英文化綜合誌』から再考された（英語）教育とは、「世界市民」として場合によっては理解されて流通しても、実のところは、きわめて英国的な市民社会の変容しつつ存続する伝統を移植・翻案する行為に媒介された教育の大衆化にほかならなかった、言い換えれば、福原の「教養英語」は、20世紀文化空間において、米国の「科学的」で実用的な英語学習・習得のメソッド（あるいはそれと連動した自由の概念や消費文化）とは区別された大衆化を希求するものであった。

4．福祉国家としての20世紀英国を再考するために——「反衰退・非福祉」の「戦争国家イギリス」におけるパワーとマネー？

共産主義に対する反動形成としてのドイツのファシズムやソ連とイデオロギー的二項対立をなす米国の資本主義が次々に生起するのと相互規定的に20世紀の文化空間において「大衆ユートピア」の夢とカタストロフィを経験しながらいくつかのタイプの大衆化がさまざまに展開・転回するなか、特に米国の政治・経済・軍事のみならず大衆化された消費文化の影響下にあった戦間期から第二次世界大戦敗戦を経て冷戦期にいたる日本の教育空間において提示された福原麟太郎の英語教育は、それでは、19世紀にとりあえず遡る英国の教育の歴史と、どのように意味あるやり方で比較されるだろうか。ここで取り上げ問題化すべきは、狭義の英語教育・語学教育——ギリシャ・ラテンのような古典語やフランス語のような外国語である近代語の学習というよりは、むしろ、「イギリス人」にとっての「国語」の学習——の枠組みには収まり切らない、英語のリテラシーの問題を含むような、教育自体ということになるかもしれない。とはいえ、このような比較の作業の本格的企図に向けて、まずは、「エリート」と呼ばれる人材を育成したパブリック・スクールと大学学寮における伝統的かつ旧式の教育の歴史的変容の過程を批判的にたどることにより、福祉国家としての英国を再考することにしたい。

第二次世界大戦を戦時生産体制、エリートそして科学・技術教育の観点から論じた古典にしてサッチャー政権下の政策策定者にもよく読まれた研究をものしたコレリ・バーネットの教育論は、特別に英独の比較に基づきその教育体制の違いが、20世紀の戦争において、英国とドイツの労働者の生産性にいかに大きな相違をもたらしたか示した。それは英国の教育システムにおける欠陥を批判するときにドイツのシステムを優れたものとする議論の系譜にある。学生を労働市場にリクルートする源であったオクスフォードとケンブリッジ大学の教育が、端的にいえば両大学の教養教育への傾倒ぶりが、特に、厳しい批判の的になった。古典学や純粋数学のような非職業的な「役に立たない」知識に基づく精神の訓練によってこそ、「操作的で実務的というより、思慮分別がありバランスの取れた注意深い精神」が涵養される、との信念に両大学はのめり込み過ぎていたというわけである（Barnett “The Long Term” 671, 680; サンダーソン 78)。たとえば、ウェルギリウスやキケロのラテン語テクストの修辞学を学んで趣味を身につけたうえで作文・表現の訓練をすることが一体なんの役に立つというのか、また、ギリシャ語なら『アガメムノン』を文献学的に訳読することが実際ほんとうに人格・キャラクターの陶冶あるいは精神の成長・人間形成という点で効果があるのか、といったことだろうか。オクスフォード大とケンブリッジ大は、科学を無視し、技術にいたっては視野にも入れなかったのであり、実業家というよりも公共サーヴィスの担い手かつエリートとなる聖職者や官僚を養成する高等教育をおこなった。実業家の子弟を骨抜きにしてジェントルマンに仕立て上げ、専門職へ送り込んだといってもいいかもしれず、そのような教育は、産業や経済にマイナスに作用し、「産業精神の衰退」（マーティン・ウィーナー）をもたらす重要な原因となった。[13]

このような違いが生まれたのはなぜか、英国の命運を決定し産業を「衰退」させるに至ったとされる教育はいつどのように出現したのか。バーネットによれば、それは19世紀であり、ヴィクトリア朝になされた公衆・世論に訴えるロビー運動が「教養教育（liberal education)」による精神の成長と功利主義的・実利的な訓練という二極化した対立項を作り出すことに成功することによってであった。こうして、科学や技術の知識・スキルに関する実務的な教育は、オクスフォード大学・ケンブリッジ大学より格下とみなされる「市民大学（the civic university)」の空間に追いやられた（Barnett *The Audit* 204)。[14] ドイツでは実業学校あるいは職業学校が発達し、英国では、素晴らしいパブリック・スクールを別にすれば、中等教育はほとんどなかった。そして、卓越した職業教育を提供したドイツの工科大学（Technische Hochschule）に相当するものは、インペリアル・カレッジという例外を除けば、英国にはなかった、つまり、大学での科学・技術に関するすぐに産業界や戦時に役に立つ実務的な教育は存在しなかった、というのがバーネットの主要な批判のポイントだ（Barnett *The Audit* 204）。その結果、20世紀の第二次産業革命における国際競争において英国はドイツに負けたのであり、それが大英帝国のその後より明らかになるとされる「衰退」への道を歩んだ、よく訓練された労働力をもったドイツに対して、英国は質の悪い労働力しかもたなかったからだ——バーネット自身は明確に説明しているわけではないものの、なぜか二つの大戦で勝利したのは教育システムにおいて欠陥・問題を抱えたはずの英国のほうだったのであるが。

「エリート」と呼ばれる人材を育成したパブリック・スクールとオクスブリッジに代表される英国の教育を批判したバーネットにさらに批判を加えたものとして、モダニズム建築とネオリベラリズム双方を批判する独自の保守主義者ロジャー・スクルートンの例がある。『イングランド——ひとつの哀歌』を21世紀に突入するミレニアムの年に著したスクルートンは、大学学寮にみられるような、伝統的とはいえすっかりアナクロニズムに陥り旧式とみなされるようになった、英国の教育の価値を、いささかノスタルジックに哀悼をこめて、再評価した。ラテン語・ギリシャ語そして古代史・文学——あるいはまた、（道徳）哲学そしてポリティカル・エコノミー（政治学・経済学）——を中心にする伝統を継承する純粋で非実用的な学校・大学のカリキュラムは、学生の必ずしも眼にみえず量化・数値化できるとはかぎらない力すなわち知識と資質を吟味することの価値への信念をともなって作られたものでありけして合理化・画一化されたスタンダードを志向するナショナルなものではなかった。逆に、今日役に立つ知識やスキルは、たとえそれらが学校・大学で提供されたとしても、実際に働く企業や戦う現場に出てみるならばはたして役に立つかどうかけしてたしかとはいえないし、明日には古くなって使いものにならないものになっているかもしれない。それでもほかのだれかまたはAIロボットに簡単に取って代わられ使い捨てになることなく、なんとか非正規雇用のプレカリアートとしてでもサヴァイヴァルするためには、自分なりに身銭を切って生涯にわたって教育を持続することが可能でなければならない、ということに今の時代ならなるのだろうか。スクルートンにとって、英国の教育とカリキュラムは、「エリート」育成をアジェンダとするものであり、一種独特でエクセントリックな、普遍性というよりは個別性を特徴とする英国的知性とでもいうほかないものを育みそのことを肯定するものであった（Scruton 168-70）。

ひょっとしたら、そうした知識だけでなく資質をも備えた知に特徴づけられた英国の教育は、現実の行為や利害の領域からいったんは切り離された生の様式としての知識の理念を推進することによって、逆説的にも、ときにクリエイティブまたアクティヴに戦争や市場での競争における勝利をもたらすジェントルマンのリーダーシップを持続可能なやり方で再生産し続けてきた、ということかもしれない。資本主義世界の覇権をかつて握った帝国イギリスのガバナンスを担い人びとを統治する上流支配階級の特異性は、以下のように説明される。「英国のエリート層はきわめてゆっくりと形成されかつまたゆっくりと変容しながらも人びとの流動性に富んだ社会であり、学校（school）、大学（college）、軍の連隊（regiment）によって媒介されることによって形作られる彼らのコネクションの特徴は、距離を保ちながらも信頼を醸成する種類のものとされる」（Scruton 171）。

以上が、英国のエリートとそれを産み出した教育に関するバーネットの誤った見解を正そうと試みるスクルートンの解釈だ、そしてさらに、こうした家族の出自や血統によるというよりは（そしてまた、メリトクラシーにつながる数値化される能力によるのでもなく）大学のような団体・結社によって「ヴォランタリ」に編制される「自助（self-help）のネットワーク」すなわちアソシエーションの重要な政治・経済的ならびに文化的・教育的機能は、19世紀に創設され基本的に民間レベル・市民レベルを起点に社会問題とみなされた国民の健康に対応して推進した活動——1856年にいずれthe British Medical Associationとなる1832年創立のthe Provincial Medical and Surgical Association——に典型的にみられるように、ヘルス・ケアにも、また、あてはまるという（Scruton 58; 168）[15]。

最後に、20世紀英国の福祉国家が形成される歴史が、戦間期から第二次世界大戦を経て、従来、どのように理解されてきたのか、そしてまた、21世紀の現在、たとえば、「戦争国家イギリス」の「反衰退・非福祉」の歴史的過程としていかにとらえ直す試みがなされているのか、念のために確認して終わりたい。「戦争や軍事の諸機関の重要性はイギリス史を書く際は軽視されてきた。その基調は、ホイッグ党やリベラルの平和を旨とする進歩を重視するところに定められている」と『英国とその陸軍』(1979年)において説いたコレリ・バーネットを批判して、エジャトンは次のようにコメントしている。

> この意見は多くの点で正しいが、20世紀のイギリスにあてはめると大いに誤解を招くことになる。イギリスの社会民主主義派の歴史家は、特に第2次世界大戦だが、それにかぎらず戦争について著しくバラ色の見方をして、平和を旨とする進歩の強力な原動力とみている。つまり、「人民戦争」こそが我々を「1945年への道」と「人民平和」に乗せたのだと。戦争が20世紀イギリス史に対して、労働者の台頭や福祉国家の創成を助けるうえでプラスの効果を与えたというのは、現代イギリス史についての数十年の著述に通底する中心的な論調だった。一般的な叙述では、第1次世界大戦での前進は一時的なものにとどまったが、第2次世界大戦からはじまったことは、1945年以後、どうやら恒久的に固まったらしいということになる。根底では、戦争、特に全面戦争は、本質的には民(シビリアン)の集合的営為の問題だと論じられる。戦争は鉄壁の自由主義によって抑えられていた民の近代化する力を解き放った。(エジャトン 266)

20世紀英国の歴史に関してこのような見方をとる「イギリスの社会民主主義派の歴史家」あるいは「平和を旨とする進歩を重視」することにより「戦争や軍事の諸機関の重要性」を「軽視」する「ホイッグ党」・「リベラル」は、「右翼的国産技術主義」(エジャトン 278)とみなされるバーネットとかわることなく、「戦争国家イギリス」の存在を見逃している、というのがエジャトンの論点である。英国の軍隊といっても、陸軍だけでなく、海軍や空軍に、言い換えれば、海上封鎖や日露戦争の旅順要塞攻防戦での塹壕戦を時代遅れにしてしまい、いずれは核爆撃と結びつけられるような、戦略爆撃に注目してみるならば、なるほどたしかに、リベラルな福祉国家の裏側に戦争とマネーをパワフルに兼ね備えて存続した英国の姿が、われわれにも、可視化することができそうだ。

独自の保守主義の立場に立つスクルートンによる見解も、あらためて、確認してみたい。というのも、スコットランド・ウェールズ・アイルランドがそれぞれのナショナリズムを推進するのとは対照的にナショナルな文化や制度が死に絶えゆくイングランドを悼みつつ古き英国の美徳・道徳的理想を継承してきた伝統を頑迷なまでに賛美しながらも、奇妙にも、コレリ・バーネット批判という点では「戦争国家」としての英国をむしろ否定的に歴史化するエジャトンと一致しているからだ。さらに、エジャトンの「戦争国家」による20世紀英国史の読み替えと「財政＝軍事国家」としての18世紀英国が有益に比較されうるとするなら、国家がシティや財界をバックにグローバル化を積極的に志向して規制撤廃や民営化あるいは構造改革を推進する段階のネオリベラリズムには反対の姿勢を隠さないスクルートンは、ある興味深い指摘をしていることに気づく。以下のように、英国資本主義・帝国イギリスを国家のパワーとともに構造的に編制するシティのマネーの美徳がたたえられている。「ロンドンのシティが、たとえばパリやフランクフルトの証券取引所と比べて、成功したことは、その公正な取引の慣習によって説明されるべきなのだが、その慣習自体を産み出したものこそ大学のような中間団体のアソシエーションにほかならないのである」(Scruton 171)[16]。

だとするなら、帝国イギリスのメトロポリス、ロンドンの金融街であるシティという空間やその金融資本のメディアによって編制されるものこそ、中間団体・アソシエーションの文化的・教育的ネットワークということになるのではないだろうか、英国のエリート階級すなわちジェントルマンが居場所とするクラブ——あるいは、クラブと合わせて考察すべきかもしれない英国社会のサロン——を範例とするような。言い換えれば、少なくとも19世紀以降の資本主義世界の金融センターとして機能したシティの存在は、ナショナルのみならずグローバル／ローカルに政治・経済および文化・教育の領域を自由かつ滑らかなフレキシビリティを備えて移動・流通する公共圏／親密圏のインフラストラクチャーとして、注目すべき必要があるのではなかったか。この結論にひとこと念のために付け加えておくなら、ヨーロッパのライバルとなる他国に比較して際立った社会流動性——巧妙で融通無碍ともいえる「妥協」の産物である階級上昇——を誇る英国社会の構造（Scruton 171）も、「戦争国家」というパワーと独特に緊密に結びつくシティのマネーの自由な移動や流通や翻訳のプロセスに由来するのではなかったか。

Notes

[1] あるびよん・くらぶの設立の経緯や目的、特性については以下二点の拙論に詳しい。大道「あるびよん・くらぶ再評価」および「自立した女たちの老後」。

[2] 池田は「英國教育論」においてイギリスと日本の学生を比較し、「英國學生の心に笑ひの余裕があり、豊な常識で事に處してゐるのに反し、わが國の、特に敗戰後の學生に、これがない、とはいはない、多分に忘れられてゐるのであらう」(82) と述べている。

[3] 本論文におけるベヴァリッジ報告からの引用は、このように括弧内にページ数と段落番号を示すこととする。

[4] 国民皆保険制度の成立までの詳細は、厚生労働白書平成23年度版、島崎、田多を参照した。

[5] 本論文における渡辺華子「英国の老令年金受給者の生活」からの引用は、このように括弧内に3回の連載の中での連載番号とページ数を示すこととする。

[6] WVSの歴史に関しては次の資料を参考にした。Helen Cleary at al, ‘Fact File: Women’s Volunteer Groups, May 1938 - Present’, in *WW2 People’s War.* WW2 People’s War is an online archive of wartime memories contributed by members of

the public and gathered by the BBC.

[7] ただし、1966年以降は 'Royal' の称号を得てWRVS（the Women's Royal Voluntary Service）という名前で活動している。

[8] たとえばThe National Old People's Welfare Committeeの会員も、公的団体から私的団体まで、多岐にわたっている。'The National Committee has gradually increased its membership and now had representation from all the major national voluntary societies concerned in any way with work for the welfare of old people. Such societies as the Salvation Army, the Church Army, the British Red Cross Society, the St. John Ambulance Brigade, the Women's Voluntary Services, representatives from churches of different denominations, the Royal College of Nursing, and also the local authority organizations, i.e., County Councils Association, Association of Municipal Corporations, The Rural District Councils Association, Urban District Councils Association and also the National Association of Parish Councils. Various associations representing local authority officers, e.g., National Association of Local Government Officers, and the associations representing the Directors of Welfare Services and County Welfare Officers, also send representatives. The Ministries of Health and National Insurance and the National Assistance Board are represented in an advisory capacity, and the Ministry of Education is represented on the sub-committee concerned with training'.（Ramsey 501）

[9] 後期資本主義において前景化されスポットライトをあてられる健康の問題について、フィッシャーは、消費者である人びとに道徳的・倫理的な善悪の価値ではなく幸福感をあおる快・不快の価値に訴えるビジネス存在論がその文化的向上の呼びかけの裏にひそかに隠しもつ圧制とエリート主義を指摘して、次のように批判的分析をしてみせた。"There's no doubt that late capitalism certainly articulates many of its injunctions via an appeal to (a certain version of) health. The banning of smoking in public places, the relentless monstering of working class diet on programs like You Are What You Eat, do appear to indicate that we are already in the presence of a paternalism without the Father. It is not that smoking is 'wrong', it is that it will lead to our failing to lead long and enjoyable lives. But there are limits to this emphasis on good health: mental health and intellectual development barely feature at all, for instance.

What we see instead is a reductive, hedonic model of health which is all about 'feeling and looking good'. To tell people how to lose weight, or how to decorate their house, is acceptable; but to call for any kind of cultural improvement is to be oppressive and elitist" (Fisher *Capitalist Realism* 73). ポスト・パンクの系譜を引き継ぐかたちでポピュラー音楽の歴史やサブカルチャーを論じながら主として英国のネオリベラリズムを批判的に吟味したマーク・フィッシャーは、2017年他界するが、彼の死後に編集・出版された一連のテクストは、フリーランスの理論家・文化批評家としてブログによる発信という媒介を経てグローバルなメディア空間で流通したもので、フィッシャーと協働関係にあるライターや研究者の活動とともに、2019年には、注目を集め今後もさまざまに議論されていくはずだ。フィッシャーの残した仕事の概観は、たとえば、Hammond が与えてくれる。

[10] 官僚組織の増大は、フィッシャーが問題化する重要な主題のひとつである。対立・矛盾を孕みつつもグローバルな資本主義世界の駆動力として機能してしまっている、21世紀の英国における国家のパワーと資本主義市場のマネーとの共存、換言すれば、フーコーの監獄論が暴露したパノプティコンによる規律権力とドゥルーズが提示するコントロール社会の併存に由来する教育の問題と生徒に対応する教師の困難について、以下のように論じられている。"Teachers are now put under intolerable pressure to mediate between the post-literate schizo-subjectivity of the late capitalist consumer and the demands of the disciplinary regime (to pass examinations etc). This is one way in which education, far from being in some ivory tower safely inured from the 'real world', is the engine room of the reproduction of social reality, directly confronting the inconsistencies of the capitalist social field.... Deleuze says that control societies are based on debt rather than enclosure; but there is a way in which the current education system both indebts and encloses students....Teachers are caught between being faciltitator-entertainers and disciplinarian-authoritarians" (Fisher "Reflexive Impotence").

[11] 教育社会学の手法による寺沢の実証的研究は、日本の大衆教育社会の生成における人口動態の影響を論じた苅谷の教育史をふまえ、英語が実質的な「必修科目」とみなされ「国民教育」として機能するようになった歴史的経緯を、戦後の地方と都会の格差が「高度経済成長」——離農・「農家離れ」

と（ホワイトカラーではなく）ブルーカラー職者としての都市流入——により減少する時期に成長期を経験した団塊世代／ベビー・ブーマー世代と関係づけて、論じている。

[12]『あるびよん』4號として12月號（1950年）に掲載されていた高津のエッセイによれば、英国のパブリック・スクールやグラマー・スクールでは生徒はごく年少の頃からまずラテン語次にギリシャ語を学び始める。日本の古典語である漢文に似ているようであっても「妙な具合に日本語化した鵺の如きもの」を教えるのとは異なる、特にラテン語の場合にはそうなのだが、ラテン系の単語が英語の大きな部分を占めるうえに言葉の性質が近いからだ。英国の中等教育では、「純粋に外國語として」、古典語は教えられるのだ。ここから、生徒の進歩は速く、数年の間に、「読み書き」つまり古典語のリテラシーを立派に習得する（高津 30-31）、という。「書くことは、殊にそれがギリシア語やラテン語のやうに死語である場合には、無駄な努力のやうに見えるけれども、さうではなくて、自分で書いてみる事によつて、その言葉によつて感じ考へることを體験するわけであつて、實際に話される事のない死んだ言葉に於てこそなほ大切と言ふことが出來る」（高津 31）。

[13] しかしながら、研究者たちの見解は銀行業界におけるパブリック・スクール出身者の重要性という点では一致しているとも、たとえばYoussef Cassis "Bankers in English Society in the Late Nineteenth Century." *Economic History Review* 26.2(1985): 210-229に言及しながら、マイケル・サンダーソンは論じている。「パブリック・スクールの教育が育もうとした人間関係の絆や社交性、名誉の観念、立派な人柄、思慮分別、『礼儀作法』は金融界にもっとも適したものであり、科学教育の不備は何ら欠陥ではなかった。前述した企業経営者に関するスタンワースの統計も、パブリック・スクール出身者が製造業よりも金融界においてより大きなインパクトを及ぼしたことを示している。これは、イギリス国家の基盤は常に、そしてはるかに、製造業よりも商業・金融業にあったとするW・D・ルービンステインの洞察とも合致している」（サンダーソン 78）。

もっとも、サッチャー政権下の1986年に実施された金融ビッグ・バン以降から21世紀に入りブレア／ニュー・レイバーを引き継いだゴードン・ブラウン首相の時期に英国にもおよんだリーマン・ショックまでには、金融工学やIT化の影響のもと、少なからざる変化があったこともたしかではあろう。ただし、単純な知識・コンテンツから問題解決型の学習や資質・コンピテンス重視へのシフトが喧伝される現在の教育とパブリック・スクールが育もうとした教育との奇妙に意外な類似性を示すようでもある気配があることもたしかであり、20世紀に生じた先進国における高等教育の大衆化のさらなるグローバル化（massification of higher education）、多様性（diversity）に対応する現在の開発研究（Development Studies）の志向、そしてなによりも、リーダーシップ育成、等々といった教育空間に流通する諸タームの歴史化が緊急の課題となっているのではないか。

[14] この議論に関するEdgertonの批判を参照。“Barnett's scathing attack on British higher technical education provides an excellent example of lack of balance across time and across countries, and straightforwardly perverse readings. Barnett claims, for example, that there was no British equivalent to the German Technische Hochschule before the Second World War, ‘with the single exception of Imperial College.’ But Imperial College was part of the University of London and thus unlike German Technische Hochschulen, which were free-standing institutions. If we take degree-level technical institutions as equivalent to Technische Hochschulen the picture is quite different: there were many British technical colleges at which students studied to degree level, usually to take London External BScs”（Edgerton 371）.

[15] さらにまた、Edgertonは、ドイツではなく英国においてこそ、現在の文理融合や教科横断的な“interdisciplinarity”を想起させないでもない、応用科学や工学と教養教育との統合が実現されたと論じ、なかでもロンドン大学やスコットランドの諸大学だけでなくケンブリッジ大学の例を言及している。“It was in Britain rather than in Germany that one found the integration Barnett is calling for: the British civic universities prided themselves on being centres for training in the applied sciences and engineering as well as providing a liberal education. Indeed, it is clear from recent work that many British advocates of technical education rejected the German model precisely because of its separation of liberal and practical education. In any case, Barnett is wrong to imply that engineering education was relegated to the civics: the largest single engineering school was at the University of Cambridge. Nor can the Scottish universities' role in scientific and technological education be ignored especially for the period before

1914”（Edgerton 371-72）. “interdisciplinarity”については、米国の高等教育の歴史を、大学の改革をめぐる抵抗・抗争によって描きながらも、冷戦期の戦争・軍事との関わり、研究資金の配分・投入、教育法についてコンパクトにまとめたMenandを参照のこと。

[16] 念のため、原文で該当箇所を示すなら以下の通り。

> The comparative success of the City – as compared with Paris Bourse or the Frankfurt stock exchange, for example – is to be explained by the habit of fair dealing that is the natural result of collegiate habits of association.（Scruton 171）

「ヴォランタリ」にネットワークを編制するアソシエーションの重要な政治・経済的ならびに文化的・教育的機能についてはすでに言及したが、英国を統治する階級を構成するエリートのエートスもまた、家族の出自や血統という意味での “familial”ではなく大学（college）に範例的な団体・結社の特質をあらわす“collegiate”によって説明されていることを、確認しておこう。

Works Cited

Barnett, Correlli. *The Audit of War: The Illusion and the Reality of Britain as a Great Nation*. London: Macmillan, 1986.

---. “The Long Term Industrial Performance in the United Kingdom: The Role of Education and Research, 1850–1939.” *The Economic System in the United Kingdom*. Ed. Derek J. Morris. 3rd ed. Oxford: Oxford UP, 1985. 668-89.

Clearly, Helen, Phil Edwards, Bruce Robinson, Victoria Cook et al. “Fact File: Women’s Volunteer Groups, May 1938–present.” *WW2 People’s War: An Archive of World War Two Memories–Written by the Public, Gathered by the BBC*. 14 Oct. 2014. Web. 22 Nov. 2020.

Edgerton, David. “The Prophet Militant and Industrial: The Peculiarities of Correlli Barnett.” *Twentieth Century British History* 2.3.(1991): 360-79.

Fisher, Mark. *Capitalist Realism: Is There No Alternative?*. Winchester: Zero Books, 2009.

---. “Reflexive Impotence.” *K-Punk* 11 Apr. 2006. Web. 18 Nov. 2019.

Hammond, Simon. ‘K-Punk at Large’ *New Left Review* 118 (2019): 37-66.

Menand, Louis. *The Marketplace of Ideas: Reform and Resistance in the American University*. New York: W. W. Norton, 2010.

Scruton, Roger. *England: An Elegy*. London: Bloomsbury, 2000.

Ramsey, D. “The National Old People’s Welfare Committee of the United Kingdom,” *Journal of Gerontology* 7.3 (1952): 501-03.

一圓光彌「解説―ベヴァリッジ報告の今日的意義」ウィリアム・ベヴァリッジ、273-91頁。

池田潔「英國教育論」『あるびよん』創刊號（1949): 76-82頁。

エジャトン、D『戦争国家イギリス——反衰退・非福祉の現代史』坂出健・松浦俊輔・佐藤秀昭・高田馨里・新井田智幸・森原康仁訳、名古屋大学出版会、2017年。

大田信良「『自由と規律』——英国の文化･教育の特質とはなんだったのか」『英学論考』45 (2016) 33-55頁。

大道千穂「あるびよん・くらぶ再評価——『あるびよん——英文化綜合誌』から再考する戦後日本の英文学」『ヴァージニア・ウルフ研究』36（2019）: 79-98頁。

——「自立した女たちの老後——戦後イギリスの高齢者福祉の始まり」『青山経営論集』第53号別冊（2018): 21-38頁。

岡倉由三郎『英語教育の目的と価値』研究社、1936年。

亀井俊介「『アメリカの世紀』とアメリカ文化」『立教アメリカン･スタディーズ』23巻（2001年春）67-81頁。

苅谷剛彦『教育と平等——大衆教育社会はいかに生成したか』中央公論新社、2009年。

菅英輝「米国のヘゲモニーの現状と『アメリカの世紀』論」、特集20世紀とアメリカ『アメリカ研究』1999 巻（1999年）33 号 1-18頁。

木村浩一「アメリカの世紀」巻頭言『大和総研調査季報』第22巻（2016年春季号）2-3頁。

「第1部第2章 時代のニーズに対応した社会保障制度の発展を振り返る」『厚生労働白書平成23年版：社会保障の検証と展望——国民皆保険・皆年金制度実現から半世紀』（厚生労働省）2011年、32-84頁。Web. 2020年3月31日に利用。

サンダーソン、マイケル『イギリスの経済衰退と教育——1870-1990s』安原義仁ほか訳 晃洋書房、2010年。
島崎謙治『日本の医療——制度と政策』東京大学出版会、2011年。
清水貞助「大戦前夜の英語教育界〔昭和11年～15年〕」『昭和50年の英語教育』若林俊輔編、大修館、1980年、29-45頁。
高津春繁「イギリスの學生と古典」『あるびよん』4號（1950年12月号）:30-33頁。
詫摩佳代 「国際協力という可能性——グローバル・ガバナンスと地政学」『新しい地政学』北岡伸一・細谷雄一編、東洋経済新報社、2020年、211-54頁。
武川正吾『福祉国家と市民社会——イギリスの高齢者福祉』法律文化社、1992年。
田多英範「福祉国家と国民皆保険・皆年金体制の確立」『季刊・社会保障研究』第47巻3号（2011年）：220-30頁。
寺沢拓敬『「なんで英語やるの？」の戦後史——《国民教育》としての英語、その伝統の成立過程』研究社、2014年。
冨澤達弥「『ベヴァリッジ報告』から日本の国民皆保険制度へ——社会的共通資本としての医療を制度化する」『社会的共通資本としての医療』宇沢弘文・鴨下重彦編、東京大学出版会、2010年、77-105頁。
福原麟太郎『英語教育論』研究社、1948年。
——「刊行のことば」『英語教育』4（1952）：1頁。
福原麟太郎ほか「座談會——思い出の學生生活（一）」『あるびよん』6號（1951年）8-24頁。
ベヴァリッジ、ウイリアム『ベヴァリッジ報告——社会保険および関連サービス』一圓光彌監訳、全国社会保険労務士会連合会企画、法律文化社、2014年。
毛利健三『イギリス福祉国家の研究——社会保障発達の諸画期』東京大学出版会、1990年。
山本和人「1945年米英金融・通商協定——戦後世界貿易体制の出発点」『福岡大学商学論叢』48巻3号（2003年12月）247-78頁。
吉中季子「ベヴァリッジ報告とジェンダー：社会保障構想にみられるイギリスと日本の主婦」『名寄市立大学社会福祉学科紀要』3（2014年）：4-15頁。
レッドマン、H・V「古垣さんへ——あるびよん第四號の發刊に寄せて」、『あるびよん』第2巻4號（1950年12月）號、12頁。
若林俊輔「あとがき」『昭和50年の英語教育』若林俊輔編、大修館、1980年、145-48頁。

渡辺華子「イギリスへ招かれて」『世界の労働』第4巻12号（1954年）: 24-25頁。
――「英國の老令年金受給者の生活」『あるびよん』45號（1959年5・6月号）: 70-77頁。
――「英國の老令年金受給者の生活（2）」『あるびよん』46號（1959年7･8月号）: 68-79頁。
――「英國の老令年金受給者の生活（3）」『あるびよん』47號（1959年）: 75-84頁。

【第2部】

20世紀文化空間のリ・デザインと
グローバル化するアール・デコ

第7章

リ・デザインされる美しさ
――ロマンスと生殖とケア

大谷 伴子

1.「大衆ユートピアの夢」としてのアール・デコと消費社会においてリ・デザインされる美しさ？

アール・デコの再評価の動きが、21世紀の現在、英国のローカルな空間において、開始されている。一例をあげれば、2020年2月9日英国ノーフォーク州ノリッジ所在のアートギャラリー・博物館であるセインズベリー・センター・フォー・ヴィジュアル・アーツで、『海辺のアール・デコ（*Art Deco by the Sea*）』展覧会が、幕を開けた。1920年代・30年代英国でモダンな姿をあらわしつつあるノーフォーク、すなわち、ローカルな海辺という空間に、あらためてアール・デコ・スタイルを探る試みをしたのが、この展示企画である。そして、新たな大衆観光時代において、それまでの水上・鉄道交通だけでなく新たに自動車の道路さらには飛行機の空路を加えた移動のネットワークを通じて、モダンな旅行者として台頭した人びとのニーズに応じた旧来のリゾートの再開発・建設がなされたことが注目されていることも、確認しておこう。イノヴェーションが進行する交通のネットワークやそれと連動する多種多様な新しいメディアが構成する「モダニティの下部構造・インフラストラクチャー」ともいうべきものへの注目は、「時間論的転回」といわれる近年の歴史研究にもみられるものだから（Green）[1]。このような海岸保養地のモダナイゼーションによって出現したものこそ、ホテル・遊歩桟橋・映画館・プールなど、アール・デコの建築物の類型的な例にほかならない。アール・デコのスタイルこそが、メトロポリス、ロンドンだけでなくリヴァプールやランカシャーなど英国各地から交通手段を利用してローカルな海辺に訪れた大衆や人びとが享受した快楽・レジャー・娯楽の価値を具現するものだった、ということだ。アール・デコの商品を生産した海辺の産業として、英国南岸ドーセット州の町プールのきわめてモダンな陶器（Poole Pottery）、世界最長のレジャー埠頭であるサウスエンド埠頭があるエセックスのサウスエンド＝オン＝シーで生産されたエッコ社製のラジオ（1930年代イギリス最大手のラジオメーカー）、さらにまたコーンウォールのテキスタイル会社（Crysède）や北東部ゲーツヘッドのサワビーズ社（Sowerby's）やデイヴィッドソン社（Davidson's）のガラス製品等々が、重要な位置を占める。これら時代を牽引した企業が、ローカルな空間で生産されたアール・デコ・スタイルの商品を、世界中に輸出した、すなわち、アール・デコのグローバルな流通の一部をなしていた、このことがこの展覧会で提示されている。

このアール・デコ再評価の動きは、オープン直後の2020年2月10日に、BBCラジオ4の文化プログラム『フロント・ロウ（*Front Row*）』においても、いちはやく紹介されたし、また開催と同時に、同名の展覧会カタログがAmazonなどですでに購入可能となっていた。一見、英国のローカルな地方都市ノリッジで開催されたこのプロジェクトが英国のナショナルな境界線を超えてグローバルに受容・流通・消費されていることが示されているともいえるが、興味深いのは、その点だけ、ではない。この展覧会の主催者のひとりジスレーヌ・ウッドは、2016年ヴィクトリア＆アルバート博物館でのプロジェクト『オーシャン・ライナーズ――魅惑、速度、そしてスタイル』開催およびカタログ編集・出版にも関わっており、戦間期の大型客船におけるスタイルの政治学に関する論考を寄稿していた人物であった。1978年に完成した建築家ノーマン・フォスターとウェンディ・チースマンによってイースト・アングリア大学キャンパス内にワールド・アートのコレクションを含む公共建築物として設計・建設されたセインズベリー・センターやヴィクトリア＆アルバート博物館の学芸員でもあったアール・デコ研究者が参与・関与するこの展覧会が措定する「大衆」あるいは「人びと」とは、はたして、スーザン・バック＝モースが希求した「大衆ユートピア」とどのような関係性を有するとみなすべきか。

ヴィクトリア&アルバート博物館でのオーシャン・ライナーズを前景化したプロジェクトによって、すなわち、1930年代の大衆性というよりは、1920年代の貴族主義的な消費文化を指し示す大型客船・流線型のデザインによるオーシャン・ライナーによって、指し示されているのはなにか。福祉国家に取って代わるネオリベラリズム以降の21世紀現在、地政学的な差異を使用しながら新たな階層秩序を形成するグローバル・ガバナンスによってさまざまな社会的差異（ジェンダー・人種・セクシュアリティあるいは世代・エイジング・ディスアビリティ等々）が統御される「格差社会」あるいは階級のグローバルな再編の動きと再評価される大型客船の魅惑・速度・スタイルとは、どのように連動しているのか。ひょっとしたら、『オーシャン・ライナーズ——魅惑、速度、そしてスタイル』と連動しネットワークを形成する『海辺のアール・デコ』もまた、「大衆ユートピアの夢」（スーザン・バック＝モース）とは異なるかたちで、アール・デコを再評価しようという動きの一部ともみられるのではないか。このような点に注目して、この展覧会を、20世紀・21世紀の歴史においてどう捉えるか、思考・想像してみることが重要なのではないか。

これらの問いに性急に結論を出すのは、本論の目的ではない[2]。そのような価値評価や判断をくだしてしまう前に、ここでは、アール・デコとそれを大量生産・大量消費の体制によって産み出した消費社会において美しさというものがどのようにリ・デザインされたのかという観点から、『海辺のアール・デコ』について少しだけ確認の作業をしてみたい。この展覧会のカタログの編者でもあるジスレーヌ・ウッドも「序文」で言及しているように、海辺の空間や風景がモダンなアール・デコのスタイルでデザインされた1920年代・30年代は、日光浴やスイミングをはじめとしたほかの数々のアウトドア・アクティヴィティがファッショナブルとなった時期、「ヘルシー・ボディ文化」が到来した歴史的瞬間であった。もしかしたら、「ヘルシー・ボディ」つまり心身両面において健康な身体を育成・涵養する文化が、アール・デコにありうべき未来の可能性として存在したはずのポピュラーで大衆的ユートピアの夢において、見逃しえない重要な意味をもっていたのかもしれない、ということだ。[3]

Fig. Septimus Edwin Scott (design) for London Midland and Scottish Railway, *New Brighton and Wallasey*. Colour lithograph, printed by Waterlow & Sons Ltd., London and Dunstable, c. 1934. National Railway Museum. (qtd. in Wood 107)

2. ヘルス・ケアからビューティ・ケアへ

19世紀における美とその産業出現の歴史をふりかえってみるならば、それまでの人類の化粧技術使用に関する理解は、魅惑して繁殖するという生物学的な要請によるものだった、とされる。[4] 美しい外見の探究は生殖の必要に基づいている、とチャールズ・ダーウィンは『人間の由来（*The Descent of Man*）』（1871）の「美」のセクションにおいて述べた。透明感のある肌やつやのある髪という女性の魅力とみなされる特徴は多産のサインであり、免疫システム・心的状態や健康状態のシグナルとなる匂いを感じとる嗅覚はパートナー選択に影響をあたえる。このような考察・主張を含む性的淘汰（sexual selection）の理論が、美しさの意味や価値の理解・判断に用いられるとき、ロマンスと生殖という二つの要素が美の規範や理想像において重要な役割を担うことになる。以上のことを確認したうえで、ジェフリー・ジョウンズがまとめたグローバルなビューティ産業史『美しさは想像された――グローバルなビューティ産業の歴史』は、ビューティ産業を二つの異なるスペクトラムによって分析し歴史的過程を語っている。ひとつのスペクトラムは、健康・衛生とその対極にある化粧品や化粧技術といった人工的な領域であり、もうひとつのスペクトラムを構成するのは、贅沢・高級品から大衆市場に広がる領域である（Jones 4-8)。

この歴史において注目すべきポイントのひとつは、19世紀あるいはそれ以前から、数世代にわたる起業家たちが形成したブランドが美しさのイメージを作り出し、ビューティ業界がそうしたイメージを市場向けに生産・流通させたのではあるが、20世紀にビューティ業界は、それ以前は特権階級のエリートに限られていたビューティ商品へのアクセスをふつうの人びと可能にした、という点だ[5]。言い換えれば、美しさを誰にでも手の届く大衆の夢として構築してきたのだ。そして、21世紀現在のビューティ産業において、グローバル企業が、さまざまに戦略的に競合しつつ、中国・ロシア・インドに進出し、文化やライフスタイルにおける多様性に対応し新たに市場を拡張するなか、美しさは、再想像されつつある、というのだが（Jones)、20世紀以降のビューティ産業の歴史と戦間期に出現したアール・デコや「大衆ユートピアの夢」との関係は、あらためてどのように理解したらよいだろうか。

美しさの理想は世界中どこでも「均質な」ものとなったことが示される一方で、その大衆化の歴史が進行・展開する過程においては、新たに規定されたジェンダー・人種の境界線や限定的な都市空間――パリやニューヨーク――との関係から、美のイメージは、いかなる空間においても白人の女性のそれに結びつけられてマーケティングされるようになったこともまた、ジョウンズは論じている。石鹸と帝国の関係がいわゆる狭義の政治・経済的な植民地支配、原材料の確保の問題だけではなく想像力やイメージの問題でもあることを説得的に提示する歴史研究は、すでに、ジョン・エヴァレット・ミレイのイラストをパッケージに使ったペアーズ石鹸のポスターを取り上げて論じられていることを、われわれは知っている。石鹸というマテリアルならびに石鹸による清潔感が、

「文明」という名の西洋のモダニティと、不可分の関係にあることが示されているが、石鹸を使用することが提示するのは、富と文明を象徴する人びとの「健康と浄化（Health and Purity）」の手段である（井野瀬 216-17）、と同時に、もうひとつの面も実は有していたことをわれわれは探る必要があるのではないか。

石鹸使用が提示する人びとの「健康と浄化」の手段とは別の面については、ジョウンズがまとめたグローバルなビューティ産業史『美しさは想像された』による石鹸の再解釈をまずは参照しておきたい。「清潔感と文明」章の「石鹸と美」セクションで、同じペアーズ石鹸が取り上げられている。ジョウンズによれば、このペアーズ石鹸の新たな宣伝広告であるポスターを開発したのは、同社に帳簿係として入社しのちに経営者の娘との婚姻関係を通じて同社の経営の中枢に参加したトマス・J・バレットだった。バレットは、石鹸をビューティ・プロダクトとして販売させるべく同社を率いたまさにその人物であった。たしかにバレット以前に高価で透明な化粧石鹸の存在・価値は社内でも認識されていたのだが、こうした関心を推し進め、ペアーズ社を、「効能もあり美容のためにもなる大量生産されるブランド化粧石鹸（effective yet beautifying mass-produced branded soap）」の製造会社へと変容させたのがバレットだった。バレットは、宣伝広告費を極度に増額——創業時から1860年代半ばまでの総額£500から1907年までに年間£126,000に増額——し、かつての新聞の片隅の小記事や粗雑なポスターのようなものではなく、全国規模のキャンペーンを新聞の1ページ全面見開きのカラー広告へと変貌させた（"national campaigns and full-page colour spreads"）。ここで重要なのは、ペアーズ・ブランドは、ヘルスからビューティの補助へ、とりわけ女性の美のお手伝いへと変容した、というその内容だ。そして、その際に、著名な医学部教授の推薦の言葉や広告に有名女優リリー・ラングトリーを起用するなど、専門家とセレブのお墨付きを利用したということだ。そうしたお墨付きを獲得した同社の宣伝広告は、鉄道駅やバスに展示されたポスター、あるいは同社の『ペアーズ年鑑』に、ミレイをはじめとして大衆の目に触れることの稀だった芸術家の「オリジナル」作品のコピーを収録して大量に出版・販売を通じて、大衆に向けられるものであった(Jones 81-82)。

このようなペアーズ社における健康から美へという動きは、現代英国の代表的な多国籍企業のひとつであるユニリーヴァの創業者のひとり、ウィリアム・リーヴァの仕事とも連動している。そもそも石鹸市場は男女の区別のないものであったが、石鹸が美を産むのに役立つ製品として注目されるようになると、その宣伝広告は女性消費者へと向けられるようになっていった。こうしたジェンダー化の動き、すなわち、石鹸市場の潜在的可能性に気付いたリーヴァが、新たに開発したサンライト・ソープ（Sunlight Soap）の広告キャンペーンは、以下のようなものだ。洗濯という毎日のつまらない家事のおかげで、女性は男性よりも老けて見えてしまうが、サンライト・ソープを使用すれば、その家事の苦悩が軽減され、事態が好転する、と[6]。その後1900年代リーヴァは、全て植物性オイルで製造した石鹸プラントル（Plantol）などの新ブランドを立ち上げ、化粧石鹸市場へと進出するが、さらに、1906年に実行した化粧石鹸会社ヴィノリア（Vinolia）――RMSタイタニック号に採用された高級石鹸製造会社――をはじめとして化粧石鹸製造企業を買収していった（Jones 80-81)。このようなバレットが率いたペアーズやリーヴァらの英国における石鹸企業の仕事の歴史的意味は、19世紀の終わりに、化粧石鹸市場の再編をともないながら、石鹸をはじめとするトイレタリー製品が、美の補助用品として、衛生から化粧·美容へという方向へと、再想像されリ・デザインされたことにある。

とりあえずはヘルス・ケアからビューティ・ケアへの変化――あるいはまた、生殖からロマンスへの変化――としてもとらえることができそうな20世紀文化空間において、大衆性によって特徴づけられるアール・デコと消費社会においてリ・デザインされる美しさを取り上げ、その歴史的過程や変容がいかなるものであったのか、「大衆ユートピアの夢」とりわけ「ヘルシー・ボディ文化」の可能性にも目配りしながら、吟味してみること、これが以下で論じてみたいことである。戦間期あるいはこの論集の特に第1部が取り上げたアール・デコの時代のグローバル化の動きは、冷戦期においては凍結していたようにみえて、実は、ひそかに蠢いていたのではないか。このような問いを、美しさとそれを産み出す諸科学との関係性から19世紀から20世紀にかけて産業として産出された、ビューティ産業の歴史をたどることで探ることになるだろう。また、ジョウンズ『美しさは想像された』は、19世紀にビューティ産業を産み出した起業家たち、美しさの市場の構築、そして正統性という三つのレンズを手がかりに、ビューティ産業のさまざまな始まりを探り（Jones）、そしてまた、同じ主題をよりコンパクトに論じヴァージョン・アップしたもうひとつ別の論文の結論として[7]、ビューティ産業の意味を、21世紀現在の資本主義世界におけるグローバル化の矛盾のエピセンター（epicenter）としてとらえている。そのような解釈は、どのように意味のあるやり方で、問題化されるべきか。たしかに、20世紀の文化空間を「長い期間」という視座からとらえ直し政治・経済だけではなく文化のレヴェルにも注目する必要があるなら、政治・経済とひそかに密接に結びついたビューティ産業こそが、グローバリゼーションあるいはグローバル化する資本主義の矛盾のエピセンターであるということに注目する必要があるのかもしれない。とはいえ、それはどのような意味で「グローバル化の矛盾」なのか、慎重に理解・判断しなければならないのではないか。本論は、21世紀現在の資本主義世界におけるグローバリゼーションの矛盾のエピセンターとみなされうる美のデザインをとりあげ、ビューティ産業が他のさまざまな産業と関連しながら変容・発展するとともに、美しさというものが消費社会においてリ・デザインされ「大衆ユートピアの夢」として認識される瞬間・契機からなる、そしてまた、その挫折・反転を印しづけるリミットからなる、歴史的過程を探っていきたい。

3．リ・デザインされる美しさの歴史的展開 ——贅沢・高級品から大衆市場へ、あるいは、ヨーロッパから米国ニューヨークへ

ビューティ産業の生産・発信の中心がヨーロッパから米国へ移行した

20世紀戦間期、きわめて図式的にいうなら、その文化空間において理想的な美しさを規定したのはビューティ・ケアにかかわる産業だった、といえるだろうか。たとえばこのように理解してみるならば、美の理想や規範となるような概念やイメージが構築・想像されるとき、生物学的・社会的なダーウィン主義と生殖によって規定されたアングロ・サクソンや白人といった人種というよりは、なによりもジェンダーすなわち女性の美しさと（異性愛）ロマンスが、セックス・結婚との三位一体のセットで、前景化された、そして、20世紀初めに登場したモダン・ウーマンあるいはニュー・ウーマン／アメリカン・ガールこそが、ビューティ産業をはじめとした資本主義世界における生産・消費に関するさまざまな議論の的になるように変化した、ということになる（Sutton 53-63）。

米国では、ビューティ産業のなかでも、労働する女性の毎日の生活あるいはホームにおける結婚生活の必需品となるトイレタリーが大衆市場向けの製品となり[8]、この時期には、主要企業の合併・買収も盛んにおこなわれた。たとえば、石鹸や歯磨きだけではなく、すでに大衆市場を確立させていたスキン・クリームについてもさらなる発展を続けていたが、夫スタンリーとともに米国広告会社大手J・ウォルター・トンプソンの代理店を買収したヘレン・ランズダウン・リゾールは、ポンズに依頼されて新たに考案したバニシング・クリーム（塗ると吸収されて無色になる化粧品）と洗顔やマッサージに用いるコールド・クリームのための新たなマーケティング戦略を打ち出し、女性消費者をターゲットに、2種類のクリームを美容のために日々規則的にお肌のお手入れをするように説得するキャンペーンをはった。派手な色合いの化粧による美ではなくリスペクタブルに美しい外見を求めるような、いわゆる、ミドル・クラスに向けたスキン・クリームの市場を生むことがその目的だった。こうした戦略は、女性の社会的・経済的自立を認識しそれに対応すべくなされたものであり、1920年代にリゾールが始めたこの新たなキャンペーンは、のちのビューティ広告の文化の基礎となった（Jones 101-2）。

米国ビューティ産業の市場では、スキン・クリームだけではなく、ロマンスやセックスとの密接な結びつきを喚起するような、カラー化粧品の市場もこの時期に拡張した。金属製の口紅ケースが発明されたのは1915年、液状のマニキュア液はノーザム・ウォレンが1916年に発明し、マニキュア・ネイルケア製品のブランド、キューテックス社を創始した。最初のアイ・メイクアップ化粧品マスカラを発明したのは、1917年にメイベリン社（現在のメイベリン・ニューヨーク）を立ち上げたT・L・ウィリアムだった。1929年代終わりまでには、3万種類の白粉と数百種類の頬紅が米国市場で販売されていたが、その市場拡大に重要な役割を果たしたのが、米国版大衆ユートピアの生産機械ともいうべきハリウッドという「夢工場」が産み出した文化空間だった。第一次世界大戦中にフランス企業を追い抜くことができた米国映画産業は、1920年代までには、その国内市場の規模と配給ネットワーク管理体制の恩恵を受け、国内外の市場を支配するようになっていた。国中に建てられた映画館を通じて普及された映画スターを取り巻く新たなライフスタイルとセレブ文化は、美とりわけ女性の美の定義に圧倒的な影響力をもった。ハリウッド映画会社とビューティ産業とは、消費者市場のグローバル化において関心を共有していた、ということになる。

化粧品とハリウッドとの間のつながりにめざとく気づいたのがマックス・ファクターであった。俳優のために彼がおこなった仕事は、「カラーの調和」の法則に基づいて、女性の顔・髪の毛・目の色の組み合わせに特定のメイクアップの色合いや陰影を施すことで美的効果を生み出すことにあった。映画において名を挙げるとともに、カラー化粧品を用いることのお墨付きをあたえることにも、マックス・ファクターのメイクアップは重要な役割を果たすことになった。ロス・アンジェルス店は、1916年に、アイシャドウとアイシャドウ・ペンシルをパブリックに大衆にも売り出すことにより、劇場や映画業界外でも、はじめて、こうした商品が入手可能になった。その後、配給会社がドラッグストアと契約を結び、1927年、最初のトーキー映画『ジャズ・シンガー』の初日に、マックス・ファクターの化粧品の全国規模の普及が開始された[9]。1930年代ハリウッドにおけるテクニカラーの到来は決定的なインパクトを与えた、つまり、白人の女優の髪や肌の色合いや明暗に多様性をディスプレイするために使用されるフェイス・パウダーや頬紅などの化粧製品が流行することでマックス・ファクターの成功はいよいよ確固としたものとなった（Berry）[10]。

ビューティ産業が繁栄していたのは、しかし、ハリウッドという特殊にグローバルな文化空間においてだけではなかった。そもそも、ビューティ産業というのは、かつては、社会的に認知された価値のあるものとしてはみなされていなかった。逆に言えば女性やユダヤ人たちが活躍できるマージナルな空間に出現しその後グローバルに展開・転回するようになった産業であった。それまでのヨーロッパの白人エリートの美の規範とは異なる大衆化された美の規範を生み出すことになった空間は、勃興しつつあるビューティ産業のそれであったのであり、それぞれの企業の始まりは、キッチン、サロン、美容院といったきわめて小さなショップにあった。つまり、数知れない美容師や直販店員が産業全体のなかではきわめて小規模な起業家として労働・従事することからそのキャリアを積み重ねていったのだ。女性起業家として働く女子たち・女性の労働という観点からするなら、以上のことをいちおう確認しておくことができる。たしかに、戦間期、女性の美しさを生産・流通・消費する過程において重要な機能をになった空間といえば、まずは、米国映画産業ハリウッドであるが、ハリウッドの外部にも、美を生産するビジネスは花開いていたのだ（Jones 103, 351-53）。

なかでも、エリザベス・アーデン（本名、フランシス・ナイティンゲール・グレアム）は、ヘレナ・ルビンスタインとともに、グローバルなビューティ産業の草分けとみなされており、それは、なにより彼女たちが開発したスキン・クリームによって、肉体的にも精神的にも若く健康でかつまた魅力的な美しさを保ちたいという女性の希望をかなえたからだ。アーデンは、英国領カナダのトロントで看護師の訓練をはじめとした数々の就職を試みてうまくいかないながらも、野心を捨てることなく1907年に訪れたニューヨークで、5番街に店を構えるエレノア・アデール夫人のビューティ・サロンで会計係として、ビューティ産業の世界に足を踏み入れる。ロンドンやパリにも支店をもち、いまでいうフェイス・リフティングを独自の方法で施術していたアデール夫人と出会ったことが契機となって、なんとか夫人を説得してそのスキルをわがものとしたアーデンは、5番街で自らのビューティ・サロンを設立し、フェイス・クリーム・セット「ヴェネチアン」をブランド化する、もともとのサロンを改装した内装も「ヴェネチアン」のパッケージに合わせてゴールド・ホワイト・ピンクのデコレーションで彼女らしい豪奢にリ・デザインして。

1920年代までに、エリザベス・アーデンとその競争相手たち――ヘレナ・ルビンスタインやドロシー・グレイ――は、この産業の市場のなかでも高価格帯において、ビジネスを首尾よく展開していた。この市場競争のなかで、高級ビューティ・サロンにおいては当初傑出していたのがアーデンだった。その後、彼女が有した競争優位の地位は、1917年にオリジナル化粧品を製造しはじめたルビンスタインによって脅かされることとなったが、1年後、アーデンもライヴァルに続き商品の製造を開始した。広告・宣伝された彼女たちの化粧品ブランドは、その後10年にわたって、米国中の人びとに選ばれ使用されたが、なかでも、アーデンは、75種類にもおよぶ商品を生産し9都市にサロンを開店し、アーデン・ブランドの商品を国内の数々の有名デパートメント・ストアにも卸すようになった(Woodhead 139-46)。このように、彼女のブランドによってリ・デザインされる美しさの歴史的展開を可能にしたものこそ、ビューティ・サロンの存在だった。

議論を先取りしていうなら、ビューティ企業が米国だけでなく西ヨーロッパ等において事業を展開し市場を開拓するには、ブランド資産(brand equity)を構築するだけでなく、消費者の商品へのアクセスを容易にする確実な配給方法・ルートを確保することが重要だ。高級な香水、スキンケア商品、ブランド化粧品はデパートメント・ストアや特権的な高級サロンなどで売られていたが、どのカウンターのどの位置に並べられるかが問題となった。だが、高級ブランド企業にとって、1930年代に小売業・流通業の分野において1910・20年代デパートメント・ストアに取って代わるスーパーマーケットやセルフ・サーヴィスの各種チェーン店とは差異化される、より重要な戦略的流通ルートがあった。パリ、ニューヨークその他の主要な都市においてチェーン展開されるある種排他的なビューティ・サロンといくつかの旗艦店だ。そうした店舗では、限られた特権性とステイタスを武器に、パリの老舗メゾンの香水のような商品を、贅沢とエレガンスという環境のなか、提示していた[11]。ビューティ産業がみせたヨーロッパから米国ニューヨークへの移行の動きは、単純に、贅沢・高級品から大衆市場への変化としてとらえるわけにはいかないらしい。

4. ビューティ・サロンという新たな文化空間と大衆化された美しさのグローバル化

さて、それまで貴族階級の文化がさまざまな妥協を通じて存続し続け支配的であることをやめなかったヨーロッパではなく、20世紀米国ニューヨークを起点にいずれローカルにまたグローバルに拡大しながら転回・流通していくことになるビューティ・サロンという新たな文化空間において産み出された美しさの大衆性とは、はたして、どのようにとらえたらよいか。アーデンの商品は、高価であるが、年齢を重ねても若さを保つということを強調するものだった、このことを、まず、確認することが必要だ。この点は、老齢期に向かう女性の美のメンテナンスとマネージメント、ならびに、フィジカルおよびメンタルな病に対処するケアがいずれ100年後の21世紀にもつことになる意味や価値にもかかわる。もっともアーデン・ブランドが喧伝された当時に大衆を包含する公衆・公共圏においてインパクトをもったのはもうひとつの点だ。すなわち、彼女の商品はハイ・ソサエティへの扉を開く、言い換えると、かつては18世紀以前にはクラブやサロンに居場所をもち社会のエリート階層をなす貴族階級にしか許されていなかったような化粧やファッションが大衆化され、ふつうの人ならだれにでも経験し享受できるという約束が、謳い文句とされたのだ（Berry 111-12）。

念のために確認しておくなら、ビューティ産業の黎明期にあたる1920年代、エリザベス・アーデンが、ライヴァルであるヘレナ・ルビンスタインとともに、成し遂げたのは、かつては道徳的には売春宿と同一視されていたビューティ・サロンを、贅沢さとスタイルを有した宮殿にリ・デザインした。美についてのマテリアルな贅沢のみならずスタイルに表現された概念・「哲学」もまた、この歴史的再創造・大転換において重要な機能をはたしたことに注意しておこう。「自然な美（natural beauty)」の「哲学」を推進することにより、アーデンとルビンスタインは、化粧品を道徳的に許容できるものにしたのだが、「自然な美」とは、お金のかかる贅沢なマッサージだけでなく、心身両面にわたる健康そして「科学的」な研究に裏打ちされた施術によって獲得できる見た目に美しいなめらかな肌のすべてを一体化することによって獲得できるものにほかならなかった（Peiss 146-49)。この「自然な美」の概念がたとえ断片的なものでありひょっとしたらほとんど忘却のうちにかろうじて残存する「大衆ユートピアの夢」のかけらのような記号・秘められた概念化であることは、アーデンのモダンな化粧品のプロモーションが、以下のような主張に基づいた「民主的な」美の概念によって——ヨーロッパ貴族階級のエリート主義的で「自由な」美の概念によってではなく——再想像された点にある。その主張とは、「身だしなみとメイクアップがあれば、どんな女性でも自分なりのユニークなやり方で美しくなれる」というものであり、つまりは、この新たなリ・デザインは、「普遍的に到達可能なものとしての美しさ」の概念を指示するものとなっているのだ（Berry 111)[12]。

だとするなら、ヨーロッパから米国ニューヨークへの移行の動きをみせたビューティ産業の歴史は、贅沢・高級品から大衆市場への単なる変化ではないばかりか、ヘルス・ケアからビューティ・ケアへの、あるいはまた、生殖からロマンスへの単純な変化としてもとらえることができないだろう。アール・デコや消費社会と結びついた大衆化の兆候的記号でもあるエリザベス・アーデンがリ・デザインした美しさとは、「ヘルシー・ボディ文化」が可能性として孕む「大衆ユートピアの夢」が変容しながらもかすかに触知できるように、20世紀文化空間の歴史的過程のなかで、ひときわ特異な位置に配置・配列される必要があるのではないか[13]。

もしかりに、ビューティ産業における高価格帯というよりはむしろ低価格帯でより広く一般大衆の消費者・購買者をマーケティングのターゲットとするという意味で、化粧品企業の大衆性を問題にするだけならば、1920年代末に出現し1930年代以降の数十年の間、最も大きく目立った存在感を示したのは、エリザベス・アーデンという高級ブランド企業ではなく、レヴロン・ネイル・エナメルであったことはたしかだろう。帝国イギリスの一部をなすカナダのモントリオールユダヤ人地区出身で米国に移住したチャールズ・レヴソンも、ビューティ・サロンから事業を始めたのだが、当時一般的であった透明なマニキュアとは違う不透明なマニキュア液を販売する小規模な企業にセールスマンとして就職し、その後、兄と立ち上げた会社で、女性客がパーマネントをあててもらっている間にマニキュアを施すというビジネス・モデルで頭角をあらわした。レヴロンのサロンは売り上げを伸ばし、1937年には、そのマニキュア液（nail polish）は、ニューヨークのような大都市の繁華街に、高級マンションや高級ブランド店とともに軒を並べるデパートメント・ストアだけでなく、より一般大衆向けのハイストリートにチェーン店として出店される多くのドラッグストアでも販売されるようになった、レヴロンはプレミアム価格を維持し割引は認めなかったのではあるが。そうした動きに対して、エリザベス・アーデンも1940年にその市場に参入するのだが、米国市場の80％を確保していただけでなくリップスティックの販売も開始したレヴロンは、ビューティ産業の大衆向け低価格帯の勝ち組となった、あるいは、彼がサーヴィスを提供するマニキュアという商品はビューティ産業のストリートへの進出・拡大を如実にあらわした、とみなすことができるかもしれない（Jones 119）。

　しかしながら、テレビというメディアが新たに登場した1950年代、CBS放送のネットワークで放映されるゲーム番組のスポンサーになりさらに成長を続けるレヴロンではあったが、ジョウンズも指摘するように、その成功はあくまで米国の国内市場を中心としたものであり、より広大な国外の市場においては外国ブランドとしてのレヴロンは大きな参入障壁を経験することになる（Jones 156-60）。言い換えれば、冷戦が終結する20世紀後半から21世紀によりラディカルにナショナルな多様性をはるかに超えて展開・転回する大衆のグローバル化への対応という点では、第二次世界大戦直後におけるレヴロンの大衆性には、限界が孕まれていた、ということかもしれない。戦間期、高級商品をあつかう企業、エリザベス・アーデンやヘレナ・ルビンスタインといった化粧品会社あるいは香水会社コティは、大西洋を横断し、ときには米国にとどまらず中南米諸国の繁栄した諸都市での商売をおこなっていた。[14]

レヴロンとアーデンやルビンスタインとの違いを少し立ち止まって考えることは、「大衆ユートピアの夢」を掘り起こす未来の考古学的作業にとって無駄ではないと思われるが、それにしても、なぜこのような差異が生じたのだろうか。戦間期の政治的混乱期に立ち現れた「インターナショナル」な消費文化は、大衆消費者に、旅・ファッション雑誌の購読・高価な輸入品の購入を可能にしたのだが、これらのことによって、ビューティ産業に新たなビジネスの機会を提供することになったのではないか。高級化粧品ブランドにより顕著にみられたことだが、たとえば、ゲラン、ロジェ・ガレなどパリの老舗のフレグランス・メゾンは、1920年代にヨーロッパの主要都市、ニューヨーク、ラテン・アメリカにも支社を置くようになった。しかしながら、20世紀文化空間の形成・編制の歴史的過程において見逃してはならないポイントのひとつは、ヨーロッパの上流階級や高所得者向けに生産されたアメリカの高級ブランドが、大西洋を横断してヨーロッパのブランドとは逆の移動もなされたということだ。ヨーロッパ大陸の諸都市にサロンを開いたルビンスタイン、そしてなにより、1922年にロンドンにサロンを開いた後、パリ、ベルリン、ローマ、マドリッド、モンテ・カルロにも進出したアーデンの意味とは、このような多様な移動をグローバルにおこなったところにこそ見出すべきではないのか。アーデンはドイツでも米国でも同様の広告戦略を用いた、そして、アーデン・ブランドの化粧品を用いて、定期的に彼女のサロンに通うことで、自然な美しさのフィギュア・比喩形象、健康的で若々しい解放されたモダンな女性の審美的イメージを手に入れることができると謳ったのだ（Jones 127）。

第一次世界大戦に始まり大恐慌で完全に崩壊する最初のグローバル・エコノミーあるいはグローバリゼーションの終わりにもかかわらずサバ

イブした特異な例こそ、これらの、大英帝国あるいは再編されつつ存続した英国のネットワークの一部を構成しながら、多国籍企業化を進めた企業であった。たしかに、第二次世界大戦期、西洋世界各国と日本は貿易投資を再開し経済成長を再開したが、グローバルな資本主義を選択したわけではなかったし、ソ連や中華人民共和国やソ連の衛星国を含む共産主義各国は資本主義とは関係を閉ざしたのでありいわゆる冷戦によってグローバル化は一旦停止したようにみえた。換言すれば、第二次世界大戦期と冷戦によって脱グローバル化の動きが本格的に始動したのであり戦間期にはグローバル化とナショナリズムを志向する脱グローバル化との関係はより複雑なかたちで共存していたのだ。もちろん残りの西洋世界以外の国々も植民地支配からようやく解放され近代化と経済成長を目指すときにナショナリズムの政策を志向し実践したのは言うまでもない。とはいえ、ビューティ産業の国際化は実は止むことなく継続していたのであり投資が許されるところに特に注目するならばそういうことがいえる。1945年以降も西洋世界にオーケーストレイトされた「インターナショナル」な美しさの文化によって、この産業が成長を続けたのであり、さまざまに生産されたライフスタイル、ファッション、美についての西洋とりわけ米国の理想が流通して広まり消費された。こうしてみると、戦間期あるいはアール・デコの時代に勃興した大衆化された美しさがさらにグローバル化する契機は、冷戦期においては凍結していたようにみえて、実は、ひそかに表面に立ちあらわれるのとは別のスピードやリズムで連続して存在していた、といえるだろう。

5. ロマンスと生殖とケア
——ビューティ産業の歴史の意味とはなんだったのか

以上、20世紀の特異な文化空間としてビューティ・サロンとその大衆化された美しさのさらなるグローバル化する未来への過程の可能性をここまでたどりながら、そしてまた、アール・デコ期に歴史的に出現した「大衆ユートピアの夢」とビューティ・ケアとの一筋縄では理解できない関係性をエリザベス・アーデンという記号が指示し実際に実現したとされるものにけして単純に結び付けたり還元したりすることなく理解・判断しようとしてきた。最後に、ビューティ産業の歴史の意味をあらためて、ジョウンズの解釈とはいささか異なるやり方で、とらえ直す試みをおこなう前に、第二次世界大戦後の冷戦期から米国国内を超えた地球規模の視座からするならネオリベラリズムがひそかに開始される1970年代を経て冷戦終結後から21世紀の現在にいたるエリザベス・アーデンのその後の歴史を簡単に確認しておきたい。

アーデンがこの世を去るのは1966年だが、ファミリー・ビジネスを継続するためには彼女の資産3500万ドルという途方もない相続税が支払わなければならなくなって、彼女の相続人たちは会社を売るしかならなくなった。高い収益をあげる高級化粧品ビジネスの創業者の多くは、自らのブランドを大企業に売るということもあり、たとえば、すでに1928年に、ヘレナ・ルビンスタインは米国での事業を投資銀行家リーマン・ブラザーズに売却してしまっていた。ここには遺産相続のマネー化という事態が大きく関わっている。この時期には、企業の統治・コントロールに関わるマーケットが英米両国で特に始まった時期であり、経営コンサルタント各社が、大企業の存続のためには、多様化を目指し多角的な製品生産のビジネス・モデルの必要性を主張した時期であった。1960年代にすでに始まっていたナショナルな企業の多国籍化と産業自体の所有や組織がラディカルに再編される時期、ビューティ産業はグローバルな多国籍化とネオリベラリズムに向かうマネージメントの変化を考える上で貴重な示唆をあたえるケース・スタディとなっている（Jones 242-43）。

1971年、ビューティ産業に特異な位置を占める企業としてのエリザベス・アーデンは、70年代以降ますます激しく進行した多国籍企業によるビューティ企業の吸収合併の動きのなか、米国を本拠とするグローバル製薬会社イーライ・リリー・アンド・カンパニーに買収された後、1988年化粧品会社ファベルジェに売却された翌年までに、英蘭の多国籍企業ユニリーヴァによって、ファベルジェとアーデン・ブランドが買収されることになる。一方、1973年にコルゲート・パーモリーブに売却されたルビンスタインは、アルビ社への売却を経て1988年までにすべての事業がロレアルに買収されることになるが、ロレアル・パリの傘下に入ることをそれは意味する。1929年リーヴァ・ブラザーズがオランダ最大のマーガリン製造会社と合併することによりヨーロッパ最大の企業となったユニリーヴァは、21世紀の現在、インド市場への進出においてローカル化の戦略をとった規範的な典型例であるのとは対照的に（あるいは相補的に）、ロレアルは21世紀のいままさに世界のさまざまな個別特殊性・多様性にもかかわらず超高級化粧品とそれがあらわす美の普遍性を唱えて拡大成長を続ける企業の代表である。ウッドヘッドによれば、1980年代にアーデンとルビンスタインが産み出したビューティ・サロンの時代は終焉を迎えたのだが（Woodhead 421-24）、21世紀に入ってまた別の局面を迎えることとなる。すなわち、2000年、ユニリーヴァからアーデンの株式の20％を購入したフロリダを本拠とするFFIフレグランスは、社名をエリザベス・アーデンに変更し、アーデンのビューティ・サロン・アンド・スパ、レッド・ドアをグローバル・プログラムの一環として復活し、アーデン・ブランドの化粧品はグローバルに展開し収益をあげている（Woodhead 426）――もっとも、2016年、アーデンはさらにレヴロンの傘下に入ったのではあるが。

女優キャサリン・ゼタ＝ジョウンズがこの企業の広告塔となったのは、まさにその時期だった。BBCによれば、2002年2月4日彼女は、ニューヨークを基盤とする化粧品会社エリザベス・アーデンの広告塔を4年間務めるという契約書にサインした。エリザベス・ハーレー（エスティ・ローダー）、ジュリアン・ムーア（レヴロン）に続いて、英国出身女優が米国のビューティ産業のグローバルな広告塔となったということだ。また、ゼタ＝ジョウンズは、アーデンのグローバル・アンバサダーになるとともに、同年T-モバイル社（ドイツ・テレコムの子会社で移動体通信サーヴィスをグローバルに提供する企業）とも契約し、さらに2008年にはユニリーヴァのシャンプー「ラックス・スーパー・リッチ」の日本・中国を含むアジア市場向けのイメージ・キャラクターにもなっている。[15]

アイリッシュの血をひきウェールズ、スウォンジー出身の彼女の女優としてのキャリアについていうなら、米国ハリウッドへ進出して『マスク・オブ・ゾロ』(1998年) でブレイク、続いてミレニアムを迎えるマレーシアでの強盗を描く『エントラップメント』(1999年) ではスコットランド出身ショーン・コネリーと共演、『シカゴ』(2002年) でさらなる名声を獲得したことはよく知られている。だが本論が注目したいのは、それ以前の英国での仕事だ。シェイクスピアのソネット第18番——“Shall I compare thee to a summer's day/Thou art more lovely and more temperate:/Rough winds do shake the darling buds of May,/And summer's lease hath all too short a date…”——をタイトルに用いた『5月の可憐な花の蕾 (*The Darling Buds of May*)』がそれで、ヨークシャー・テレビジョン制作で1991年4月から93年4月までITVネットワークで放映された英国のTVコメディ・ドラマである。

実は、このドラマは、H・E・ベイツによる同名小説 (1958) とその続編の翻案・アダプテーションで、1950年代のロンドンの南東部ケント州を舞台に、英国の田舎で農業を営むラーキン家の主人「ポップ」とその妻「マー」を中心に一家の日常の生活を描いたものである。この一家の長女マリエット役を演じることで英国国内での女優としての成功をおさめ一躍注目を浴びることになったのが、ゼタ＝ジョウンズだ。彼女演じるマリエットの夫が税務調査官であることに、たとえば、注意してみよう。ベイツの短編小説「橋 (“The Bridge”)」(1940) に表象されたゲストハウスの再設計・改装とりわけ「装飾(デコ)」や銀行員の存在を解釈し直す場合のように、ひょっとしたら、『5月の可憐な花の蕾』というグローバリゼーションがこれまでの先進国でも顕著に経験され始めたポスト冷戦期に放映されてポピュラーになったTVドラマを取り上げ解釈してみることは、齋藤一がすでに論じている巧妙なロンドンの郊外空間への移植とは異なる、もうひとつ別の空間やその移動にわれわれの批判的まなざしを差し向けることにつながるかもしれない (本書第3章として再録された齋藤)。ここではこれ以上論じる余裕はないが、本論が歴史的にたどったグローバルな大衆化とモダナイゼーションの動きが、一見イングリッシュネスに特徴づけられた田舎の風景に挿入され代補されたいかにも英国風に味付けされたアール・デコによる媒介の機能・働きを注意することによって、感知される可能性があるのではないか。

以上のように、リ・デザインされる美しさの歴史を探った本論は、H・E・ベイツの仕事に戻ることで、一度、話を閉じることにするが、今後の研究やさらなる議論のためにひとこと暫定的なコメントを付け加えておきたい。21世紀現在の資本主義世界におけるグローバル化の矛盾のエピセンターとしてビューティ産業の歴史の意味をとらえたジョウンズは、政治経済および文化の境界を横断するかたちで取り上げた美しさの概念・イメージをグローバル化とローカル化という二つの動きあるいはそれにかかわるスペクトラムによって論じた、そして、グローバル化はロレアル、ローカル化はユニリーヴァによってそれぞれ範例的にあらわされるのだが、結局のところ、それは動きのベクトルは違うといえど多国籍化をグローバルに進める巨大企業のグローカリゼーションの戦略とみなすことができるだろう[16]。この点に、ビューティ産業の歴史を論じるジョウンズの議論のリミットがある、本論が試みたように、美しさというものを消費社会あるいは消費の帝国アメリカにおいて再想像されリ・デザインされた「大衆ユートピアの夢」と関係づけながらエリザベス・アーデンが他のさまざまな産業と関連しながら挫折・反転しながら変容・発展する過程をたどってみるならば。

ビューティ産業の歴史は、ジェンダー・人種とグローバル・ガバナンスとの関係を、さらにいま一度1990年代以降のこれまでの研究とは別のやり方で、再考することによって、解釈し直さなければならなかったのではないか。ナショナルな諸ボーダーを融通無碍に越境してグローバルにまたローカルにピープル・ふつうの人びとの日常の生や行為を統治するネットワーク状の制度・機構、その実際かつアクチュアルな機能において捉え直す必要があったのではないか。さまざまな人種やジェンダー・セクシュアリティに開かれた新たな公共圏のヴィジョンと可能性を狭義の保守的なナショナリズム・ポピュリズムに対置してすますだけでは十分かつ適切ではなかったということだ。現在の「格差問題」に単純に直接アプローチすることをそれは意味しないのだが、たとえば、美しさをリ・

デザインする問題すなわちヘルス・ケアからビューティ・ケアの変化としてとらえられたビューティ産業の歴史過程における生物学的／文化的の二項対立を、審美イデオロギー批判により新たな美学の理論を構想する場合のように[17]、ジェネレーションすなわち世代間の差違・「格差」の問題をあらためてやり方を再吟味したうえで取り上げることは、重要かもしれない。そしてまた、グローバル化がやむことなく進行するビューティ産業を、生殖かロマンスかといった対立だけでなく、両者を含むケアの問題によってとらえ直すことは、美しさと健康のそなわった幸福を追求する個人のレヴェルを超えた、大衆の集合性およびグローバル／ローカルに再編される階級の問題を考慮することなしにはできないはずである。そうしたとらえ直しは、人口や税のポリティカル・エコノミーから切り離すことなく「人びと」・「ピープル」の文化を再考することを意味する。具体的には、たとえば、老いや病の不安を抱えながら若さと美をなんとしても獲得したいと希求するベビー・ブーマー世代あるいは「団塊世代」を、BRICs等のグローバルに台頭した新興国およびいまや少なからず貧困層を生み出しながら取り残してしまっているかつて先進国といわれた国々のポスト・ベビー・ブーマー世代の集団とともに、その歴史状況を重層的に捉えることが求められている。20世紀文化空間において美しさをリ・デザインしたビューティ産業をロマンスと生殖とケアによって解釈するとは、そういうことだ。

Notes

[1] Greenによる「時間論的転回」への言及は、17世紀ヨーロッパの30年戦争から20世紀の世界大戦にいたるモダニティの歴史において、プロイセンのフリードリヒ＝ヴィルヘルム1世とフリードリヒ大王、ビスマルクのドイツ国家、そして第三帝国とファシズムのヒトラーという4人の指導者が提示した政治権力と時間のレジームとの関係性をそれぞれに特徴的な時間性に探っ

たChristopher M. Clark, *Time and Power : Visions of History in German Politics, from the Thirty Years' War to the Third Reich*. Princeton: Princeton UP, 2019.の書評でなされたものである。またさらに、「長い期間（longue durée）」によって書き換えが試みられた英国の帝国史あるいはグローバル・ヒストリーにかかわるものとしては、J. Guldi and D. Armitage, *The History Manifesto*. Cambridge: Cambridge UP, 2014.およびPenelope J. Corfield, "History and the Temporal Turn: Returning to Causes, Effects and Diachronic Trends." *Les âges de Britannia : Repenser l'histoire des mondes britanniques* (Moyen Âge-XXIe siècle). Dir. Jean-François Dunyach et Aude Mairey. Rennes: PU de Rennes, 2015. 259-73. も、参照せよ。

[2] ただし、オーシャン・ライナーズやその内装にみられるアール・デコについては、以前に、消費の帝国アメリカとの関係性において、英国の劇場文化とりわけ戦間期英国の「郊外家庭劇」を取り上げたときに論じたことがある。大谷「戦間期英国演劇と『郊外家庭劇』」をみよ。

[3] 戦間期英国のローカルな「海辺のアール・デコ」に、十全に実現したというよりはむしろ、断片化されて残存し続けてきたのかもしれない「ヘルシー・ボディ文化」――新たに想像された日光浴とスイミングの感覚的・官能的享楽とライフを楽しむ女性の美しさのイメージ――は、Susan Buck-Morssのアクチュアルな歴史的研究の企図がいわば「未来の考古学」として掘り起こした、旧ソ連の大衆ユートピア具体的には構成主義というモダニズムの芸術・文化が強度のアフェクトを備給して夢みた機械イメージにおける「ユートピア的な剰余」と、さらに比較し再解釈の作業を集団的におこなうことの必要性を要請しているかもしれない。"…a utopics of sensuality did exist as part of Bolshevik discourse, and it retained a strong hold within the culture. In the daily-life context of extreme cold, dark days, epidemics of disease, and wartime suffering in the Soviet Union, all of the attributes of organic 'life'(*zhisn*)—light, movement, sun, air, water—had utopian appeal….In this context of utopian desire, it needs to be remembered that socialism did deliver to the general population of the Soviet Union levels of public health, medical care, and leisure facilities that had never before existed, and that their democratic distribution set a model for the world"(Buck-Morss 119).

[4] 19世紀以前についていえば、美にかかわる商品の使用は、支配的な医学的

知識や宗教的な信仰の両者にきわめて密接に結びついていたことが知られる。たとえば、芳香は、美感に訴えるとともに感性を超えた神秘性も有していることで、治療・癒しと健康・幸福にとってだけでなく宗教的儀式の中心でもあった、と美のイメージを古代中国・インドの例にまでさかのぼる歴史研究は述べている（Jones 4）。

そして、ビューティ産業の始まり、あるいは、前近代における薬屋・薬剤師・神霊治療・聖職者や魔女たちの特別な力や技や秘技を資本主義産業に変容させたのが、19世紀の起業家たちの功績であった。たとえば、フランス出身でロンドン、ウェスト・エンドのボンド・ストリートに店を構えた香料師の父に師事したユージン・リンメルとナポレオン3世妃皇后ウージェニを顧客としたピエール＝フランソワ＝パスカル・ゲラン、そして彼らの後継者たちの仕事と変容がそれだ。とりわけ、フランス・北部ピカルディ出身のゲランは、イギリスにわたり石鹸会社に就職し、英国産の石鹸の母国での販売をねらい帰国したが、石鹸よりも良質なもの、すなわち、香水に出会うこととなった。その後、研究を重ね1828年にパリのリヴォリ通に彼が開いた店には、香り豊かな化粧石鹸、香水や芳香塩（気付け薬＝眩暈や失神、吐き気を覚えた時の回復薬）といった製品が並ぶようになった。ゲランの芳香塩には、アンモニアにラヴェンダーの香りを加える技術が用いられたのがその成功の秘訣だった。1848年には、ゲランはパリの中心街ペ通りに店を構えるまでに成功し、皇帝妃御用達として、また、帝政のシンボルである蜂の意匠を用いた香水瓶といった独特のパッケージによって、性的不品行に結びつけられていた香水のイメージを鎮めたという（Morris 180）。このように香水は徐々に社会的に認められるようになり、1867年に開催されたパリ万国博覧会では、香水類と石鹸に化学と薬学とは別の独自の展示場が与えられた（Morris 180）。その威信と品質を象徴するブランドは、小さな町や村の店を巨大なインターナショナルな市場へと導いたのだが、より高価な香りが、ファッション界における必須の構成要素であったし、中身よりもさらに高額で優美な容器で提供されたことが重要だった。高価な香料が桁外れなレヴェルで市場を拡張したのには、三つの要因があった。まず、世界中のエキゾチックな花や植物の採集、次に、香料を抽出する新たなテクノロジー、最後に、合成香料を生み出すための科学の適用だ。

[5] 先にみたゲランの場合のように、香水は、市場が拡大したとはいえ未だ一

握りの特別なあなたのためのものだったのだが、このビューティ製品を、より多くの人びとにとって「手に入れられる贅沢（an affordable luxury）」にしたのは、20世紀初頭に登場したフランソワ・コティだった。ジョウンズによれば、19世紀の香料製造技術と20世紀初のフレグランス産業とは似ても似つかないものとなっていった。また､起業家たちによって変容したのは、香水の生産だけでなかった。ハーリー･プロテクターやウィリアム･リーヴァは石鹸産業を大量生産・大量市場の商品へと変容させ、コルゲートらは歯を清潔に保ち､吐息を爽やかにする歯磨という商品を生み出したし､ハンス･シュワルツコフは髪を清潔にするシャンプーを発明した（Jones 351)。

[6] リーヴァによるサンライト石鹸の広告戦略と英国の劇場文化との関係として、英国ミュージカル・コメディの中心であるロンドンのゲイェティ劇場でジョージ・エドワーズにより上演された*The Sunshine Girl*（1912年2月24日初演）をあげておく。サンライト石鹸の製品名を連想させるポート・サンライトという実在の英国の村を舞台にしたこのミュージカル・コメディを『タイムズ』紙の広告で知ったリーヴァは、販売促進・宣伝効果をねらい、戦略的に支援したという（Macqueen 114-15)。

[7] Jones "Globalization and Beauty" 911をみよ。

[8] 1920年代、米国のビューティ企業は、自らのブランド宣伝に当時激増した出版メディアを活用したのだが、なかでも『ヴォーグ』や『ハーパーズ・バザー』といった女性誌がその主要な媒介の役割を果たしたことも一言付け加えておこう。20年代はアメリカにおいてビューティ市場ブームが起こったのだが、その時期までには「清潔感漂う」体臭や外見が社会的重要性を担うという米国の文化的心理が確立され、石鹸会社は衛生のために製品を生産し続けて1927年に清潔研究所なるものを創設、企業同士が協力してアメリカの大衆に清潔さを保つことの重要性を説いた。たとえば、リーヴァ・ブラザーズのライフブイ石鹸の宣伝は、いかに「体臭（body odor)」がゆゆしき事態を私的・公的な場面でももたらすかという警告を発しているが、こうした概念は、リーヴァが発明し同社の製品が予防したものだった。その後､衛生は､ますます美しさと結びつけられるようになっていった。P&Gが始めた化粧石鹸キャメイは､「美しい女性のための石鹸」と宣伝され、歯磨きのブランドが、より白い歯と爽やかな息を生み出すことでその使用により大衆消費者をなす女性たちの魅力がますということが強調されるよ

うになった、それ以前に石鹸が衛生に関わるものから美に関わるものへと変容していったように（Jones 98-100）。

[9] もっとも、ハリウッドから恩恵を受けたのはマックス・ファクターだけではなかった。1925年リーヴァ・ブラザーズは、米国市場のために化粧石鹸ラックスを製造・販売しており、「手の届く贅沢（accessible luxury）」をブランド・コンセプトに、高級なフランスの化粧石鹸と同様のクオリティを保ちつつも価格ははるかに低く設定された。J・ウォルター・トンプソンがラックスのために始めた全国規模のキャンペーンは、ハリウッドの映画スターの100%がラックスを使っているというものだったが、1930年までには、米国において最も売れる化粧石鹸ブランドとなっていたのがラックスだった、という（Jones 103）。

[10] 文学や芸術を中心とした文化と大衆が対立し二極をなす西洋・西ヨーロッパの場合とは異なり、フォード生産体制による経済成長の政治経済と大衆の大量消費に特徴づけられる消費文化とが相互規定的な関係性によって構造化される20世紀米国は、モダナイゼーションとモダニズムを経験したのちに2次的に生み出されたヴィジュアル・イメージのテクノロジーによる「リアリズム」たとえばハリウッドのサイレント映画というメディアを通じて、階級だけでなくさまざまな移民や民族の多様性に彩られた工業化以降の米国の人びと・ピープルを新たな集団性——たとえば、均質・同質のアメリカ国民へと、あるいは、生産／消費する労働者——へと編制するが、同様の集団性を有する大衆の産出・編制がなされたという点では、旧ソ連の社会主義・共産主義にも同じことがいえる。と同時に、米国と旧ソ連の大衆表象には、その集団性の具体的イメージについて、類似性だけではなく差異性もあることを、Buck-Morssは付け加えている。ソヴィエト映画が“a prosthetic experience of collective power”を供給するのに対してハリウッド映画が生産するのは、以下のような、“a prosthetic experience of collective desire”である。

> The star, quintessentially female, was a sublime and simulated corporeality. Close-ups of parts of her body—mouth, eyes, legs, heaving breast—filled the screen in monstrous proportions. She was an awesome aesthetic spectacle…surrounded by the symbolic clutter of the objects of

conspicuous consumption. The Hollywood star, with a new, nonethnic name, with rhinoplastic surgery on the nose and orthodontic surgery on the teeth, fulfilled her mass function by obliterating the idiosyncratic irregularities of the natural body. (Buck-Morss 148)

ここにみられるのは、新たな大衆の記号それも基本的に女性によってあらわされさらに映画や広告のメディアにおいて「スター」すなわち「セックスへの欲望」と「消費の快楽」に「個人化」されたフィギュア、つまりは、労働する大衆の消費に向けて、金太郎飴のように陳腐に標準化された女性美のイメージとも、いえるかもしれない。

[11] こうしたサロンは、建築や内装の装飾を活用し、独自のイメージを打ち出したのであるが、たとえば、ゲランは「クラシカル」だが、アール・デコ建築を用いたコティやロジェ・ガレの場合もあった、という（Jones 115-16）。

[12] アーデン同様、当時の社会ダーウィン主義や優生学といった歴史的コンテクストにおいて、皮膚科学とマーケティングの知識をもとに「自然な美」の「哲学」をプロモートし彼女の最大の競争相手となったルビンスタインは、ポーランドのクラクフのユダヤ人ゲットー出身だが、当時大英帝国の一部をなすオーストラリアへの移住、メルボルンで世界初ともいわれることのあるビューティ・サロンを開設し、科学的スキンケアという発想のもと顧客それぞれの肌質にカスタマイズしたサーヴィスをおこなった。その後、ロンドン・パリ・そしてニューヨークへ進出するが、Berryが取り上げる以下の2点に、とりあえず、注目しておきたい。第1に、アメリカの恋人メアリー・ピックフォードやリリアン・ギッシュといった女優が具現した幼児的な美のイメージに挑戦することになった妖婦（vamp）セダ・バラのためにデザインされたオリエント風のアイ・メイクアップの紹介を経てフラッパーや「イット・ガール」といったアメリカ版モダン・ガールのアイコン、クララ・ボウのパッチリした大きい目とぷっくりした紅い唇のモダンな美のイメージの歴史において、ハリウッド映画と連携した、ルビンスタインによる米国各地でのビューティ・サロンのチェーン展開がはたした役割。第2に、ココ・シャネルが日焼け製品を導入した1929年、Valaze Gypsy Tan Foundationの販売をはじめたこと、つまり、白以外の肌の色の受け入れを商業主義と商品

化のレヴェルにおいて開始しはじめた化粧品製造企業の変容をこの販売は印しづけている（Berry 113; 117）。

20世紀半ばに流通したアーデンとルビンスタイン二人のライヴァル関係について、Woodheadが詳説している。そこでは、化粧品産業を論じるにあたって、20世紀のモダンな女性たち・女子たちが異性を誘惑するあるいはハンティングするために魅惑的な美しさを作り出すメイクアップ、すなわち、そうした戦闘用の化粧（もともとはネイティヴ・アメリカンの慣習であった出陣化粧を文化的にアダプテーションして取り込んだもの）をあらわす"war paint"がタイトルになっている。

[13] 未だ実現されざる未来をいまここに予示するアーデンの「ヘルシー・ボディ文化」のユートピア性と表裏一体のイデオロギー性については、英国のラマルク主義的修正を受けたダーウィン主義が20世紀米国に移植され勃興することになったニュー・リベラリズム、とりわけ、さまざまな社会的差異を使用して個人・人口・公共圏をコントロールする"bio-power"や"state racism"を、ドロシア・ラングのドキュメンタリー写真『移動農民の母』（1936年）をはじめとするいくつかのテクストを取り上げながら論じたSeilerもみよ。

[14] ポンズやユニリーヴァのような大衆市場向けのクリームやトイレタリー商品を扱う企業は、その輸出や製造ラインをアジアの一部や中南米に拡張していた。また、フランスの香水会社コティは、第一次世界大戦勃発10年前に米国でのビジネス拡張を狙っており、化粧品やフェイス・パウダーのような商品の方が香水よりも可能性があるとみなし、その方向でビジネスを立ち上げたが、1920年代にコティが実践したような高級ブランドのローカル化は、ブランド・イメージを弱め、ときには窮地に追い込まれることもあった。コティの米国での商売は大恐慌の勃発に際し、大失敗の憂き目にあった。21世紀になって、コティは中国に進出しようとしたが、ここでも撤退を余儀なくされているようだ（Jones "Globalization and Beauty" 895-97; 909）。

[15] 女性起業家としての顔をもつ彼女は、また、カーサ・ゼタ=ジョウンズという家庭用インテリア商品のビジネスを2017年に立ち上げた。同年、芸術で将来キャリアを目指そうとするアフリカの子どもたちを支援するドラマティック・ニードに救済資金を募るためにロイヤル・コート劇場でダニー・

ボイルによる演出で上演され多くのセレブ俳優が参加した独白劇『子どもたちのモノローグ』では、数学に傾倒する少女の独白を演じたという経験もある（Scheck)。

［16］Jones “Globalization and Beauty” 904-8をみよ。

［17］後期資本主義のハイパー商品化とポストモダニズム文化を、旧来の“the beautiful” や“the sublime”にとって代わった“the zany”・“the cute”・“the interesting” というわれわれの日常生活あるいはライフとワークにおいて経験する新たな審美的範疇によって、論じた例としてNgaiがある。また、宝塚歌劇団の冷戦期とポスト冷戦期の少女文化によって移植・翻訳されたシェイクスピアのアダプテーションを取り上げ、“the cute”の表象を解釈したOhtani “Juliet's Girlfriends”も参照されたい。

Works Cited

Berry, Sarah. “Hollywood Exoticism: Cosmetics and Color in the 1930s.” *Hollywood Goes Shopping*. Ed. D. Dresser and G. S. Jowett. Minneapolis, MN: U of Minnesota P, 2000. 108-38.

Buck-Morss, Susan. *Dreamworld and Catastrophe: The Passing of Mass Utopia in East and West*. Cambridge, Mass.: MIT, 2000.

Green, Abigail. “Prophetic Chronoscape.” *London Review of Books* 42. 6 (19 March 2020). Web. 18 May 2020.

Jones, Geoffrey. *Beauty Imagined: A History of the Global Beauty Industry*. Oxford: Oxford UP, 2010.

---.“Globalization and Beauty: A Historical and Firm Perspective.” *EURAMERICA* 41.4 (2011): 885-916.

Macqueen, Adam. *The King of Sunlight: How William Lever Cleaned up the World.* 2004. London: Corgi, 2005.

Morris, Edwin T. *Fragrance: The Story of Perfume from Cleopatra to Chanel.* New York: Charles Scribner's Sons, 1984.

Ngai, Sianne. *Our Aesthetic Categories: Zany, Cute, Interesting*. Cambridge, Mass.: Harvard UP, 2012.

Ohtani, Tomoko. "Juliet's Girlfriends: The Takarazuka Revue Company and the *Shôjo* Culture." *Performing Shakespeare in Japan*. Ed. Ian Carruthers, et.al. Cambridge: Cambridge UP, 2001. 159-71.

Peiss, Kathy. "Making Faces: The Cosmetic Industry and the Cultural Construction of Gender, 1890-1930." *Genders* 7 (1990): 143-69.

Scheck, Frank. "Critic's Notebook: An All-Star Cast Performs 'The Children's Monologues' at Carnegie Hall." *Hollywood Reporter* 14th Nov. 2017. Web. 4 Apr. 2020.

Schiller, Gail. "Top 10 Ad Deals." *Ad Week* 24 April 2006. Web. 4 Apr. 2020.

Seiler, Cotton. "The Origins of White Care." *Social Text* 142 (March 2020): 17-38.

Sutton, Denise H. *Globalizing Ideal Beauty: Women, Advertising, and the Power of Marketing*. New York: Palgrave Macmillan, 2009.

Weaver, Hilary. "Catherine Zeta-Jones Lives in a Personal Old Hollywood Fantasy". *Vanity Fair* Sep. 2017. Web. 4 Apr. 2020.

Wood, Ghislaine, ed. *Art Deco by the Sea*. Norwich: Sainsbury Centre for Visual Art, 2020.

Woodhead, Lindy. *War Paint: Elizabeth Arden and Helena Rubinstein: Their Lives, Their Times, Their Rivalry*. London: Virago, 2003.

井野瀬久美恵『大英帝国という経験』講談社、2017年。

大谷伴子「戦間期英国演劇と『郊外家庭劇』――ドゥディ・スミスとはだれだったのか？」*Kyoritsu Review* 47(2019): 1-35.

齋藤一「文学とアール・デコ――雑誌『ホライズン』とH・E・ベイツ「橋」を中心に」『ヴァージニア・ウルフ研究』36(2019): 140-53.

第8章

人びとの夢の世界を阻むもの、あるいは、21世紀のアール・デコ論のために
――大衆ユートピアの夢とフェミニズム

松永 典子

1. はじめに

2020年、ベストセラー作家によるソーシャルネットワークでの投稿が人びとの困惑を引き起こした。「〈月経のある人。〉そういう人に対する言葉がかつて存在していましたよね。誰か教えてくれませんか。ウンベン（Wumben）？　ウィンパン（Wimpund）？　ウーマッド（Woomud）？」（@jk_rowling）。Twitterに、このような投稿をしたのは、*Harry Potter*で知られる英国作家J. K. ローリング（J. K. Rowling）である。Womanを模した造語を用いて、月経のないトランス女性を女と呼ぶことを揶揄した、彼女の投稿は議論を巻き起こし、映画版ハリー・ポッター・シリーズの主役を演じた若手人気俳優を筆頭に、複数の著名人から反論が出されるなど注目を集めた。

ローリングのツイートはトランス女性を「女」の概念から排除するという点において明らかに差別発言である。ローリングのようにトランスジェンダーを女の概念から排除する人たちは、TERF（Trans-Exclusionary Radical Feminist;トランスジェンダー排除的ラディカル・フェミニスト）という言葉でしばしば説明される。たとえば、オクスフォード大学の学生新聞の記事タイトルに“J. K. Rowling and the ‘TERF Wars’”（Macilraith）とあるように、ローリングはそうしたTERFのひとりとみなされている。

ローリングは排他的な言説をする一方、包摂的な発言もしている。2008年のハーバード大学卒業式での講演には、彼女のそうした発言が凝

縮されている。大学卒業後、アムネスティのロンドン事務所で政治難民支援に従事していた彼女は、レイプ・拷問・恐怖など難民たちへの暴力を知り、それ以来、文字通り「悪夢をたびたび見るようになった」(Rowling, “The Fringe”)。そんな彼女が悪夢を克服できたのは、アムネスティにいた「人びとの善意（human goodness)」を知ったからである。彼女はその善意を想像力と呼び、その力は「集団の行動をもたらしながら、人の命を助け、囚われ人を解放する人間の共感する力（empathy)」(Rowling, “The Fringe”)だと説明する。そして、その力は誰にでも備わっているものだが、アムネスティの人びとのようにその力を発揮する者もいるが、まったく使わない者もいる。ローリングは、「そんな風に暮らすことができる人をうらやましく思いたくなりますが、少なくとも彼らは私が見た悪夢をみていないとは思えません」(Rowling, “The Fringe”) とも述べる。想像力も悪夢も個人のものではなく、不安定な時代に生きる私たちの誰しもが、持っているものであり、見ているものであると、彼女は述べる。

本論が試みるのは、ローリング個人の発言の意味を分析することではなく、彼女のようにTERFと呼ばれるフェミニスト女性が記述する悪夢や想像力を今日のフェミニズムの文脈に位置づけることである。それによって、本論が明らかにしようとするのは、第1部で論じたアール・デコという概念のフェミニズムの文脈における可能性を追求することである。トランスジェンダー排除をめぐる議論は、人気作家や人気俳優を中心に報道され、アカデミアにおけるジェンダー研究者にはあたかも無縁の出来事のように思われるが、第1部の第2章で言及した英国の歴史研究者セリーナ・トッド（Selina Todd）がTERFとして批判されるように、その認識は正確とは言えない。したがって、本論では、まず、冒頭で言及したローリングの「悪夢」を1990年代後半から現在にいたるフェミニズムの文脈に位置づけた後に、大衆ユートピアという20世紀の人びとの夢の系譜をジェンダーの観点から考察する。そのうえで、英国における女たちの経験を記述するトッドの著作の分析をとおして、21世紀におけるジェンダー問題を考察する概念としてのアール・デコの可能性を探る。

2. ポストフェミニズムとは何だったのか

1990年代のフェミニズム研究は、第二波フェミニズムと呼ばれる前の世代の成果の見直しであった。アンジェラ・マクロビー（Angela McRobbie）によると、そうしたフェミニスト研究者は、ポストコロニアル批評の立場（Gayatri Spivak、Trinh T. Minh-ha、Chandra Mohantyら）とポスト構造主義的アプローチ（Judith Butler、Donna Harawayら）とに分類可能だが、両者ともにミシェル・フーコー（Michel Foucault）の影響を受け、家父長制・国家・法といった集中的権力よりも、言説などの分散された権力に関心を持っていた。この傾向が典型的に表れるバトラーの『ジェンダー・トラブル（*Gender Trouble*）』は（McRobbie, *Aftermath* 13）、竹村和子がまとめるように、首尾一貫したアイデンティティの論理に対して疑義を申し立て、セクシュアリティやセックスがジェンダーを決定するという因果律の転倒を主張し、フェミニスト研究における性・身体への関心をもたらした（291）。この関心は、アカデミズムにおいては、女とは誰なのかという主体への問いを高め、第二波が想定した主婦を中心とした女性表象を問い直し、フェミニズム研究を洗練させた。同時に、家庭内暴力・同一賃金・職場でのハラスメントなどを女性誌が言及することによって、フェミニズムはポピュラーなカルチャーとして受け入れられていった（McRobbie, *Aftermath* 13-14）。つまり1990年代から2010年代前半のフェミニズムの議論は、アカデミズムにおいては疑義が呈され、ポピュラーな空間においては喧伝されるというねじれの状態にあった。

このようなフェミニズムのねじれ現象はポストフェミニズムと呼ばれ、分断という特徴を持つとされる。ポストフェミニズム研究で言及されることの多い前述のマクロビーの著作『フェミニズムの余波（*The Aftermath of Feminism*）』によると、1970年代、1980年代のウーマンリブの担い手とその後の世代をそれぞれ異なる世代として語られることによって両者が分断された。「フェミニズムという名の恐ろしい亡霊がどこからともなく現れた。それは、今日を生きる若年女性たちにとっては骨の髄から震え上がってしまう怪物のように醜い生き物」（1）となって、女たちの間に分断をもたらした（26）。これによって第二波フェミニズムの思想やその世代の担い手は、その成果にもかかわらず、世代としても地域としても、他のフェミニストから異質なものとして「断絶（disarticulation）」された。ポストフェミニズムというのは、この「断絶」を指す。つまり、ポストフェミニズムとは、フェミニズムは広く普及されたので、もはや必要ではないという仮定のもとに、フェミニズムを基盤とする思想には価値がないと否定し、そうした基盤があることすら考えられない状態である（McRobbie, *Aftermath* 26）。マクロビーは、この状況を二重の混乱（double entanglement）という言葉で説明する（McRobbie, "Mothers and Fathers" 129）。米国のギルもマクロビーを引用し「フェミニズムはあらゆるところで……「受け入れられる」が、「否定される」」（Gill, "The Affective" 607）と同様の見解を示す。

多くのポストフェミニズム研究者が共通して指摘するのは、フェミニズムへの新自由主義の影響である。新自由主義とは元来、政治および経済の用語である。「新自由主義とは、確固たる個人の所有権、自由市場、自由貿易などによって、特徴づけられるような制度上の枠組みにおいて、個人の起業の自由およびスキルを解放することによって、個人の幸福がもっとも促進されるということを提案する政治的経済的実践である」。左記の定義を記したデイヴィッド・ハーヴェイ（David Harvey）によると、新自由主義における国家の役割とは、金銭価値の保証のみに限定される。市場経済による幸福の実現を前提とする国家において、国家の存在理由は、軍事、防衛、警察などの司法による機構によって個人の所有を保護することと、市場経済が存在しない分野（土地、水、教育、健康保険、社会保障、環境など）である社会基盤においては、「必要に応じて」国家権力を発動させて、市場をつくり出すことである。自由市場の保護と新たな市場開拓以外に、国家は市場に介入してはならない。資本主義の論理および私企業化の拡大、公共性の変質、社会における連帯の喪失などを特質とする、新自由主義的実践や思考は、1970年代から台頭していた、とハーヴェイは説明する（Harvey 2-4）。

重なりながらも英米のポストフェミニズム現象には違いもある。ポストフェミニズム表象の代表例としてよく言及されるのは、米国フェイスブック社のCOOのシェリル・サンドバーグ（Sheryl Sandberg）の『リーン・イン（*Lean In*）』（2013）である。本書の元となった2011年のオンライン・メディアの動画無料配信TED Talkの講義から一貫して、彼女は、「夫を本当のパートナーに変えよう」、「本当に辞めないといけなくなる前に辞めるのは止めよう」と呼びかけ、女性リーダーとなるにはマインドからの行動変容が重要だと訴える。そうした訴えは、米国のみならず、職場におけるジェンダー不平等が残る英国でも受け入れられた。[1] リーン・インしよう――職場に留まりつづけよう、前向きになろう、前進しつづけよう、――というサンドバーグの呼びかけは、ある種のフェミニズムの勧誘の言葉ではある。しかし、イギリスのジャーナリストのドーン・フォスター（Dawn Foster）が『リーン・アウト（*Lean Out*）』（2015）で指摘するように、サンドバーグの主張には、育休やセーフティーネット、ましてや組合活動などの女性集団の権利を擁護するのでもない。サンドバーグのフェミニズムとは「会社が望む最良の労働者になれ」（Foster 57）という「企業フェミニズム」（Foster 11）である。

米国のポストフェミニズムのもう一つの特徴は、個人の成功に力点が置かれていることである。シェリー・バジェオン（Shelly Budgeon）は次のように説明する。「フェミニズムが受け入れられると同時に罵られるという根本的な矛盾した状態」であるため、ポストフェミニズム言説においては、「平等が達成されたことを自明視することによって、女の達成に焦点」が置かれる。それゆえ「ライフ・スタイルや消費という選択を言祝ぐといったことに典型的に表されるような、個人としての自己定義および私人としての自己表現などのプロジェクトに着手することを、女たちに奨励する」（281）。言うなれば、ポストフェミニズムは、経済的主体としての自立の促進という看板を下ろさない。個別の成果主義が女たちの分断をもたらしている。つまり、ポストフェミニズムは、社会的な力（フェミニズム）に頼らず個人の能力によって経済的主体となることこそを唯一絶対の目標とする考え方である。[2]

『リーン・イン』に見られるようなエンパワメントはまた、2010年代以降に続くポピュラー・フェミニズムを徴候的に示している。ポピュラー・フェミニズムとは、2010年代以降のフェミニズムの新たな現象を名づけたサラ・バネット＝ワイザー（Sarah Banet-Weiser）の用語である。ポピュラー・フェミニズムは、フェミニズムを否定せず、今日的問題として積極的に女たちのエンパワメントを促進する。エンパワメントのムーブメントとして知られる#MeToo運動がその代表例である。2017年のハリウッドの映画プロデューサーの告発によって世界的に知られる同運動は、ソーシャルメディア上での情報拡散機能ハッシュタグ（#）を利用して米国などで大きなムーブメントとなった。[3] ポピュラー・フェミニズムは、フェミニズム的思想を積極的に称揚する点において、ジェンダー不平等を過去の遺物と位置づけるポストフェミニズムとは異なる。しかし、エンパワーする相手を、個人（しかも著名人や成功した女性）に限定している点において、2010年代のポピュラー・フェミニズムも、マクロビーのいう「二重の混乱」状態を継続していると言える。

これに対して、イギリスのポストフェミニズムの特徴はトランスジェンダー排除にある。ソフィー・ルイス（Sophie Lewis）によると、TERF問題は、英米ともに存在しているが、米国における反トランスジェンダーを標榜するのは、福音派（evangelical）と呼ばれる宗教右派であるのに対して、英国においては、フェミニストと名乗る者もしくはフェミニスト的な発言をおこなっている者がトランスジェンダー排除をおこなっているところに特徴がある。[4] 本章冒頭のローリングの悪夢も、以上のようなトランス排除とポピュラー・フェミニズム現象とともに説明が可能である。SNS上の投稿が批判された後に、ローリングは、自身の家庭内暴力の被害経験を語り、「私と同じような物語（histories）を抱え、単一の性だけの空間が重要だといって頑固者と中傷されつづけている数多くの女性たちとの連帯」(Rowling, "J. K. Rowling Writes about Her Reasons for Speaking Out on Sex and Gender Issues")の気持ちから発言したと釈明する。女の安全というフェミニスト的な発言をおこないながら、彼女の考える女の連帯には、トランス女性は迎え入れられない。つまり、彼女は、生物学的女性の連帯を求めるという意味ではフェミニズム的思想を称揚するが、性を理由に差別を受けている存在であっても、トランス女性との連帯は生物学的に異なるカテゴリーであるという理由で拒絶する。このようにローリングの主張にもポストフェミニズム的否定と肯定が見られるのだが、重要な点は、米国のサンドバーグと異なり、個人の能力の称揚が全面に押し出されず「連帯」という社会主義的な言葉が用いられることである。フェミニズムの根拠としての生物学的な性や身体に対して疑義を投げかけたポスト構造主義的フェミニズムを、ローリングは否定している。また有色人種への共感を示していても、ポストコロニアル批評とも接点をもたない。いわば、1990年代以降のフェミニズムを彼女は否定している。

新自由主義の影響下に生きる女たちは、個人の成功という夢のもとに分断され、フェミニズムという共通思想を喪失している。このように、21世紀のフェミニズムの動向を整理したうえで、世界金融危機の直中の2008年の本論冒頭の講演を振り返り、ローリングを位置づけるならば、女たちの利益に関心を持ち、共感や想像力を呼びかけるという意味では、ある意味では集団的であるともいえるとしても、トランスジェンダー排除を主張する彼女は、イギリスのポピュラー・フェミニズムを体現していると考えられることができるだろう。これを換言するならば、新自由主義的な文化としてトランスジェンダー排除言説が登場したのであり、彼女たちの成功の夢は新自由主義的文化の産物なのである。したがってローリングが言及する悪夢や想像力も新自由主義下における女たちの状況（ポストフェミニズム）の文脈で理解されるべきだと言えるが、それが、彼女一人のものではなかったことを次節で明らかにする。

3. 女たちの大衆ユートピアの夢
——サフィック・モダニティ再考

夢という個人的経験を、スーザン・バック＝モース（Susan Buck-Morss）は、『夢の世界とカタストロフィー——東西における大衆ユートピアの消滅（*Dreamworld and Catastrophe: The Passing of Mass Utopia in East and West*）』

(2000) において、20世紀の集団の経験として考えることを提唱している。まず大衆 (masses) とは、その前身の用語である暴徒 (mob) とは異なる。暴徒が「公共空間を占拠して、公共秩序を不安定化する制御しがたい群衆 (crowd)」であったのに対して、大衆は、19世紀の工業化と都市化によって、恒久的な存在である。この人びとは、19世紀の国民国家にとって徴兵制によって大衆軍隊となっただけでなく、20世紀には大衆社会という名の集団を形成した (Buck-Morss 134)[5]。

このような大衆社会を可能にしたのが、二つのテクノロジーの力である。第一に、大衆のユートピアを可能にしたのは、近代メディアである。メディアは時に大衆操作の手段ともなり得るが、集団の共通意識を形成する。この時、重要となるのは、思想や情報を伝達するロゴスだが、その伝達だけでは大衆は存在できない。大勢の人びとに、共通の経験をそれと認識させるための瞬間的仕掛けが——政党新聞、プラカード、垂れ幕、ポスター、それを彩るグラフィック・デザインなどが——必要である。そうした仕掛けが「大衆に革命的なアイデンティティ」を与えるのである (Buck-Morss 134)。これらとともに、ラジオ、写真、映像、映画、そして20世紀後半にはテレビなどの第二のテクノロジーである新媒体が、物理的な人びとの存在を可視化する。両者は——たとえば映像というだけでなく映画館は、マニフェストというだけでなくパンフレットやポスターは——人びとに同時に視覚的に情報を届けるという意味で、身体性に訴える伝達手段であった。こうしたメディア・テクノロジーが大勢の人びとに同時に情報を身体的に知覚させることによって、20世紀の大衆社会は形成されたのである。

新しいテクノロジーはまた、異質な要素をそれぞれに抱える大衆に同じ夢を見るという「夢の世界 (dreamworld)」を提供した。「夢の世界」とはウォルター・ベンヤミン (Walter Benjamin) の用語で、資本主義的な近代を「再魔術化」の過程を考察するための分析概念である。近代には伝統的な文化が壊されるかもしれないという不安がつねに存在する。ベンヤミンは「夢の世界」という言葉を用いることによって、そうした不安を、未来はきっとよくなるはずというプラス思考を可能にするものとして肯定的に示した。いわば、この言葉は、近代生活に内在するはかなさとともに、夢が個だけでなく集団の精神状態にもなり得ることも前提としている。こうしたベンヤミンの論を踏まえて、バック＝モースは、「前近代文化における神話が、社会的制約が必要であるとの理由から伝統を強化したのに対して、近代の――政治的、文化的、そして経済的な――夢の世界は、現存する形態を超えた社会的調整を求めるユートピア的な欲望の表現」だと理解する（Buck-Morss x-xi)。大量生産大量消費を基盤とした夢の世界は、資本主義国にのみ形成されたのではなく、ソ連にも工場システム（Taylorism）という資本主義的と思われている生産様式が導入されたように、社会主義国にも等しく形成された。空間的時間的に分断されていると考えられてきた社会主義と資本主義という二つのイデオロギーは、対立的ではなく、民主主義的であるという意味では、同根なのである。

その一方で、夢の世界は破壊的なものともなり得る。

> 夢の世界の巨大なエネルギーが権力の機構によって道具として使用され、そこから恩恵をうけると思われていた大衆に対する力の道具として動員されるとき、それ〔夢の世界〕は危険なものになる。そして、実際、人びとをもっとも鼓舞した大衆ユートピアのプロジェクト ―― 大衆主権、大量生産、大衆文化 ―― は、その跡に惨憺たる歴史を残したのである。大衆主権の夢は、ナショナリズムの世界戦争と革命テロをもたらした。産業的な豊かさの夢は、人間の労働と自然環境の双方を食い物にするグローバル・システムの建設を可能にした。大衆のための文化という夢は、近代の暴力を審美化し、その犠牲者を無感覚にする一連の幻影効果をつくり出した（Buck-Morss x-xi)。

近代の夢の世界は、多数の人びとに同じ夢を見させることだけでなく、大したつながりのない人びとを一同に大戦や革命テロというカタストロフィの主体となることをも可能にした。いわば、東西の大衆ユートピアの夢は、政治的、経済的権力の集合体——世界戦争、大規模のテロ、労働搾取と共存していたことを意味するのである。

そうした夢の世界に、ジェンダーは無関係ではなかった。具体例豊富に示される同書で注目すべきは、バック＝モースが対比的に示す下記の二つの図版である。【図１】の米国テキサスの石油精製会社の1934年の広告で、ホワイトカラーと思しき男が見下ろしているのは工場である。オフィスらしき空間で彼の手が置かれているのは、情報伝達テクノロジーである電話機である。米国の電話会社AT & Tの当時の広告を繰り返せば、電話機とは「個人の能力を〈倍増〉して、遠方からでも指揮権を発動させて、管理力を高めてくれる」機械でもある（Buck-Morsse 190)。そうした新テクノロジーを手にして、工場を見下ろす彼の動作が示唆するのは、工場管理もしくは経営の成功を彼が夢見ているらしいことである。そして、ロシアの新聞のイラストに描かれた【図２】の男の視線の先にもまた工場がある。「私の工場」と見出しの付いた、この絵の彼は、スーツ姿の資本家ではなく腕まくりする労働者である。このイラストでバック＝モースが注目する植木鉢は、「アヴァンギャルド的な審美性を拒絶して花やレースのカーテンには寛容であった社会主義リアリストにとってすら、

【図１】（左）「ガルフ石油精製会社の広告」（1934）
【図２】（右）「1930年代の「私の工場」という見出しのマグニトゴルスキの新聞のイラスト」（Buck-Morss 191）

プチブルの退廃の典型的なシンボル」だった（Buck-Morsse 190）。バック＝モースが指摘するように、二つの図がともに示しているのは、一方が私有財産の称揚であり、他方は個人の家の否定という違いはあっても、異性愛主義的男性稼ぎ手モデルである。

とはいえ、東西対立を脱構築するかに見えるバック＝モースの枠組みの限界も、【図２】は示している。バック＝モースは植木鉢を「西洋人の目には完全に無害に見えるモノ」と位置づけるが、イギリスの人びとにとってはそうではない。たとえばジョージ・オーウェル（George Orwell）の小説『葉蘭をそよがせよ（*Keep the Aspidistra Flying*）』（1936）に中産階級の家庭生活の象徴として葉蘭が描かれたように、20世紀のイギリス人にとって観葉植物は階級の象徴であった[6]。いわば、バック＝モースが想定する資本主義と社会主義の世界の枠組みは、東西の二つの大国のみを想定し、イギリスの文化的歴史的文脈が除外されているのである。

大衆ユートピアは、ソ連と米国だけのものでも、男たちだけのものでも、なかった。1930年代の東西の男たちがともに電話や観葉植物をとおして夢を見ていたように、同時代のイギリスの女たちも、また、夢を見ていたのだから。彼女たちの夢を後押ししたのが、「ペーパーバック革命」である。キアラ・ブリガンティ（Chiara Briganti）とキャシー・メゼイ（Kathy Mezei）によると、安価なペーパーバックや再版の実現によって、女性小説の出版や流通が後押しされた（2）。たとえば、1938年に出版されたペンギン・ブック社のペーパーバックの小説のうち3分の1が人気女性小説家の作品であったため、新しい読者層の登場は大衆的かつ女性的現象とみなされていた。ミドルブラウと呼ばれる新しい読者は、作家たちが描く世界を想像することで、自分たちの夢の世界を膨らませていった[7]。「数多くの女性建築家の関心が住宅のデザインに向かい、行楽地や子ども部屋をつくるだけでなく、モダン（modernist）かつ「社会的」な建築の伝統の発展に貢献するようになるにつれ、数多くの戦間期の女性作家たちは急速に、ニコラ・ハンブル（Nicola Humble）が〈家を想像する〉と呼ぶ行為に夢中になるようになった」。「イングランドの田園（pastoral）は小説や詩において重要ではありつづけたが、モダニティ・帝都・家は

——それらが田舎にせよ都会にせよ——田園に代わって、新たに立ち現れた女性の場」となった（Briganti and Mezei 4）。いわば、女性読者は、想像上のイングランドの空間を拡大させながら、自分たちの空間を拡大させたのである。

ミドルブラウ女性読者だけでなく、ハイブラウな女たちも、女の夢を構築していたことを指摘したのは、sapphic modernismと呼ばれる一連の研究である。1980年代初頭にはケイト・ミレット（Kate Millett）の『性の政治学（*Sexual Politics*）』（1970）に続いて、ジェイムズ・ジョイス（James Joyce）やD・H・ロレンス（D. H. Lawrence）ら男性作家とともにヴァージニア・ウルフ（Virginia Woolf）やH. D.などの女性作家に関する研究書が複数出版されているが、シャリ・ベンストック（Shari Benstock）の『左岸の女たち（*Women of the Left Bank*）』（1986）は、女性同士の関係性をsapphismとして提唱した。彼女の研究のポイントは、モダニズムのアヴァンギャルドが、たんに男性支配的なムーブメントであっただけでなく、アーティスト、編集者、知識人など数多くの女たちが含まれており、彼女たちもまた近代化のプロジェクトの一員であったこと、また、彼女たちがそのプロジェクトを形成していたことを明らかにしたことである（Rado 5）。ベンストックは、レズビアン言説として禁止され、それゆえ「忘れられ」た作家たちを「救助した」（Rado 5）[8]。モダニズム再考の鍵概念としてベンストックが用いるサフィック（sapphic）とは「同性愛の」を意味する形容詞であり、彼女が取りあげる女性作家たちも（ウルフ、ラドクリフ・ホール（Radclyffe Hall）、ヴィタ・サックビル＝ウェスト（Vita Sackville-West）、ジューナ・バーンズ（Djuna Barnes）、ナタリー・バーニー（Natalie Barney））何らかの形で女性同性愛的傾向がある。ただし、「真面目と冗談」、「想像力とアイデンティティ」、「修辞学とバラ」というベンストックの論文の節タイトルが示すように、彼女の議論は、実のところ、セクシュアリティというよりも文学中心であった、ことに注意しておこう。一方、文学の範疇にとどまらず、サフィズムを文化へと拡張させたのが、ローラ・ドーン（Laura Doan）とジェイン・ギャリティ（Jane Garrity）編纂の論集『サフィック・モダニティーズ——セクシュアリティ、女、ナショナルな文化（*Sapphic Modernities: Sexuality, Women and National Culture*）』（2006）である。論集の一章を執筆するブリジット・エリオット（Bridget Elliott）が二人の女性室内装飾デザイナーを「サフィック・モダニズム」の例として論じるように、アヴァンギャルドなモダニズムと対照的に、「様式として不純、表層的で商業に汚染されている」と見なされてきたアール・デコは、女性デザイナーたちにとってはハイブリッドの実践であった（第1部菊池論文）。文学だけでなく、文化においても、女たちは自分たちの夢を実践していたのである。

ただし、これらのサフィック・モダニズムという枠組みでおこなうモダニズム文学・文化の再考プロジェクトは、モダニズムと同時期のファシズムという大衆的な現象と同時代の文学者たちとの関係の把握を阻むものでもある。この点を示唆するのが、ドーンとギャリティが先行研究として取りあげながらも議論を深めることがなかった、エレン・G・カールストン（Erin G. Carlston）の研究である[9]。カールストンが『ファシズムを考える——サフィック・モダニズムとファシスト・モダニティ（*Thinking Fascism: Sapphic Modernism and Fascist Modernity*）』（1998）で注目するのは、ファシズムに対する女たちのさまざまな振る舞いである。カールストンが追求するのは、「ファシズム言説が同時代の非ファシスト的および反ファシスト的言説と同じ言語を共有していたこと」であり、さらには「もっとも厳格な反ファシスト的批判においてさえも〔ファシスト的な〕言葉や方法を提供していたこと」である（5）。彼女は、『三ギニー（*Three Guineas*）』（1938）を書いたヴァージニア・ウルフのようにファシズムを否定する作家だけでなく、マルグリット・ユルスナー（Marguerite Yourcenar）のようにイタリアのファシズムを論じる作家も、近代の一部として分析する。両者の政治的見解は異なっていたとしても、明らかな批判も保守的な態度もファシズムというモダニティへの反応だというのがカールストンの考えである。彼女は、ファシズムをドイツのナチ政権のような一国もしくは限定的な現象とみなさず、「多様でしなやかな（flexible）」性質ゆえに、「ファシズムによる近代化（fascist modernity）」が1920年代、30年代の人びとに与えた影響は複雑かつ多岐にわたっていたと考える（Carlston 9-11）。

おそらくカールストンのサフィズム論でもっとも注目すべきは、批評としてサフィズムを理解しようとするところである。

> ベンストックは「サフィック・モダニズムとは、社会的文化的構成物における決裂（rupture）の瞬間に構成される」（Benstock 115）と記した。私の理解では、それは、そうした「亀裂（rupture）の瞬間」に書き手が注意を払う時に、その書き手のサフィズムが表れるものである。だとすると、「サフィズム」とは、有機的なアイデンティティや伝記的なテキストの中に存在するのではなく、審美的かつ政治的なもののなかに、また、審美的かつ政治的なものとして存在する、セクシュアリティに対する過敏状態（hypersensitivity）であろう。（Carlston 6）

サフィック・モダニズムを、ベンストックが社会的文化的逸脱において生まれると考えるのに対して、カールストンは、逸脱というよりも違和感の瞬間だと考える。カールストンの考えでは、サフィズムの亀裂の瞬間とは書き手が注意を払う行為であるので、書き手の属性は相対的に重要ではなくなる。それゆえ彼女にとってのサフィズムにおいては、政治性と審美性は分断されず、むしろ両者の概念を知覚する感覚こそがサフィック・モダニズムの実現を可能にするものである。書き手のジェンダーやセクシュアリティすらも否定しかねない批評的読みが、カールストンの提唱するサフィズムなのである。

『三ギニー』を反ファシズム批評として位置づけるカールストンの研究が間接的に示唆するのは、サフィック・モダニズムにおける欠落である。ベンストックが女性文学を論じ、エリオットらが文学から文化へと拡張したサフィック・モダニズムは、ともにジェンダーという点においてはモダンの概念を拡大することに成功していても、階級・ファシズム・批評が射程に入っていないために、論じる対象に限界があるということを、カールストンの研究は示唆している。実際、『サフィック・モダニティーズ』

の編者も認めているように、サフィックなモダンを経験することができたのは「白人ミドルクラスもしくはアッパーミドルクラスのレズビアン」(Doan and Garrity 8) だけだった。

以上のように、20世紀のテクノロジーとともに育まれた大衆たちの夢は、米ソだけでなくイデオロギーやジェンダーを問わず、人びとに共有される可能性を秘めたものであった。英文学の研究者たちが論じてきたサフィズムとは、20世紀初頭のイギリスの女たちの夢を考察した研究であり、21世紀におけるポピュラー・フェミニズムは、このような大衆ユートピアの夢の系譜に位置づけることが可能なのである。大衆とサフィズムという研究が示唆しているのは、大衆のユートピアが失敗に終わる理由が、戦争やテロだけでなく、階級でもあることだ。そのことをイギリスの女たちの夢は示している。この20世紀の女たちの課題を、ジェンダーだけでなく階級という概念とともに記述しようとしたのが、次節で論じる女性歴史家である。

4. 階級をデザインする

イギリスにおける階級概念は、20世紀後半、多くの政治家が否定してきた。マーガレット・サッチャー (Margaret Thatcher)(「階級は共産主義者の概念である」)、ジョン・メージャー (John Major)(「無階級社会 (classless society)」)、ジョン・プレスコット (John Prescott) やトニー・ブレア (Tony Blair)(「私たちは今やみなミドルクラスだ」宣言) など、階級を論じないという点においては右派も左派も同じだった。これは第1部第2章で言及したセリーナ・トッドの『ザ・ピープル (*The People*)』(2014) の書評でのオーウェン・ジョーンズ (Owen Jones) の言葉である。ジョーンズは、『ザ・ピープル』を次のように高く評価する。「アイデンティティ・ポリティクスとして階級をみることも、階級を理想として語ることも否定する点を特に歓迎したい……彼女は、階級を静的ではなく動的な過程としてみなし、また、共通の経験や相互に衝突しあう集団に注目したE・P・トムスン (E. P. Thompson) の『英国労働者階級の形成 ([*The*] *Making of*

English Working Class)』に明らかに影響を受けている」(Jones "We're Not All Middle-Class Now")。

トッドの二冊目の単著となる『ザ・ピープル』は査読付きの学術誌の書評で取りあげられてもいるが、左派系の『ガーディアン(*The Guardian*)』、保守系の『スペクテイター(*The Spectator*)』、リベラル系の『フィナンシャル・タイムズ(*Financial Times*)』、タブロイドの『デイリー・エクスプレス(*The Daily Express*)』など右派左派を問わず各紙に書評され、本書のペーパーバック版の表紙の「『サンデイ・タイムズ(*Sunday Times*)』のベストセラー書」の言葉通り、一般書的意味合いが強い。それは、本書がイギリスの過去の叙述――特に労働者階級の歴史――でありながら、同時に、トッドの家族の歴史/物語という本書のアプローチに関係があるように思われる。本書でトッドは、母を『読み書き能力の効用(*The Uses of Literacy*)』を書いたリチャード・ホガート(Richard Hoggart)の出身地である工業地帯の出身者として、父は危うく孤児院のような施設に入れられそうになった者として紹介する。労働者階級出身の両親は労働運動の金銭的支援を受けてオクスフォード大学に進学するが、ともに「階級上昇を果たして中産階級になろうとしなかった」。大学で歴史を学んだトッドは、両親のような人びとに関する研究が「見つからず……ついにこうした物語(history)は自分で書くしかないことに気がついた」(Todd, *The People* 2-4)と述べる。分厚い書籍でありながら、本書が幅広い読者を得ることができたのは「苦労の末、教育を受けて一生懸命働いて子どもたちに最善のスタートを切らせてあげようとしたのに、失業保険をもらわざるを得なかった人びと」という家族の物語が、経済的困難に直面する2010年代、読者の心をつかんだからだろう。

『ザ・ピープル』が出版された2014年、世界経済フォーラムでは、収入格差が経済的政治的な安全を危うくするものとして議論され、富裕層と貧困層の深刻な経済格差が指摘された(Savage 3)[10]。このような格差の要因としてしばしば言及されるのは、2007-2008年の世界金融危機であるが、しかし、1997年のアジア金融危機など、グローバルなレベルではこうした不安定な状態は21世紀の世紀転換期にすでにみられる。1998年にノーベル経済学賞を受賞したアマルティア・セン（Amartya Sen）は、2000年の講演にて、「経済市場において経済的沈滞は時々おこるものであり、おそらくは不可避である」と認め、こうした状況においては、安全な日常生活を保証するため民主的選挙などの社会的経済的準備とともに、日常生活の不安定（insecurity）に直面することが必要だと主張する。「経済沈滞ではなく、（学校や病院などの）社会的経済的制度が恒常的に長らく放置されているために、被害者が深刻に困窮している時に必要となるのは……ガバナンスの失敗を、より適切に理解することである」(Sen 3-4)。

上記のような不安定な状況がポピュリスト・モーメントをもたらしている。このように分析するのは、シャンタム・ムフ（Chantal Mouffe）である。ただし、ムフの分析は、金融危機からではなく第二次世界大戦後、つまりは福祉国家の開始から始まる。戦後、福祉国家の拡大、労働者の自由な団体交渉権、完全雇用の政治的保障などについては、経済のケインズ主義的政策に必須であり、それゆえ政府が負担するものだという合意形成が労働者と資本家の間になされていた（ムフ 43)。ケインズ主義的福祉国家の新しさとは、「新しいかたちの社会的権利のための諸条件を生み出し、民主的な常識を根本的に変容させた」（ムフ 43）ことにある。他方で、この新しさは新たな問題をもたらした。労働組合の力によって社会的権利が強化され、不平等の拡大が抑制されたが、それは他方で、民主的進歩および資本主義と民主主義の不安定な共存関係の時代を招いた。それがその後に続く1970年代の景気低迷とインフレであった（ムフ 44)。ムフは、「戦後の社会的－民主主義的合意の崩壊」の要因は、経済的困難だけに帰することはできず、1960年代に台頭した「新しい社会運動」の影響を考慮するべきだと、主張する。

> 都市社会運動、環境運動、反権威主義的運動、反制度的運動、フェミニズム運動、反レイシズム運動、民族解放運動、地域闘争、そしてセクシュアル・マイノリティ運動……これらの新しい民主的な諸要求をめぐって形成された政治的分極化は、労働者の好戦性の高まりと相俟って、平等のための闘争の拡大が西欧社会に「平等主義の

危機」を招いていると主張する保守側の反発を引き起こした。（ムフ44）

上記に言及されるような「平等と参加の拡大をめざす1960年代の諸闘争」が、1975年の日米欧三極委員会の報告書のサミュエル・ハンティントン（Samuel Huntington）の言葉を借りて「民主的な理想の力が民主主義の統治能力に問題を引き起こしている」とムフは言う。いわば民主主義の高まりが社会の「統治不能（ungovernable）」状態を招いているというのである（45）。それが、「戦後の民主主義の亀裂」、その後に続くサッチャーおよび彼女の政権による新自由主義プロジェクト――個人の自由を称揚し、抑圧的な国家権力からの解放の約束――の支持を調達する政策が成功した理由だとムフは考察する（48）。ムフのいうポピュリスト・モーメントとは、「新自由主義的なヘゲモニー期における、政治的かつ経済的な変容に対する多様な抵抗の表出」であり、「平等と人民主権という民主主義の二大支柱を侵食」するポスト・デモクラシーと呼ばれる状況である（26）。それは民主主義を、経済を中心とした自由主義に従属させ、前者を意味づけなおすことでもあった（49）。

上記のような状況において議論されたのが階級意識であった。イギリスで大規模な階級意識調査をしたマイク・サヴェジ（Mike Savage）の『21世紀の社会階級（*Social Class in the 21st Century*）』によると、フランスや米国においても自作農、小作農、商人が国家建国の象徴として重視されてきた歴史を持つが、イギリスでは独立系の農業従事者は早い時期に消え、16世紀には囲い込み農業と資本主義的な農業が相互に影響し合いながら登場し、賃金農業労働者が生まれた。彼らの多くは生計維持のためにパートタイムで手工芸もおこなっていた。そのためイギリスには、産業革命以前に賃金労働者が工業だけでなく農業にも存在していた（Savage 27）。こうした肉体労働者は、独立精神旺盛で、トムスンの言う「生まれながらの自由なイギリス人（free-born Englishman）」（Thompson qtd. in Savage 27）として労働者階級意識を形成した。同様に、貴族および上流階級も、イギリスにおいては、資本主義の創生期から「紳士の資本主義」

(Savage 28)[12] と呼ばれる階級意識が形成された。このように上流階級と労働者階級がともに強固かつ前向きな階級意識を形成したのに対して、「冷淡で自信満々な貴族階級」と「自己主張の激しい男性中心の肉体労働者」との間にはさまれた中産階級（ビジネス、管理職、商人、ホワイトカラー）は、どちらでもない中間層に収まることになった（Savage 28-29)[13]。

こうした階級論の先駆的著作がトムスンの『労働者階級の形成』である。

> 私は、階級を歴史的現象だと理解している……私は、階級を「構造」や、ましてや「カテゴリー」として見ていない。人間の関係において起こる（そしてそれが実証可能な）なにかとして理解している……階級は、（継承されたにせよ、割り当てられたにせよ）共通の経験の結果として、当事者間、もしくは、（通常は敵対する）異なる利害をもつ人に対抗するものとして、自分たちの利害のアイデンティティを体感し、理解するときに生じる。（Thompson 9）

トムスンは、階級を利害関係者間で形成されるものであると述べる。それゆえ、静的というよりも動的かつ流動的な関係性だというのである。彼はまた、階級概念の形成が産業革命の時代であったと考える。「今日の世界の大部分は、産業革命期の私たちの経験と多くの点において類似する、産業化や民主的制度の形成という問題を経験している」（Thompson 13)。このように、産業革命の18世紀末、19世紀初頭を中心に議論されるのが、トムソンの記述である。

トムスンの労働者階級の意識形成の枠組みを継承しながら、20世紀以降のイギリスの階級意識を再編しようとしたのが、トッドの『ザ・ピープル』である。トッドの歴史デザインの記述において重視されるのは、人びとの経験である。『ザ・ピープル』が出版される前年の論文「人びとが問題なのだ（“People Matter”)」(2013）で、彼女は、階級という関係性はつねに再生産され、時に変化するという意味で「経験」であり、「認識(insights)」だと言う。そのため、「思いもよらない資料から証拠となるものを注意深く」探して考察する必要があると、彼女は述べる（“People

Matter" 259)。いわば、トッドの考える階級の物語は、個々人の生活や経験の蓄積によって形成されている。

トムスンとトッドの違いが表れるのは時代区分である。産業革命を重視するトムスンの記述に対して、トッドは、20世紀に重点を置く。タイトルの「人びと（the people)」とは「政治家、労働党の活動家などから呼ばれてきた言葉」であるとともに、第二次世界大戦が終わった年の総選挙の年に「幅広く共感を呼んだ言葉」（*The People* 408）だと説明されるように、彼女が重視するのは、特に1945年の労働党政権誕生以降である（*The People* 1)。また、彼女の関心は、2007年から2008年にかけての世界金融危機に端を発する分断を、経済だけでなく社会的文化的観点を含め理解することに主眼が置かれている。経済不況の原因としての福祉国家、経済不況の脱出のための緊縮財政、労働市場縮小の原因としての女性や移民、メリトクラシーによる平等実現などの議論を、トッドは、政治家もしくは研究者や批評家が形成した言説であり、実際はどれも新自由主義的「神話」に過ぎないと主張する[14]。つまり、『ザ・ピープル』は、トムスンを継承しつつも、新自由主義的観点から、労働党政権誕生以降の労働者階級の物語を記述する試みなのである。

トッドは、トムスンの労働者階級モデルの問題点を、次のように指摘する。トムスンの労働者モデルにおいては、農業従事者や労働組合に入ることを選ばなかった者や家事労働者が不在である。特に家事労働者は1950年代までのイギリスの最大の労働者集団であったにもかかわらず、トムスンのモデルでは完全に無視されている。また、『労働者階級の形成』が示す労働者が「自分たちがおこなっている労働との一体感がないという喪失感」と、反抗心と敬意という二元論的対立の感覚を、家事労働者はもたない。なぜなら、多くの家事労働者は労働に一体感を持っていなかったとはいえ、そうした「〈疎外〉に怒ってはいなかった」（Todd "People Matter" 261）からだ。いわば、トッドは、トムスンのイギリスの労働者像の系譜に女性労働者が十分議論されていなかったことを指摘しただけでなく、雇用者との物理的距離が近い家事労働者には、「生まれながらの自由なイングランド人」とは異なる夢や不満があったことを指摘しているのである。

ただし、トッドの階級概念のデザインにおいて追求されるのは、20世紀初頭の「使用人問題」よりも、戦後の労働者階級女性の人生である。そのことは、『ザ・ピープル』の次に出版されたシーラ・デラニー（Shelagh Delaney）の伝記『いろんな蜜の味（*Tastes of Honey*）』（2019）における1970年代のウーマンリブの記述に典型的に示される。デラニーは「怒れる男たち」の一人で労働者階級出身の女性劇作家だが、トッドは、彼女の伝記で、従来のウーマンリブの表象に疑問を投げる。一般に、イギリスのウーマンリブは、1970年の第1回女性解放会議（オクスフォード大学のラスキン・コレッジで開催）の呼びかけ人のシーラ・ローバトム（Sheila Rowbotham）のような中産階級女性が、その牽引者として描かれる。[15] これに対してトッドは、「中産階級女性がフェミニズムの歴史というステージの中心に立ち、労働者階級女性たちの声は脇へと追いやられてしまって聞かれることがないまま」（Tastes of Honey 8-9）だ、と主張する。

そうした主張が『ザ・ピープル』の「幕間」と名づけられたヴィヴ・ニコルソン（Viv Nicholson）の物語として具現化される。ヴィヴは実在の労働者階級女性である。本書では、彼女が生まれた1936年頃から1961年に夫が宝くじで大当たりをあてマスコミに注目され、後に連続テレビドラマ『使って、使って、使いまくれ（*Spend, Spend, Spend*）』（1977）の主人公として描かれるまでの彼女の人生が8分割して挿入される。学歴も金銭も知力もない彼女の「自己表現」を、トッドは、新自由主義的政策下に生きる労働者階級女性の物語として、「思いもよらない資料から……注意深く」記述する。以下の引用は彼女たち夫婦が宝くじを当てる以前の記述である。若くして結婚し、離婚し、再婚した1961年のヴィヴは、「ソファ三点セット、ステキな赤いカーペット、小さなテーブルランプを買って、テレビをレンタルし」、「今までで一番幸せだった」。しかし、それらはすべて掛け買いだったため、数ヶ月後には破産寸前だった。

> 9月19日火曜日、ヴィヴは「餓えてしまうまでにあと6ポンド」しか残っていなかった。その金曜にはレンタル・テレビ業者がニコル

ソン家にやってきて、滞納金を支払うよう要求した。執行官の脅しで心配になったヴィヴは支払いを済ませた。「その金曜の夜にわたしは〔二度目の夫〕キースにこう言った。「わたしが考えてること分かる？　残りは2ポンドだけ。これをぱっと使ってしまうのってどう思う？」「いまのは、この忌まわしい数ヶ月で聞いたなかで最高の言葉だ」とキースは言った。「飲みに行こう」。労働者階級の女性たちは、こんなふうにして家計をやりくりするものとは思われていなかった。(Todd, *The People* 248)

上記のヴィヴのような労働者階級女性の記述の前提となっているのは、保守党のハロルド・マクミラン（Harold Macmillan）首相が1957年に述べて以降1950年代を指す言葉として知られる「こんなに良い時代はなかった（never having it so good）」(Todd, *The People* 199; 438 n3）というスローガンである。ただし、トッドの批判の対象は、マクミランのような保守派の政治家だけ、ではない。戦後を生きる「完璧な若造」(Tynan 112）としてジミー・ポーター（Jimmy Porter）――『怒りを込めて振り返れ（*Look Back in Anger*)』（1956）の怒れる労働者階級の主人公（ヒーロー）――を売り込んだ劇批評家のタイナン、階級上昇を果たして「労働者階級のヒーローを熱心に売り込んだ」「少数」の「優秀な」労働者階級出身の研究者のホガートらである（Todd, *The People* 241)。タイナンやホガートが記述する「労働者階級のヒーロー」とちがって、ヴィヴは、「新しい現代的なイギリスのヒッピーやポップスターが送る冒険的なボヘミアンの生活に憧れていた」(Todd, *The People* 248)。トッドの記述の意図は明らかだろう。ユートピアを望んだのは中産階級女性だけではなく、労働者階級女性も同じであるのだ。しかし「お金とコネを持たずして、イケイケ60年代（Swinging Sixties）に割って入ることは容易ではなかった」(Todd, *The People* 271)。つまり、労働者階級女性を中心に据えた『ザ・ピープル』のデザインは、階級にジェンダーという視座を入れてフェミニズム史における階級の偏りをデザインしなおし、イケイケの60年代を――手頃な価格の女性服Bibaが流行し、ツイッギー（Twiggy）やビートルズ（The Beatles）など若者文化が花開いたとされる時代を――思うように謳歌できない女の夢や不満を記述することだったのである。その意味では、トッドは前節のサフィズムという女たちの願いや不満を、文化だけでなく階級を入れ込んだ形で鋳直したと言えるだろう。

しかしながら、トッドのサフィズム思想は、限定的である。そのことがはっきりと顕在化するのが、イギリスの「トランス排除的差別グループ」(Moore "Women Must Have the Right")の「女たちの居場所(Women's Place UK)」という運動団体主催の2019年のイベントでの彼女の「フェミニズム、ポストモダニズム、女性の抑圧("Feminism, Postmodernism and Women's Oppression")」と題された講演である。

> フェミニズムに対する疑義が生まれているのはポストモダニズムのせいである。これは1989年秋のベルリンの壁崩壊の後のイギリスと合衆国の大学で流行しだした。ラディカルな外見を持っているが、それは実のところ新自由主義の一面なのである。資本主義の境界線を越えることはできないと、多くの学生が教えられてきたし、今も教えられている。ただし、これは、金銭ではなく言語が世界を動かすという奇妙な形態の資本主義である。人は世界を変えることができないが、個々人が個別に、自己表現(self-description)やジェンダーのパフォーマンスを通して、世界に対する関係性を変えることはできる。自己表現以外に現実はない。この論理が成りたつから、フェミニストたちは名づけによって女たちへの抑圧を可視化することができた。フェミニズムが「女」というカテゴリーを主張することによって、人びとは、「クイア」やジェンダーの流動性に無縁でいることができたのである。この30年間、学生たちは、個人のアイデンティティ、感情、欲望ばかりで、集団的な運動を知る機会が奪われている。個人の選択が称揚される一方で、まさに集団という概念こそが抑圧的だとみなされている。(Todd, "Feminism, Postmodernism")

トッドの主張をまとめると、現代は、サッチャーのような個人主義的思想によって支配され、「フェミニズム、労働運動、社会主義社会運動が攻撃される」新自由主義的な世界である。その世界において高まっているトランスジェンダーへの学問的文化的な関心が、「私たちが女たちの歴史のために勝ち取った限られた空間（place）」を奪おうとしている。つまり、トッドの歴史デザインの出発点となっている現状認識は、ポストモダンという新自由主義的産物が支配し、フェミニズムなど集団的なものを抑圧する世界である。そのために「何年間もわたしたちは絶望の瞬間（moments of despair）を経験している」(Todd, "Feminism, Postmodernism") と言うのである。このように述べるトッドのサフィズムに包摂されるのは、労働者階級と生物学的女性という限定的なジェンダーと階級だ、と言える。

英語文学においてのポストモダニズムと相当意味が異なるが、しかし、上記のようにポストモダンを理解するのはトッドだけではなかった。ポストモダニズムは、前述のマクロビーによると、1980年代半ばのイギリスの左派の一部にとってはフランスやフレドリック・ジェイムソン（Frederic Jameson）を代表とする米国の研究者を経由した概念と理解されていた。サッチャー政権全盛期の「左派の多くは連帯（unity）を望んでいた」ため、「特権的インテリが……言葉遊びと戯れるような」ポストモダニズムの議論は、「新右派の暫定的な成功や狡猾な力の新たな兆し」として否定された（McRobbie, *Postmodernism and Popular Culture* 2-3)。このことに加えて、ジェイムソンの議論では、建築などのハイブラウ・アートが主流でポピュラー・カルチャーに注意が払われていなかったことも、イギリスにおけるポストモダン否定につながったと、マクロビーは指摘している。なぜなら、ハイブラウ重視では、ポピュラー・カルチャーにおいて重視される消費者つまりはオーディエンスや読者など大衆の存在が議論されないからである（McRobbie, *Postmodernism and Popular Culture* 20)。左派だけでなく、フェミニストも、ポストモダニズムに距離を取ってきた。フェミニストにとっては、「近代（modernity）」という概念は女たちが疎外されてきたという側面はあるにせよ、自由、解放、平等の言説として女たちという「大きな物語」を可能にもしていた。ポストモダニズムに向かうことは、そうした共通の物語を捨てることでもあった。つまり、ポストモダニズムの肯定は、「〈女〉のために話すことを可能にする、女とは何であるかという考えを失うこと、表象というポリティクスを捨てること」になり得る（McRobbie, *Postmodernism and Popular Culture* 6-7)。少なくとも、イギリスの左派フェミニストの一部は、ポストモダニズムという言葉を特異な意味で理解してきたことを、マクロビーの証言は示している。

上記のようなポストモダニズム不信は、『ザ・ピープル』にも記述されている。

> 階級は、不平等な権力関係（a relationship of unequal power）として、イギリス社会を形成してきた。このことを、研究者や政治家はますます認識するようになっている。『イングランド労働者階級の形成』で、E. P. トムスンが「後年の人による多くの見下し」から労働者の人びとを助けるべきだと呼びかけしてから50年が経った現在、集団的なアイデンティティは存在しないとか、社会のなかで支配的な集団が議論の枠組みを決める力は圧倒的なので、その集団の方向性からわたしたちは逃れられないという、ポストモダニズムの主張があるが、研究者たちは、いまいちど労働者であるとは何を意味するのかに焦点を絞りつつある。(Todd, *The People* 399)

トッドが『ザ・ピープル』でポストモダニズムに言及するのは、トムスンの継承を宣言する上記だけである。ポストモダニズムとも呼ばれる後期資本主義の経済的な下地を準備したのは、戦後の物資不足が製造業の復興によって解消された戦後の1950年代であったにもかかわらず(Jameson xx)、彼女は、階級の議論の欠落をポストモダニズムだけに帰すのである。

『ザ・ピープル』に欠落していると思われるのは、20世紀後半の階級言説形成の検証である。大衆のユートピアがテクノロジーによって文化的審美的に形成されたとするならば、戦後の階級概念は、1980年代、90年代に政治的に右派と左派によって形成された。ジム・トムリンソン（Jim Tomlinson）によると、少数のエリートがトップにいて、つぎに多数派が、そして、その下に「アンダークラス」がいるという図式は、サッチャーの道徳的計画の産物であった（248）。サッチャーは階級を語ることを回避したし、嫌ってさえいたが、実際には、彼女は階級言説の形成に大きな影響を与えた。勤労、自立、家族中心といったブルジョワ的価値観を称賛し、官僚制度という形で国家の不要論を説く、彼女の道徳的かつ新自由主義的企図によって、多数派は、「ふつうの働く男女と家族」になったのだ。ブレア政権はその「ふつう」の「労働者」像を継承した（249）。つまり、「ふつう」という言葉のもとに階級のない社会をサッチャーは創りだした。階級とは、実に動的な概念として用いられるのである。

以上のように、女性歴史家の女たちの夢に関する記述は、ベンストックやエリオットの概念に階級という視点を加えたという意味では意義あるサフィズムであると言えるが、「有機的なアイデンティティや伝記的なテキスト」にサフィズムを求めないカールストンの批判に耐えることはできない。なぜならトッドの女たちを記述する手法には、有機的なアイデンティティ（労働者階級女性と生物学的女性）や伝記的記述（ヴィヴの物語）はあっても、それを記述する者への批評的視点が欠落しているからである。いわば、トッドの歴史デザインは大衆ユートピアの夢のカタストロフィに陥っているのである。

5. おわりに

現代の英国において、トランス女性を差別する発言をおこなう大衆作家が無意識にみた悪夢は、20世紀初頭の女たちが家庭内空間をデザインする、もしくは、空想の中で装飾することによって見ていた大衆ユートピアの夢に連なるものであった。20世紀初頭に存在した女たちのユートピアは、「新しい社会運動」の夢という1970年代前後には一度は実現したかにみえたが、女性研究者が指摘するように、階級問題が未解決のままであった。フェミニズムは新しい社会運動において成功していたというよりも、階級問題が未解決のフェミニズムであったという意味で、新自由主義的な個人の夢の強調以前に、すでに分断していたのだ。21世紀の大衆作家がみた悪夢とは、そうした分断したフェミニズムであった、とみなすことができる。人びとの夢の世界を阻むこのようなナショナルな階級形成・再編によるフェミニズムの分断は、20世紀の大衆ユートピアの夢の系譜に連なる現象であり、大衆作家だけではなく、研究者の悪夢でもあった。

このような悪夢に思われる現在のフェミニズムをめぐる議論の分析概念を構築するために、私たちがおこなうべきは、フェミニスト歴史研究者がデザインしたジェンダーと階級に基づく夢を理解しつつ、だがしかし、そのまま単純に継承すること、ではない。アール・デコとは、大衆ユートピアに示されたように、異質と思われていた思想が奇妙にも共存することを可能にした思想であった。アール・デコという概念がフェミニズム批評において意義あるものになるとするならば、中産階級と労働者階級のフェミニズムというように二項対立的に語ることでも、階級をナショナルな枠組みにデザインすることでも、ポストモダンをナショナルな文脈だけで読むことでもない。分断という不安定状態を理解するためには、これらすべてをおこない、グローバルな時空間に痕跡として残されたさまざまな緊張関係や亀裂を読み解きいまここから未来に向けて再配置し直すことが重要になるはずである。その時に何より重要だと思われるのは、大衆ユートピアの夢は、その夢を見る者だけでなく、分析する者にとっての夢でもあった、このことを忘れないことである。なぜなら、東西を問わない現象であったのならば、その夢を見ているのは——悪夢であれユートピアであれ——作家だけでも研究者だけでもないのだから。そのような私たちの集団的行為が、アール・デコ論の可能性を広げることになり、女たちのユートピアの夢の実現の可能性を広げることになるのではないだろうか。

＊　本研究は科研費（19K00403）の助成を受けたものである。

Notes

［1］英国内でのジェンダー不平等を示す具体例として、BBCの女性司会者Samira Ahmedが挙げられる。彼女の勤務先BBCの男性司会者Jeremy Vineの給与と比較すると70万ポンド少ないことを雇用裁判所に訴え、2020年1月、同審判所は、彼女の主張を認める判断を示した。"Samira Ahmed Wins BBC Equal Pay Tribunal"参照。

［2］ポストフェミニズム言説に対する米国フェミニズム研究者の例に、論集*Third WaveFeminism: A Critical Exploration*（2007）に附されたImelda Whelehanの"Foreword"が挙げられる。

［3］MeToo運動の米国における大きさを示す例としては、同運動に貢献したとされる米国の人気歌手Taylor Swiftや女優Ashley Judd 6名の女たちが同年の*Time*誌の年末恒例の"Person of the Year"に"Silence Breakers"として表紙を飾ったことが挙げられる。ただし#MeTooというハッシュタグを提案したのは、その表紙を飾った女たちではなく、自身も性的被害者のサバイバーであるアフリカ系米国人で社会活動家Tarana Burkeである。バークは「自分も(me too)」同じく被害者であったという経験を共有することによって、性的被害にあった女たち（特に有色人種と呼ばれる女性）に自分たちの経験を語る権限を付与（エンパワー）しようとした。それが「私も」という名のエンパワメント運動の始まりであった。バークの運動に対して2017年以降のハリウッドを中心とする同運動は、セクハラ概念を広く一般に認知させることになっても、著名人の問題として鋳直されているだけであり、セクハラが「あらゆる産業において制度的構造的性差別」であることを不可視にしたままにしている。「女たちに権限を与えるために何を私たちが求めているかを明らかにすることをほとんどしないまま、ポピュラー・フェミニズムは、すでに権限を付与されている女性個人にフォーカスをあてるよう

に、フェミニズムのポリティクスを再構築してしまう」(Banet=Weiser 17)。

[4] Sophie Lewisによると、TERF問題について英米の中道左派の違いが顕在化したのは、当事者の自認するジェンダーで生きることを可能にする2018年のGender Recognition Actというイギリスの法律の制定時である。*The Guardian*が社説で「男性の身体を持っている人」と寄宿舎などで一緒に暮らすなど懸念が女性にはあることを深刻に受け止めるべきとして、同法律について反対意見を出した。この社説について、米国に拠点を置く同紙のジャーナリストは、トランス女性を女性として扱わない点に異議を唱えた。このような英国におけるトランス排除傾向は1980年代にさかのぼり、1960年代のニューレフトの生き残り、1970年代のラディカル・フェミニズムの中の女性の被害に意義を見出す少数派、傷ついた経験の重視という三つの異なる系列から生まれてきたと、ルイスは説明する。

[5] 本章におけるBuck-Morssの引用の日本語訳については、堀江則雄訳を参考にして、引用者が適宜修正を施した。また、東西の差異よりも類似性に注目する可能性について最初に知見を得たのは、第40回新自由主義研究会×第47回冷戦読書会(2016年8月16日)で本書を報告した西亮太氏の報告であった。

[6] Aspidistraの*Oxford English Dictionary*の初出は1822年で、川端康雄の表題の論考によると、イギリスに葉蘭がもたらされたのもおよそ1820年代と比較的新しいが、第一次世界大戦後の1920年代には、すでに中流階級のリスペクタビリティの象徴として「国民的な冗談」だっただけでなく、1936年に発表されたOrwellの*Keep the Aspidistra Flying*が示すように、1930年代においてもその意味は廃れることなく共有され、今日においてはノスタルジックなイメージを持っている(川端 34-61)。

[7] 家の室内の描写はイギリス文学の伝統と言われる。18世紀のコンダクト・ブックや19世紀の家庭小説(domestic novel)の伝統において、家や室内の描写は、登場人物の暮らしぶりを示すだけでなく、その人物たちの精神状態や経済状態を示していた。さまざまな地域の読者を対象にした実用的なコンダクト・ブックであればあるほど、家庭内のモノの性質、使用人の数や種類、テーブルマナー、住人の服のスタイル、余暇でのふるまいなど細かなところにいたるまで詳らかに示されており、また、そうした家庭内の描写は、夫の収入で、夫の所有物たる家庭内のモノや使用人転換させる女

たちの性質を示すものだった（Armstrong 83）。いわば、コンダクト・ブックが指し示す（conduct）生き方を知っていることが、作品を理解するための「文法」もしくはリテラシーだった。20世紀初頭の小説が上記のような家庭内の描写を重視する伝統を継承しながらも、それまでの家庭小説と異なるのは、知識やリテラシーではなく、想像することを読者に求めるからである。「小説を読んで……玄関や客室が描写される時、あなたはどんなものを想像する？」（qtd. in Humble 108）。Diana Tuttonの小説*Guard Your Daughters*（1953）の女性登場人物による、このような問いかけが典型的に示すように、ミドルブラウ小説が読者に求めているのは、家庭内の調度品が指し示す意味を想像することである。家を描写する家や調度品の描写はそれをあつらえた登場人物（特に女性登場人物）の創造する力を示す「指標（index）」（Humble 108-09）である。読者たちがその指標を道案内に読書をとおしてそこで読みとるのは、物語だけでなく、家電製品が実現するモダンでスタイリッシュな消費主義的な生活であった。

［8］論文“Expatriate Sapphic Modernism: Entering Literary History”（1990）で、Bencstockは、フェミニズム研究が、歴史の書き換えや女性たちのライフやテキストの分析モダニズムを審美的文化的歴史的概念としてとらえる一方で、モダニズムという概念そのものと直面することを回避している点に疑義を投げかけている。「保守的な英語圏の盛期モダニズムと、国際的に拠点を持ち、かつ、政治的に断片化されている20世紀初頭の〈アヴァンギャルドな〉ムーブメントとが政治的審美的に分断」があることを無視して、モダニズムという概念を把握することはできない（Benstock 98-99）。その意味でモダニズムは、フェミニズムの観点から再考されるべきである、というのが彼女の主張である。

［9］*Sapphic Modernities*の編者DoanとGarrityによる同書のIntroductionにおいてCarlstonは註19に名前と著作が言及されているのみで、それ以上の説明はない（Doan and Garrity 12）。

［10］本章におけるSavageの引用の日本語訳については、船山むつみ訳を参考にして、引用者が適宜修正を施した。

［11］Toddは歴史研究の、Savageは社会学というディスプリンの違いはあるものの、『ザ・ピープル』の謝辞でサヴェジが「特に感謝を捧げるべき三人」の一人として特筆されるように、両者の関心領域は共通する。なおSavage以

外に名前が挙げられているのは、Pat ThaneとAndrew Daviesである。Thaneは20世紀福祉国家時代のイギリス史の研究者で、DaviesはSalfordおよびManchesterの労働者階級を考察した*Leisure, Gender and Poverty*（1992）などの著作がある。

[12]「紳士の資本主義（gentlemanly capitalism）」はPeter CainとAnthony Hopkinsの*British Imperialism, 1688-2000*（1993）の理論。

[13] SavegeはThompsonの階級枠組みの問題点は、職業を基盤とした分類であったために、今日の階級の文化的政治的特徴を明らかにすることができないと指摘する（Savage 4）。変化する階級意識を理解するためには、経済の不平等だけではなく、特に中産階級と労働者階級とを対比的に捉える従来の階級の枠組みを見直さなければならない、と主張する。

[14] 新自由主義批判が*The People*に明記されるのは、初版の翌年の2015年にペーパーバック版に追記された"Afterword"である。

[15] Sheila Rowbothamは*Woman's Consciousness, Man's World*（1973）や*Hidden from History*（1973）などの多数の著作をもつ、イギリス女性史の歴史家かつ社会主義的フェミニスト運動家である。イギリスのフェミニズム史を論じたBarbara Caineの*English Feminism 1780-1980*でも、British Libraryによる第二波フェミニズムを回顧するウェブサイト企画*Sisterhood and After*（2013）でもローバトムは第二波の代表として取りあげられており、彼女をイギリス第二波フェミニズム代表的存在とみなすのは定説と考えられる。

Works Cited

Armstrong, Nancy. *Desire and Domestic Fiction: A Political History of the Novel*. Oxford UP, 1989.

@jk_rowling [J. K. Rowling] "'People who menstruate.' I'm sure there used to be a word for those people. Someone help me out. Wumben? Wimpund? Woomud?" *Twitter*, 7 June 2020, 10:35 p.m. twitter.com/jk_rowling/status/1269382518362509313?s=20.

Banet-Weiser, Sarah. *Empowered: Popular Feminism and Popular Misogyny*. Duke UP, 2018.

Benstock, Shari. "Expatriate Sapphic Modernism: Entering Literary History." Rado, pp. 97-121.

Briganti, Chiara and Kathy Mezei. *Domestic Modernism, the Interwar Novel, and E.H. Young*. Ashgate, 2006.

Buck-Morss, Susan. *Dreamworld and Catastrophe: The Passing of Mass Utopia in East and West*. MIT, 2000.

Budgeon, Shelly. "The Contradictions of Successful Femininity: Third-Wave Feminism, Postfeminism and 'New' Femininities." *New Femininities: Postfeminism, Neoliberalism and Subjectivity*, edited by Rosalind Gill and Christina Scharff, Palgrave Macmillan, 2011, pp. 279-92.

Caine, Barbara. *English Feminism 1780-1980*. Oxford UP, 1999.

Carlston, Erin G. *Thinking Fascism: Sapphic Modernism and Fascist Modernity*. Stanford UP, 2001.

Doan, Laura and Jane Garrity, editors. *Sapphic Modernities: Sexuality, Women and National Culture*. Palgrave, 2006.

Elliott, Bridget. "Art Deco Hybridity, Interior Design, and Sexuality between the Wars: Two Double Acts." Doan and Garrity, pp.109-29.

Foster, Dawn. *Lean Out*. Repeater, 2015.

Harvey, David. *A Brief History of Neoliberalism*. Oxford UP, 2005.

Humble, Nicola. *The Feminine Middlebrow Novel, 1920s to 1950s: Class, Domesticity, and Bohemianism*. Oxford UP, 2004.

Jameson, Fredric. *Postmodernism, or, the Cultural Logic of Late Capitalism*. Duke UP, 1992.

Jones, Owen. "We're Not All Middle-Class Now: Owen Jones on Class in Cameron's Britain." *New Statesman*. 29 May 2014, www.newstatesman.com/culture/2014/05/we-re-not-all-middle-class-now-owen-jones-class-cameron-s-britain. Accessed 25 Dec. 2020.

Lewis, Sophie. "How British Feminism Became Anti-Trans." *The New York Times*. 7 Feb. 2019, www.nytimes.com/2019/02/07/opinion/terf-trans-women-britain.html. Accessed 18 Sep. 2020.

Macilraith, Robert. "J. K. Rowling and the 'TERF Wars.'" *The Oxford Student*. 25 June 2020, www.oxfordstudent.com/2020/06/25/j-k-rowling-and-the-terf-wars/. Accessed 26 Nov. 2020.

McRobbie, Angela. *The Aftermath of Feminism: Gender, Culture and Social Change*. Sage, 2008.
---. *Postmodernism and Popular Culture*. Routledge, 1994.
Moore, Suzanne. "Women Must Have the Right to Organise. We Will Not Be Silenced." *The Guardian*. 2 Mar. 2020, www.theguardian.com/society/commentisfree/2020/mar/02/women-must-have-the-right-to-organise-we-will-not-be-silenced. Accessed 6 Aug. 2020.
Radcliffe, Daniel. "Responds to J. K. Rowling's Tweets on Gender Identity." *The Trevor Project*. www.thetrevorproject.org/2020/06/08/daniel-radcliffe-responds-to-j-k-rowlings-tweets-on-gender-identity/. Accessed 2 Sept. 2020.
Rado, Lisa. "Lost and Found: Remembering Modernism, Rethinking Feminism." Rado, pp.3-19.
---, editor. *Rereading Modernism: New Directions in Feminist Criticis*m. Routledge, 2012.
Rowling, J. K. "The Fringe Benefits of Failure and the Importance of Imagination." *The Harvard Gazette*. 5 June 2008, news.harvard.edu/gazette/story/2008/06/text-of-j-k-rowling-speech/. Accessed 23 Nov. 2020.
---. "J. K. Rowling Writes about Her Reasons for Speaking Out on Sex and Gender Issues" *JKRowling*. 10 June 2020, www.jkrowling.com/opinions/j-k-rowling-writes-about-her-reasons-for-speaking-out-on-sex-and-gender-issues/. Accessed 26 Nov. 2020.
"Samira Ahmed Wins BBC Equal Pay Tribunal." *BBC News*, 10 Jan. 2020, www.bbc.com/news/entertainment-arts-50599080. Accessed 21 Dec. 2020.
Savage, Michael. *Social Class in the 21st Century*. Penguin, 2015.
Sen, Amartya. "Why Human Security?" Paper Presented at the International Symposium on Human Security, Tokyo, July. 2000.
Thompson, E. P. *The Making of the English Working Class*. Vintage Books, 1966.
Todd, Selina. "Feminism, Postmodernism and Women's Oppression." *Women's Place UK*. 21 May 2019, womansplaceuk.org/2019/05/21/feminism-postmodernism-and-womens-oppression/. Acceseed 29 Nov. 2020.
---. "People Matter." *History Workshop Journal*, no. 76, 2013, pp. 259–65. *JSTOR*, www.jstor.org/stable/43298742. Accessed 20 Dec. 2020.

---. *Tastes of Honey: The Making of Shelagh Delaney and a Cultural Revolution*. Chatto and Windus, 2019.

---. *The People: The Rise and Fall of the Working Class, 1910-2010*. John Murray, 2015.

Tomlinson, Jim. "Book Review: Florence Sutcliffe-Braithwaite. *Class, Politics, and the Decline of Deference in England, 1968–2000*. Oxford UP, 2018." The Past and Present Book Series. Oxford: Oxford University Press, 2018. Pp. 272. $82 (Cloth)." *Journal of British Studies*, vol. 58, no. 1, 2019, pp. 248-50.,

Tynan, Kenneth. "The Voice of the Young: Look Back in Anger (John Osbourne, Royal Court)," *Theatre Writings*. Nick Hern Books, 2008. pp. 112-14.

---. *Theatre Writings*. selected and edited by Dominic Shellard, Nick Hern Books, 2008.

川端康雄『葉蘭をめぐる冒険――イギリス文化・文学論』、みすず書房、2013年。

サヴィジ、マイク『7つの階級――英国階級調査報告』舩山むつみ訳、東洋経済新報社（2019）

竹村和子「ジェンダー・セクシュアリティ・セックスの構築のただなかで」ジュディス・バトラー『ジェンダー・トラブル――フェミニズムとアイデンティティの攪乱』、青土社、1999年、285-96頁。

バック＝モース、スーザン『夢の世界とカタストロフィ――東西における大衆ユートピアの消滅』堀江則雄訳、岩波書店、（2008）

ムフ、シャンタル『左派ポピュリズムのために』山本圭・塩田潤訳、明石書店、2019年。

第９章

ポストモダニズム建築の多元性とその可能性

菊池 かおり

1．ポスト・モダニズムの再起

1972年7月15日午後3時32分、アメリカのセントルイスにあるプルーイット・アイゴー団地が爆破された。この団地は犯罪率が高く、幾度となく建物は傷つけられ、その都度、修理がなされてきたが、結局、ダイナマイトで破壊されることになってしまったのである。爆破から5年後に刊行された『ポスト・モダニズムの建築言語（*The Language of Post-Modern Architecture*）』（1977）において、チャールズ・ジェンクス（Charles Jencks）は、この爆破をモダニズム建築の「死」として劇的に紹介する（12）。ジェンクスは、この団地がモダニズム建築の理念に基づいて設計されたこと――つまり、「居住者の建築コードと一致しない純粋主義者の言語によってデザインされたこと」（12）――に諸悪の根源を見出す。そのため次世代の建築は、モダニズム建築にみられる一義的なシステムによって生じるコミュニケーション不足を解消した「ハイブリッド」（混成的）で多様なポストモダニズム建築であり、「ラディカルな折衷主義」によって導かれる建築解釈の重層化、「二重のコード化」の重要性を主張したのである（148）。

ジェンクスの『ポスト・モダニズムの建築言語』は、原書が刊行されてわずか一年後には邦訳が刊行され、建築雑誌では「ポスト・モダニズム建築とは何か」という特集が組まれた（五十嵐 226）。しかし、ジェンクスが死去した今、われわれは「ポスト・モダニズム建築」という言葉をどのくらい耳にするだろうか。2020年に開催される予定だった東京オリンピックのために建設された新国立競技場建設を手がけたことでも有名な日本を代表する建築家の一人である隈研吾は、1898年に『グッドバイ・ポストモダン――11人のアメリカ建築家』で、ポストモダニズム建築との決別を早々と宣言している[1]。また、彼のキャリアを振り返るロングインタビュー「消える建築を求めて――隈研吾の挑戦」においては、「ポストモダンはバブル経済のもとで花開いた」が、2000年代以降「ポストモダニズムへの敬意は消え失せ、代わりにフランク・ゲーリーやザハ・ハディド、レム・コールハース、ノーマン・フォスターに代表されるような、ガラスやメタルといったなめらかで光沢のある素材を使ったネオモダニズム建築の時代」が到来したと論じられている（Saval）。そして、2008年の金融危機以降は「建築にとって空白の時代」つまり「建築以降（after architecture）」の時代であり、「思慮に富んだ優れた建築家たちが、倫理観や様式における新たなスタイルを模索しつづけている」というのである（Saval）。もし、現在を「建築以降」の時代とするのであれば、その時代に生きるわれわれにとって、ポストモダニズム建築はもはや過去の遺産に過ぎないのだろうか。そこに新たな意味や目的を見出すことはできないのだろうか。

実は、ここ10年において「ポストモダニズム」という言葉がにわかに脚光を取り戻している。2011年、イギリスのヴィクトリア&アルバート博物館では“Postmodernism: Style and Subversion 1970-1990”と銘打って4か月間ほど展覧会が開催された。また同年、20世紀文学や文化を取り扱う論集*Twentieth-Century Literature*においてもポストモダニズムの特集が組まれた[2]。さらに、2015年には*Cambridge Introduction to Postmodernism*が、2019年には *Routledge Introduction to American Postmodernism*が刊行されている。また建築界においては、2019年、ジェンクスへの追悼文の冒頭で、彼のポストモダニズム論の秘めたる可能性が示されている。

> ジェンクスというと、ポストモダニズムという言葉の生みの親として知られているが、ポストモダニズムというひとつの思想、時代を超越した大きな存在であった。僕にとってのジェンクスは、モダニズム以後の建築における社会と建築と、地球環境と建築との関係を思

> 考する、唯一の「知の巨人」であった。ポストモダニズムには、本来、そのような文明史的な視点があったにもかかわらず、それが建築様式のひとつだと誤解され、矮小化された。(隈 , *KKAA Newsletter*)

かつてポストモダニズム建築へ決別表明をした隈が意味する「文明史的な視点」とは、一体どのような視点なのだろうか。残念ながら、追悼文においてその詳細は記されていない。だとしたら、「知の巨人」と称されるジェンクス自身が論じるポストモダニズム建築にその視点を見出すことは可能だろうか。

ポストモダニズム建築の歴史はチャールズ・ジェンクスの名前とともに語られるといっても過言ではない。彼は生涯にわたり25冊以上もの単著を出版し、ポストモダニズム建築について論じ続けてきた。一貫してみられる彼の論点の一つは、単一的なモダニズム建築から脱却した「ハイブリッド」で多元的な建築の重要性といえるだろう。しかし、このように、モダニズム建築とポストモダニズム建築を対立構造で論じることはあまりにも短絡的ではないだろうか。なぜならば、本書の序章で概観した通り、昨今隆盛を極める「モダニズム研究の拡張」によって、かつて忘却の彼方に追いやられた「複数のモダニズム」が再評価され、冷戦期以降制度化された単一的なモダニズムという概念そのものが尊厳を失っているのだから。だとすれば、一体どのようにモダニズム建築とポストモダニズム建築の関係性を再考する必要があるのだろうか。そこで本章では、ジェンクスがどのように二つの運動を位置づけていたのかという問いを起点として、彼の論じるポストモダニズム建築が内包する「文明史的な視点」とは一体何なのか、そして、なぜポストモダニズム建築は「誤解」され「矮小化」されてしまったのか考察する。そして、ジェンクスが妻のマギー・ケズウィック・ジェンクス（Maggie Keswick Jencks）と共同でスタートさせたプロジェクト、マギーズセンター（Maggie's Cancer Caring Centre）を通して浮かび上がるポストモダニズム建築のヴィジョンを模索しながら、今、われわれにとってポストモダニズム建築とは何を意味するのか、その可能性を含めて考えてみたい。

2. モダニズム建築とポストモダニズム建築の関係性

イギリスの建築批評家でありロンドン大学で教鞭をとっていたレイナー・バンハム（Reyner Banham）のもとで博士号を取得したジェンクス。その後、彼の博士論文は*Modern Movements in Architecture*（1973）として刊行され、日本でも建築家の黒川紀章による邦訳『現代建築講義』(1979）が刊行された。邦訳のあとがきに、黒川自身がジェンクスとの出会い、そしてモダニズム建築の発展に大きな役割を担った近代建築国際会議（CIAM）[3]と60年代の建築運動の関係性について触れている。

> チャールズ・ジェンクスに初めて会ったのは、1966年の9月イタリアのウルビノで開かれたチーム・テンのミーティングであった。……CIAMを批判し解体させることによって、結成されたチーム・テンの運動は、それなりに明確な運動の原理と方向をもっていたが、その目的は運動の組織化にあるのではなく、むしろ、原理と理想を各個人がどのように実践するかという現実の社会における個人の行動にその基盤を置いていたといってよいだろう。……この会議にオブザーバーとして出席したチャールズ・ジェンクスは当時まだ大学院の学生であったと思うが、建築家たちのとりつつある多様なアプローチを、印象的に感じ取ったことであろう。(黒川 496)

戦間期から戦後にかけて世界を席捲した普遍的ゆえに単一的なインターナショナル・スタイルを推奨したCIAM。それにとって代わって結成されたチーム・テンで共有される「多様なアプローチ」[4]。つまり、一見すると、CIAMとチーム・テンによって代表される二つの時代とそれぞれの建築へのアプローチは二項対立として浮かび上がる。しかし、ジェンクスの『現代建築講義』で論じられる「進化の樹」【図1】に着目すると、それらが一つの歴史軸を通して語られていることに気が付く。それは、70年代の建築に対する「多様なアプローチ」を20年代へと遡り、その六つの潮流

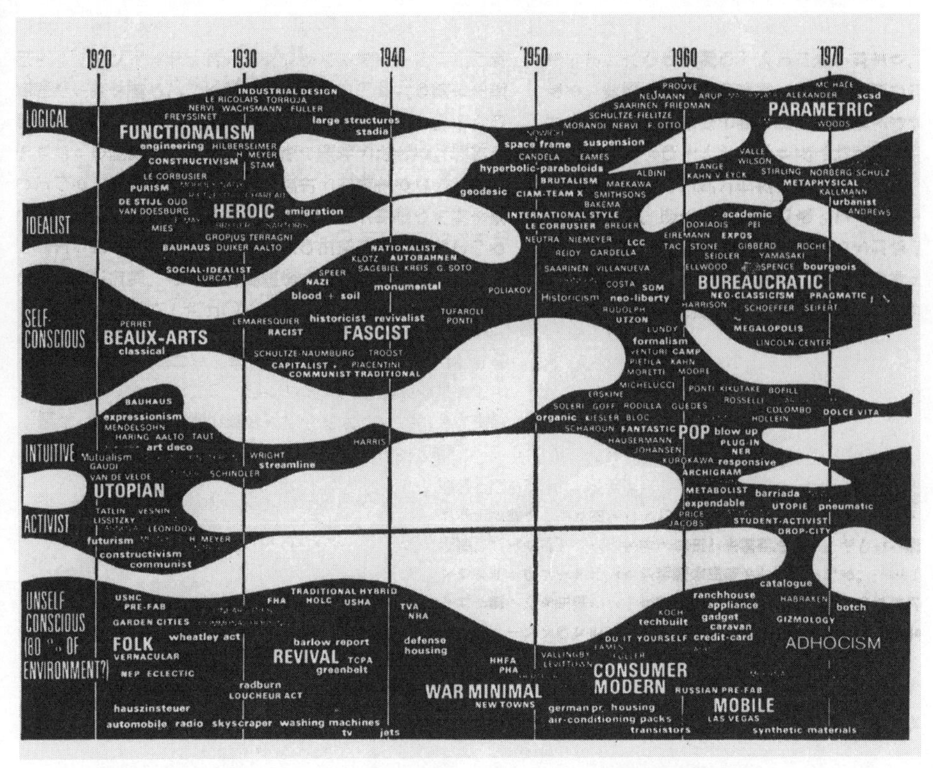

【図1】チャールズ・ジェンクス「進化の樹」（quoted from『現代建築講義』22）

からなる系譜に位置づけているのである。

つまり、のちに『ポスト・モダニズムの建築言語』において、モダニズム建築の「死」を宣言し、それにとって代わるポストモダニズム建築の重要性を論じたジェンクスは、少なくともこの時点においては、二つのことなる建築運動に関連性を見出しており、その関連性は彼自身のモダニズム建築に対する多角的なアプローチによって導かれているといえるだろう。そして、彼の多角的なアプローチによって示されるモダニズム建築のヴィジョンは、本書の第1章で考察したような排他的な建築史——つまり美術史批評家ニコラウス・ペヴスナー（Nikolaus Pevsner）や彼自身もコラムなどの執筆に携わったイギリスの月刊誌『建築評論

(*Architectural Review*)』などにより構築された建築史――とは一線を画すことがみてとれる。従来の建築史が、合理主義的・機能主義的なデザインを追求したインターナショナル・スタイルの思想や概念を擁護し、消費社会や女性性などと密接に関わるアール・デコをポピュラー・カルチャーとして排除してきたとすれば、ジェンクスの「進化の樹」は30年代イギリスにおいてみられたような制度化されたモダニズム建築史への挑戦であり、モダニズム建築の多元性を包括する建築史をリ・デザインするものとしても読み解けるだろう。

事実、『現代建築講義』における目的の一つは、「『近代建築』と呼ばれるある種の統合的な理論及びその実践が実在するという因襲的な見方」を打破することであり、「ペヴスナーや他の歴史家たちの業績」によって「削除」された「多元性」を考察することである（ジェンクス『現代建築講義』3-4)。そのため、「すべての近代建築書」に共通する「イデオロギーから起因する削除」、そしてそれを可能とする「歴史家のもつ『解釈する』という特権」が批判の対象となる（4)。

> 実際の建築の伝統には極めて豊潤かつ複雑なものがあり、それらをある「近代」あるいは「真実なるスタイル」などの単純な概念に還元しようという企ては、近視眼な害毒を流すだけのものとなるだけであろう。歴史家にとっては、創造的な運動や作家達の多元性を、可能な限り探り出しその創造性を明るみに出すことが務めである。（ジェンクス『現代建築講義』20)

つまり、歴史化され、統合的な運動へと一本化されたモダニズム建築ではなく、「建築の生きた伝統の持つ多元性」を視覚的に表現するために、「進化の樹」が提示されたとも言えるだろう（3)。そして、過去からの延長線上に現在を配置しつつも、それぞれの時代における建築活動の多元性ゆえに、決して一直線で語ることのできない建築の歴史を示唆しているのである。

この「進化の樹」によって浮かび上がるジェンクスの建築ヴィジョンは、

1920年から断絶することなく、ただし、形態や思想にせよ形を変えて進化する、建築の文明史そのもの、だといってもいいかもしれない。言い換えれば、本書の序章で取り上げた「グローバル化の歴史軸」――つまり「冷戦体制期には一度凍結されて見えなくなっていたという歴史の軸」（姜・吉見 201）――を建築的な視点から提示しているとも読み解けるだろう。そして、ジェンクスの建築ヴィジョンが胚胎する矛盾や可能性に、『現代建築講義』の醍醐味があるのかもしれない。

> 近代建築の方向性が多様化し、その行方が混沌としている現在、過去の近代建築の足跡をすべて否定しようとする単純な反近代建築論や、あるいは、その近代建築の源流から断片的にその手法を拾い集めてモンタージュする方法が横行するなかで、近代建築の運動や思想を六つの潮流に分けてその多様なアプローチそのものを現代の性格として浮かび上がらせている彼の主張は、極めて納得のいくものに思える。（黒川 496）

当時の建築論において異彩を放つジェンクスの建築論の特性は、建築を通して、戦争によって分断された二つの時代を結びつけ、「一連の不連続な（a series of discontinuous）運動とでもいうべきもの」（ジェンクス『現代建築講義』5）を浮かび上がらせたことではないだろうか。そして、それによって特徴づけられる「現代の性格」――厳密には70年代の建築によって映し出される当時の性格――は、「近代建築の運動や思想」に潜む「多元性」によって裏付けられるものであり、言い換えれば、戦前の時代に根差したものとして浮かび上がるのである。

しかし、ジェンクスの建築論を通して浮かび上がる戦間期と冷戦期の密接な関係性は、『ポスト・モダニズムの建築言語』において、その影をひそめることになる。本章冒頭で示した通り、『ポスト・モダニズムの建築言語』はモダニズムの建築の「死」を歴史化し、その普遍的ゆえに単一的なデザインに対する痛烈な批判からはじまる。それはまるでジェンクス自身が批判した歴史家さながら、モダニズム建築の多元性を単一化してしまう行為のようにさえ見てとれる。このような変化を彼自身が次のように説明している。

> あわれ、合理主義、行動主義、実利主義の哲学的教条を譲り受けた、このような啓蒙運動の血を譲り受けたモダニズム建築は、その先天的な天真爛漫さを受け継ぎ、その純真さは、あまりに偉大で畏れ多いものと吹き込まれていたので、単に建物だけに関する書物のなかでは論を展開することができなかった。ぼくはこの書の第一部では、いってみれば腐った一本の大木のごく小さな一本の枝みたいなものの死だけに集中するかもしれない。(ジェンクス『ポスト・モダニズムの建築言語』13)

プルーイット・アイゴー団地の爆破を目の当たりしたジェンクスにとって、もはやモダニズム建築の独断的な理念、純粋主義と合理主義な様式によって生じる建築家と居住者、そして建築と公共との間に生じた亀裂に対する痛烈な批判は避けられないものだったのかもしれない。事実、『現代建築講義』で提示された「進化の樹」さながら、『ポスト・モダニズム建築の言語』においても「進化の系統図」【図２】が提示されるが、その時間軸の起点は1920年から55年へと変更され、ポストモダニズム建築の定義はモダニズム建築との断絶を想起させるものといえるだろう。

しかしここで、ジェンクスを通して浮かび上がるモダニズムとポストモダニズムの関係性は断絶した、と結論づけることはできない。たとえば、『ポスト・モダニズム建築の言語』の第二部「建築におけるコミュニケーション方式」において、「モダニズム建築が一般的にもっともおざなりにしてきたコミュニケーションの方式」の一つである「メタファ」の重要性が論じられる際、モダニズム建築の巨匠ル・コルビュジエ（Le・Corbusier）のデザインしたロンシャン教会【図３】が内包する可能性を論じる。

> この建物は、視覚的なメタファによって重複的にコード化されてい

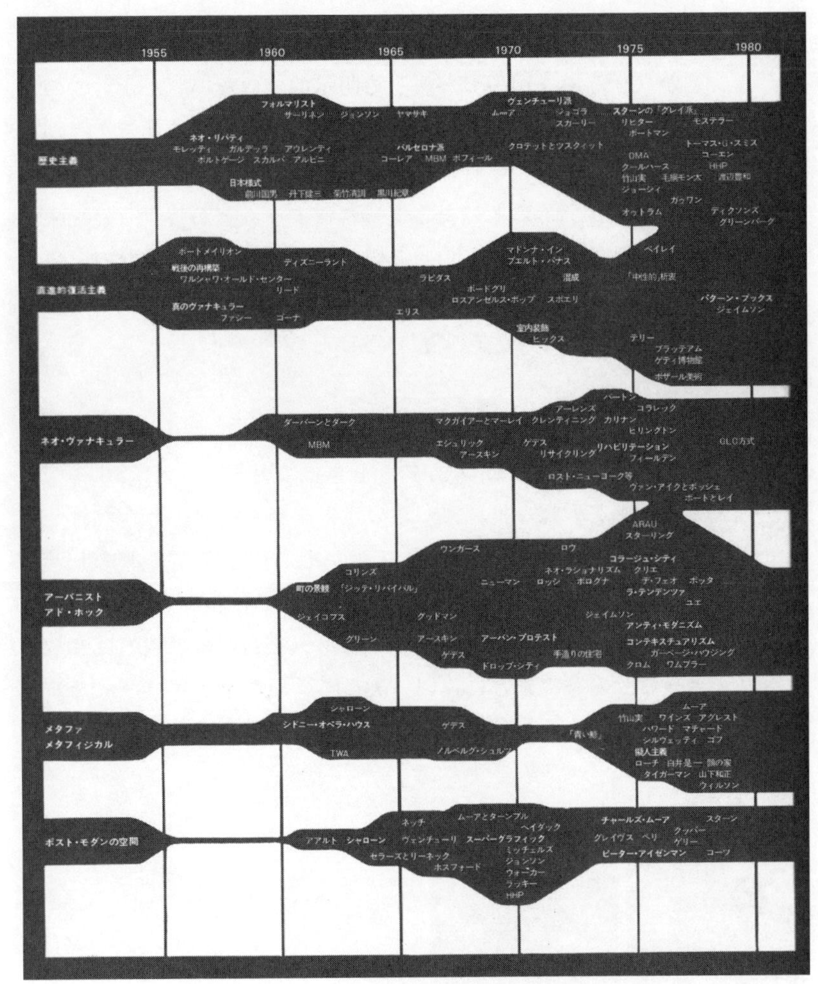

【図２】（上）チャールズ・ジェンクス「進化の系統図」(quoted from『ポストモダニズムの建築言語』90)

【図３】（下）ル・コルビュジエ「ロンシャン教会」フランス1955年(quoted from ジェンクス『ポストモダニズムの建築言語』54)

る。しかし、その一つ一つが決して明示的ではない。だからこの建物はいつも、ぼくらがうまく見極められない何かを、僕らに向かって語っているようだ。それはどうしても思い出せなくて、口先に出かかった言葉があることにたとえられるよう。しかし、その曖昧性とは欲求不満的ではなく、むしろ劇的であり得る。あなたの記憶のなかに、その糸口を求めての探検がはじまるからである。(ジェンクス『ポストモダニズム建築の言語』54)

ジェンクスによれば、この教会は、その重層的なメタファ【図4】によって「コードが重複し、まさに解釈が飽和しきっている」ゆえに、「ペヴスナーやスターリングの様な批評家がこの建物を胸くそ悪いとみた」という(56)。しかし、ジェンクスにとっては、それはまさに「ポスト・モダニズムの特徴」である「コード間に発生するいわば精神分裂症的混合」を含蓄したデザインを意味する(91)。つまり、彼自身が批判の対象とするペヴスナーなどの歴史家とは違い、決して単一のイデオロギーでモダニズム建築を歴史化するわけではない彼の姿勢が浮かび上がってくるのである。

【図4】「ロンシャン教会のメタファ——AAスクールの建築記号論セミナーで、ヒル・ショッケン君によって描かれたもの」
(quoted from ジェンクス『ポスト・モダニズムの建築言語』54)

ここまで概観してきた通り、ジェンクスを通して浮かび上がるモダニズム建築とポストモダニズム建築の関係性は、短絡的に二つの時代を対立構造で語ることを拒むかの如く、矛盾にみちたものであるがゆえに可能性を秘めているといえるだろう。それは、従来の制度化されたモダニズム建築史のリ・デザインであり、戦争によって分断された二つの時代が共有する社会的・文化的時空間が胚胎する多様性や豊潤さを示唆するものといえるだろう。では具体的に、ジェンクスは建築と社会の関係性をどのように捉えていたのだろうか。この疑問を念頭に置き、次のセクションではジェンクスを通して浮かび上がる消費社会や資本主義とポストモダニズム建築の社会理念との関係性について考察することとする。

3. ポストモダニズム建築の社会理念 ──消費社会と資本主義の狭間で

本章冒頭で触れた通り、ポストモダニズム建築はバブル経済や消費社会との関連性で語られることが珍しくない。では、ポストモダニズム建築の代弁者でもあるジェンクス自身は、それらの関係性をどのように捉えていたのだろうか。『ポスト・モダニズムの建築言語』において、ジェンクスは消費社会が及ぼす建築への影響を次のように批判する。

> 建築は一つの社会が重要と思うもの、つまり精神面でもお金の面でも両方に価値があるとするものを明確に反映するものだ。前工業化時代には、建築的表現の主要な領域は、寺院、教会、宮殿、アゴラ、集会場、カントリー・ハウス、それに市庁舎などといったたぐいのものだった。それにひきかえ、現在では、べらぼうに余分な金がホテルだとかレストラン、さらにはすでにぼくが触れてきたような商業建築物に費やされている。それにひきかえ、公共住宅とそれに地方のコミュニティや公共的領域を表す公共建築などでは費用がめちゃくちゃにされてしまう。そして消費価値をかきたてる建物にはでっかい投機が集まるわけだ。(41)

公共のためではなく、私的な娯楽のために、大金がつぎ込まれる社会風潮そのものに対するジェンクスの批判、すなわち、消費社会と商業建築の結びつきに関する彼の批判は、『現代建築講義』においてもみてとれる。『現代建築講義』の結びにおいてそのタイトル「建築そして革命」が指し示す通り、彼は「建築を生み出している当の消費社会、そしてその建設の営みの覆うべくもない卑俗さ」を痛烈に批判し（453）、その現状から脱却すべく「革命」の必要性を主張するのである。

ジェンクスにとって、建築家が消費社会に盲従することは、「自分の社会的役割に対しても現代社会の公的領域に対しても誠実さを失っていることの何よりの証拠である」（454）。そして、ル・コルビュジエのデザインしたチャンディガールなどを例に挙げ、「これらの宗教建築や公共建築は建築的な卓越性も含めて望み得る限りの資質をすべてもっている」のに対して、それらと同等な「シリアスな形での仕事の依頼がないという」事実が、建築家を、そして建築そのものを消費社会の犠牲になることを余儀なくさせると論じる（455）。そして最後に、ル・コルビュジエの言葉をもじって「革命」の必要性を訴えかけるのである。

> ル・コルビュジエは彼の著作を「建築か革命か、革命は避けられる」というオルタナティブで結んだ。しかし今日我々が確かな手応えをもつ真の建築を得ようとするならば、それは真の公的領域、すなわち評議会システムの創出を目指す人民革命によって支えられていなくてはならない。建築そして革命、なのだ。（463）

ここで引用されるル・コルビュジエの著作とは、1923年刊行された『新しい建築をめざして（*Towards New Architecture*）』であり、「建築か革命か」はその最終章のタイトルである。社会的、政治的な変革期において、ル・コルビュジエは健全なる建築こそが社会秩序を再建する上で必須であり、「革命は避けられる」と主張する（Le Corbusier 269）。また、別の解釈をするのであれば、彼は「革命」に反対しているのではなく、建築そのものに政治的活動を超越した「革命」の可能性を見出していたともいえるだろう。[5] その一方で、ジェンクスは「人民革命が創造的表現の主要な媒体となる」と考えており、「建築家のなし得ることは状況を理論的に明らかにし、体制に対する異議申し立ての建築をデザインし、オルタナティブとしてのモデルを作り出し、後は時機を待つことよりほかにない」というのである（ジェンクス『現代建築講義』463）。つまり、消費社会の犠牲になった建築が、人民または大衆から、再び信頼を取り戻すためには、「支配的イデオロギーに対する反対テーマやオルタナティブ、アイロニカルな緊張や矛盾を表現」することであり（463）、それを可能にする「真の公的領域」が必要というのである。

ここで本論が着目したいのは、ジェンクスが、70年代の消費社会と産業建築の関係性を、20世紀初頭からつづく経済体制と関連づけて論じる点である。たとえば、当時の商業建築との接点をイタリア未来派の建築家アントニオ・サンテリア（Antonio Sant'Elia）の宣言に見出し、その延長線上にラスヴェガスのネオンや、はたまたロシア構成主義者によって街路に引っ張りだされた芸術や工場屋根の上ではためく色とりどりの旗などを位置づける（ジェンクス『ポスト・モダニズムの建築言語』42）。そして、これらが提示しようとしたヴィジョン——つまり、「いかなる国であれ、またいかなる経済体制であれ、……ひとえに新しい階級と新しい機能を基盤に社会改革をすること」——の結末を次のように論じる。

> 実際には、管理社会が発生し、そして社会主義社会もいくつかの国で起こった。しかし、こうした素晴らしい夢はあのビジネスのメッカであるマディソン街（やそれと同じような場所）に無残にも奪われてしまった。……世界の体制のうち西側における消費社会の勝利と、東側で見られる官僚的な国家資本主義の勝利とともに、不運をきわめるわれらがモダニズムの建築家は、象徴化するにたりる社会的満足の高まりを持たないままに取り残されてしまった。……この複雑な状況を表現して異議を唱える建物をデザインすることを除いて、建築家がこれについてやれることは残念ながらたいしてなさそ

うだ。(43)

ここでジェンクスが批判の対象としているものは、「モダニズムの建築家」自身ではなく、「俗なるものを建設すること」を余儀なくさせる社会風潮であり、スーザン・バック＝モース（Susan Buck-Morss）が別のかたちで指摘するように、西側と東側の形態は違うが共通する資本主義そのものである。[6] そして、ジェンクスが推奨した重層的なメタファを内包するハイブリッドなポストモダニズム建築は、西側と東側の両方を席捲する資本主義へ「異議を唱える建物をデザインすること」を目的としていたとも言えるだろう。

しかし、ジェンクスが論じるポストモダニズム建築は、このような「文明史的視点があったにもかかわらず、それが建築様式のひとつだと誤解され、矮小化され」（隈, *KKAA Newsletter*）てしまう。その最たる理由は、皮肉にも、ジェンクスが食い止めようとした消費社会、そして資本主義の勢いそのものとして読み解くことは難しくない。『ポスト・モダニズムの建築言語』は編集を加えられながら第八版まで出版されたが、1991年に出版された第七版に、消費社会の脅威に対するジェンクスの嘆きと抵抗が色濃く映し出される。

> The seventh edition called for a careful repositioning, lest the new style fall into "kitsch", as larger commissions, especially by corporate giants like Disney, began to swamp the practices of Post-Modern architects. This fear of the end prompted Jencks to preface his edition of 1991 with the ominous essay “Death for Rebirth”, in which he . . . conceded that movements do reach an end and that Post-Modernism would not escape this predicament, but unlike the previous dogmatic movements, its death could be a liberating event which would free it once again from any dogmatism. (Haddad, 501)

事実、ジェンクス自身、ポストモダニズム建築が「キッチュなもの (kitsch)」として消費され、「商品化された決まり文句（commercialized cliché)」に変貌してしまったことを悲観的に論じる通り（Jencks, *Language* 13)、1990年代を通してポストモダニズム建築に対する批評は、低俗性・俗悪な虚飾性というその表面的な要素に焦点が当てられ、急進的な折衷主義が内包する理念や思想は、単なる「スタイル」として安易ともいえるやり方で「歴史化」され回収されてしまう。その一方で、「スタイル」としてのポストモダニズム建築の「死」は、逆説的ではあるが、形式にとらわれないポストモダニズム建築のはじまりとしても解釈することができるだろう。だとしたら、ポストモダニズム建築が一つの「スタイル」として回収された背景に潜む西側と東側の両方を席捲する消費社会・資本主義の商品化とはことなる観点から、ポストモダニズム建築を再読することもできるだろう。たとえば、次のセクションで提示するように、イギリス発祥のマギーズセンターに焦点をあててあらためてポストモダニズム建築のヴィジョンを探ってみることにより。

4．マギーズセンターを通して浮かび上がるポストモダニズム建築のヴィジョン

英国のマギーズセンターは、がん患者とその家族を含む周囲の人びとに対して心理的・社会的な支援活動を行っている慈善団体であり、1996年にスコットランドの首都エディンバラにあるウエスタンジェネラル病院の敷地の端にあった売店を改修してマギーズセンター第一号が設立された。センターの名の由来は、この活動の発案者であり、造園家であり、ジェンクスの妻でもあるマギー・ジェンクスである。1988年47歳で乳がんを発症し、5年後に多臓器への転移の発覚により余命を告げられた彼女が、「死の恐怖の中で、自分自身を取り戻す、家のように安らげる空間が欲しいと強く思ったのが、マギーズセンターの構想に繋がっていく」（秋山 55)。病院と家の中間にある「第2の我が家」のような環境、「死の恐怖の中で生きる喜びを再発見できる」環境の必要性に賛同した夫と彼女の担当看護師ローラ・リー（Laura Lee）の協力の下、具体的な計画が図面化されたが、その完成を見ることなく彼女自身は1995年に永眠した（秋

山 55)。しかし、その後、活動の成果が国内に広まると、2002年に第二号マギーズセンターがスコットランドのグラスゴーに設立され、そて以降、ほぼ毎年国内各地で建設がすすめられた。そして、現在では、国内だけでも20箇所以上のセンターが設立され、その活動は世界各国でも展開されている。ここ日本においては、2016年にマギーズ東京が開設された。

マギーズセンターの設計には、建築界のノーベル賞といわれるプリツカー賞を受賞したフランク・ゲーリー(Frank Gehry)やザハ・ハディド(Zaha Hadid) なども参加しており、それぞれのデザインには異なった特徴がみてとれる[7]。しかし、どのデザインも一貫して、家庭の空間を彷彿とさせるかの如く、誰もが気軽にお茶を飲み団欒できるようなオープンキッチンがデザインされているのである。そのデザインに対して、ジェンクスは次のように説明する。

> "kitchenism" is a name we give to this informality, and the kitchen area is the place you see on first arrival perhaps just after having been diagnosed with cancer. The big table is a place to have a cup of tea, providing a social situation into which you can insinuate yourself carefully, by degrees. (Jencks, "Maggie's Architecture" 68)

このような家庭的な空間を内包するマギーズセンターのデザインは、19世紀の居住空間に設置されたホスピス("prehospices, or protohospice")との関わりを想起させる(Goldin 390)。当時の社会において、死にゆく場所を家庭的な空間のホスピスに求める傾向は広く根づいており、これは大規模な制度化された無機質な病院建築に対する不信感の表れでもあった(Goldin 383; Humphreys 146)[8]。このような病院建築に対する懐疑心は、たしかに、ジェンクス夫妻にもみてとれる。だが、彼らが求めた空間は、単に、初期のホスピスのような環境だけでもなかった。それは、たとえば、従来の病院とホスピスなどを融合した空間とでもいってよいものであり、建築デザインそのものに癒しのみならず治癒力をも見出そうとしていたのである。

ジェンクスによれば、このような建築デザインの起源は、建築と医療の歴史的な関係性の中に見出せるという。たとえば、古代ローマからルネッサンス期にみてとれるヘルスセンターについて次のように論じている。

> Their architecture was not just utilitarian but among the greatest of its time, and the open theatre at Epidaurus remains in use today, proving the point. This practice of expressive high architecture connected to healing continued from Rome to the Renaissance, but it was a tradition that largely disappeared in the 19th century under the impact of the mega-hospital. Maggie's, with twenty built over the last twenty years, seek to recover this lost tradition —— or at least I hope it does. (Jencks "Maggie's Architecture" 68)

ジェンクスは、今日の社会における近代的な巨大病院の役割を正当に評価する一方で、高齢化社会に適応すべくことなる空間の必要性を唱える。近代的な病院は医療技術や薬の開発にとって有効な解決策ではあるものの、その解決策だけで果たして十分なのだろうか。というのも、高齢化社会に伴い、人びとはかつてないほど病院を必要とする機会が増え、その役割もさまざまな変化を遂げる必要があるからである。マギーズセンターの活動が模索するのは、昨今、世界的なブームになりつつあるように、巨大病院とことなる建築要素を融合させることにより、肉体の治療に特化した医療技術のみならず精神的なサポートを含めた、より全体論的なアプローチを可能にさせる空間だ、という。

こうして、マギーズセンターの建築空間は、どれも複合的な役割とイメージを内包している。ある人にとっては最後の時を迎えるにあたって精神的な安らぎの場であり、別の人にとっては食生活について学ぶ場でもある。もしくは、患者や家族がともに体を動かす場であり、情報を共有する場でもあり、さらにはまた、創作活動の場でさえあり得るのである。そして、これらの異なる目的に応じるべく、可動式の壁が設置されており、つまり空間によってその活動が制限されるのではなく、活動に応じて空間の意味が変貌するような建築デザインとなっているのである。

> Flexi-space and hybrid space characterize all our twenty centres . . . In this sense the whole enterprise can be considered a postmodern experiment in a petri dish, with the individual styles varying across the spectrum, from disappearing background building to sculptural icon, and from green architecture sunken into an earth berm to a pinwheel galaxy. (Jencks "Maggie's Architecture" 68-69)

マギーズセンターにみられる建築理念は、その空間を利用する人びとの要望に対して柔軟に適応できる混在的な空間づくりであり、自然との共存であることがうかがえる。そのため、マギーズセンターは、さまざまなイメージを伴う空間といえるだろう。"It is like a house not a home, a collective hospital which is not an institution, a church which is not religious, an art gallery which is not a museum"（Jencks, *The Story of Postmodernism* 5）. どのイメージにせよ、一つの制度化された概念によって縛られた空間的なイメージではない。むしろ、個々の活動や創造意欲を掻き立てるような共同体の空間をイメージさせるのである。そして、このような重層的なイメージあるいは集団性・大衆性のデザインを内包したマギーズセンターを、ジェンクスは「ポストモダニズム」として論じているのである。

ここで、マギーズセンターが含蓄する社会的かつ文化的な価値について考えてみたい。マギーズセンターは、先に見た通り、分類され、定義づけられることを拒絶する"non-type"な空間であるが（Jencks, *The Story of Postmodernism* 5）、このような従来の建築定義に収まらない性質がゆえに、マギーズセンターは、ホスピスに関する研究において、「建築の革新（architectural innovation）」として紹介されているのである（Adams 251）。

> Far from being hospitals disguised as houses, the Maggie's Centres are truly about the power of imaginative spaces to inspire soul. They show how

architecture can support patients with cancer, a journey that may end with a cure or in a hospice or palliative care unit. (Adam 253)

つまり、マギーズセンターは、われわれの精神と肉体へと語りかける空間であり、この点において内的・外的空間の境界線を卓越する空間であるといえるだろう。さらに、マギーズセンターは、精神と肉体のみならず、建築と自然によって構築される内的・外的空間の境界線をも卓越したデザインである。このことにも着目しておこう。

The Maggie's Centres are an attempt to convey the power of that imagination into built form; wonderful buildings making the most of little things——views, greenery, the changing sky, or nearby water. (Heathcote 1304)

このような自然と建築の共存は、ジェンクスによれば、生命の危機に直面した人のみならず、よりよい未来のために必要不可欠なものであり、マギーズセンターは「希望の建築（architecture of hope）」であるという（Jencks, "Maggie's Architecture" 69）。つまり、マギーズセンターを通して浮かび上がるポストモダニズム建築のヴィジョンは、内的・外的空間の融合であると同時に個と共同体を擁護しながら、いまだ到来していない未来の「大衆」・「文明」・「環境」へと導きつつも、その建築ヴィジョンは、空間の使い手によって、随時、リ・デザインされるべきものという思想が垣間見える。

こうした思想は、実は、マギーズセンターが創設される以前にも見て取れる。たとえば、ネイサン・シルバー（Nathan Silver）との共著 *Adhocism: The Case for Improvisation*（1972）において、既に、素人の「ものづくり」に光があてられている。タイトルの"Adhocism"とは造語であるが、モダニズム建築の特徴である一貫した形態合理性の追求、完結した形態への志向とは正反対の視点として、あるいはそれを補完する考え方として、「今、このためにだけ（adhoc）」必要な空間づくりの重要性を示唆するものである。

> Today we are immersed in forces and ideas that hinder the fulfilment of human purposes . . . But a new mode of direct action is emerging . . . [which is] the rebirth of a democratic mode and style, where everyone can create his personal environment out of impersonal subsystems . . . by combining ad hoc parts, the individual creates, sustains and transcends himself. (Jencks, *Adhocism* 23)

ポストモダニズムの文脈でこの著書とマギーズセンターが注目されることは、これまで、そう多くなかったように思われる。しかし、それらを通してポストモダニズム建築を再考することで、消費社会や資本主義に回収されて単なる「スタイル」として語られてきたポストモダニズム建築とはことなるヴィジョンが浮かび上がるように思われる。それは、素人と専門家、自然と建築、個と共同体、生と死、そして精神と肉体の空間など、相反するさまざまな要素を全体論的に包括するポストモダニズム建築のヴィジョンではないだろうか。つまり、規定された一つのイデオロギーや思想に執着せず、個々の特性や多様性、そしてそれらの多元性・共同体の大衆的集団性をきわめて独特なスタイルで抱擁する建築、そしてそれが映し出す社会。こうしたものこそが、ジェンクスが模索したポストモダニズム建築のヴィジョンであり、その「文明史的な視点」なのかもしれない。

5．おわりに：モダニズムとポストモダニズムのコミュニケーション

1990年頃から、ポストモダニズム建築の発展に貢献した建築誌*Architectural Design*などがこぞって、ポストモダニズムから脱構築主義など新たなテーマへと移行した後も、ジェンクスはポストモダニズム建築のキーワードを巧みに変化させながら、その可能性を論じ続けた[9]。たとえば、2002年に刊行された*The New Paradigm in Architecture* において、ジェ

ンクスは次のように論じている。

> My argument is that we are at the beginning of a new way of constructing architecture and conceiving cities, that it has grown out of the Post-Modern movement in the sciences and elsewhere, but that is has not yet grown up. The new paradigm exists but somewhat ambiguously. It is past the birth pangs, but still in infancy, and there is much to be decided on how it is going to develop and mature. (1)

ここで示される「新しいパラダイム」とは、1995年の著書*The Jumping Universe*で、カオスの理論など現代科学を援用して論じられた新しい建築の形態論である。つまり、「八〇年代に開花したポスト・モダンの建築家が大企業や巨大娯楽産業に関わったこと」に否定的なジェンクスにとって、新たなポストモダニズム建築のパラダイムは「複雑系やカオスの理論、自己組織システム、非線形力学を含む、新しい『複雑系の科学』と呼ばれるものによって解明された新しい世界観」であり、「ハイテクから有機的なオーガニ・テクへのシフト」や「コンピュータの普及によって流行したぐにゃぐにゃの形態を現代科学の世界観に接合させる」ことである（五十嵐）。そして、この21世紀のパラダイムを、消費社会に回収される前のポストモダニズム建築、たとえば60年代のロバート・ヴェンチューリ（Robert Venturi）やジェイン・ジェイコブズ（Jane Jacobs）の作品などの延長線上で論じているのである。

さらに、2007年に刊行されたジェンクスの著書*Critical Modernism: Where is Post-Modernism Going?* において論じられるのは、モダニズムとポストモダニズムのコミュニケーション、そして結合の重要性にほかならない。ジェンクスは二つの運動を次のように説明する。

> Such are movements under way towards a more hybrid, integrated world —— a mongrelized globe from one point of view —— a world in constant and instantaneous communication across its boundaries. At the same time, I

> will argue, there is also at work a hidden tradition of reflection and reaction to all this cross-border modernization, the Critical Modernism of my title. Unlike many of the other trends and agendas discussed here, this is not yet a conscious movement but an underground or tacit process, the activity of modernism in its constantly reflexive stage, a stage that looks back critically in order to go forward. (Jencks, *Critical Modernism* 8)

かつて制度化され、歴史化され、分断されたモダニズムとポストモダニズムを、その境界線から解放する束の間のコミュニケーションによって示唆される新たな未来を模索するジェンクスにとって、モダニズムとポストモダニズムの結合、そのヴィジョンは確固たる恒久的なものではないが、だからこそさまざまな可能性を胚胎しているというのである。

> Now that post-modernism is no longer a runaway fashion or despised corrupter of the modern faith, it is easier to attend to its peculiar charm and quality. This is the taste for the hybrid moment, the instant of creation, when two different systems are suddenly conjoined so that one can appreciate both sides of the equation and their union. (Jencks, *Critical Modernism* 10)

つまり、『現代建築講義』から度々示唆されてきた二つの運動、それらの時代の関係性が、30年以上の時を経て、束の間の結合として、その重要性が主張されているのである（Haddad 506）。今世紀初頭に『建築評論（*Architectural Review*）』に掲載された20世紀建築の系譜【図５】は、まさに、モダニズムとポストモダニズム、そして二つの時代のコミュニケーションを示唆するものといえるだろう。そして、社会的、経済的、かつ政治的な変革や地球温暖化などの環境問題を取り上げながら、ジェンクスは現在の複雑で“heterarchic”な世界の性質――つまり、組織構造に頂点となるものを持たない並列的な構造により形成される世界の性質――に対して、その複雑な状態を映し出す表象が必要だと論じているのである（Jenck, *Critical Modernism* 175-76）。

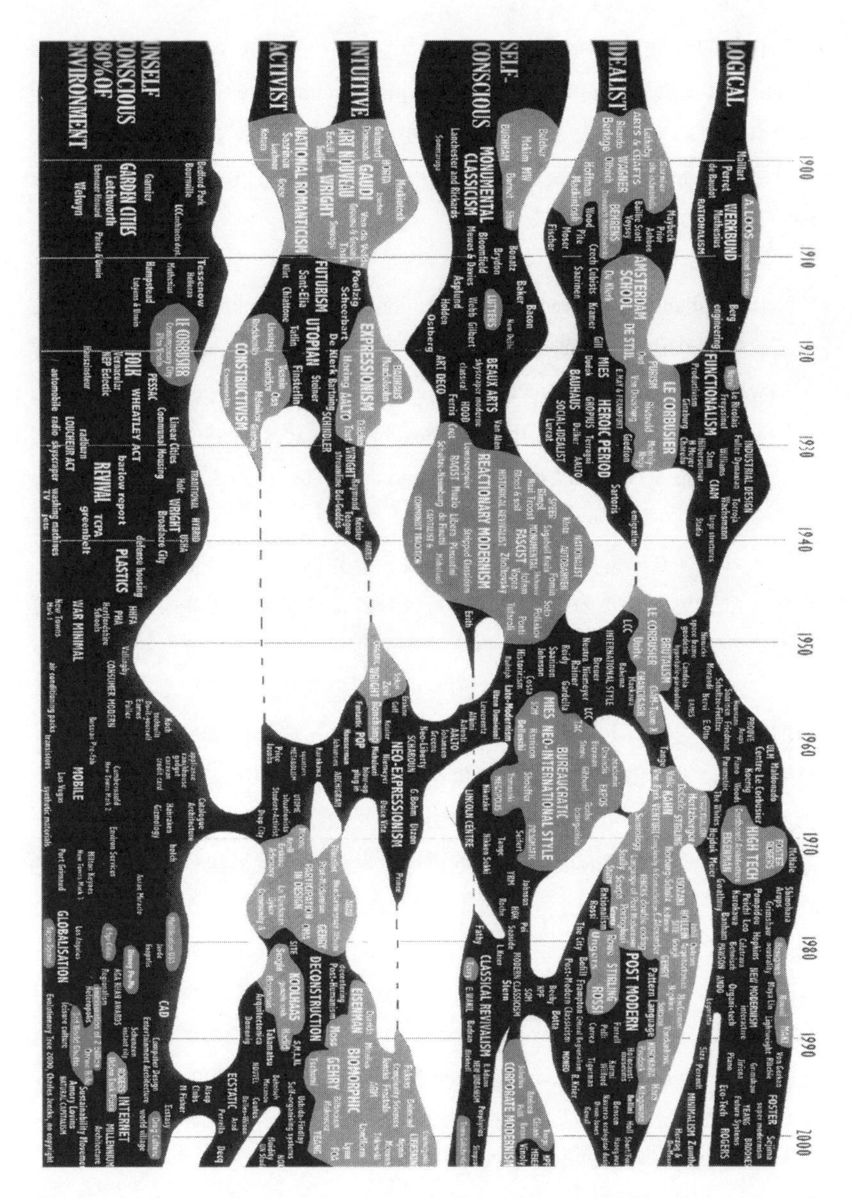

【図5】Jencks's "The Century is Over, Evolutional Tree of Twentieth-Century Architecture" with its attractor basins (quoted from "Jencks's Theory of Evolution" 77)

2018年ロンドンにあるサー・ジョン・ソーンズ美術館にて、“The Return of the Past: Postmodernism in British Architecture”という展覧会が開催された。この展覧会を振り返りながら、ポストモダニズムに向けられる昨今の関心の高さを鑑みて、建築史家アリスター・フェアー（Alistair Fair）は次のように説明する。

> [H]istorians are increasingly keen to look beyond the trenteglorieuses of the postwar British welfare state (i.e., 1947-75), which coincided with the high-water mark of modern architecture and planning. How were the architectural and urban principles of the previous three decades challenged and refined during the second half of the 1970s and the 1980s? (Fair 372)

だとすれば、なぜ今さら、福祉国家の先を見据えてポストモダニズムを再考する必要があるのだろうか。われわれはすでにその先を経験したではないか。たとえば、80年代のサッチャリズム――イギリス経済再生のため「小さい政府」を追求し、国有企業の民営化、福祉事業や社会保障の削減などを断行したサッチャー政権の社会・経済政策――などにみられるように、自由市場競争の価値を強調する新自由主義の思想と政策は世界を席捲し、90年代以降もその影響力を増幅させた。そして、2008年のリーマンショックは世界金融危機をもたらし、世界銀行と各政府の連携やグローバル・ガバナンスの取り組みが重要視されたが、どれほどの成果をもたらしたのだろうか。われわれは今なお、ジェンクスが『ポスト・モダニズムの建築言語』で予期していたとおり、アメリカの資本主義がもたらす「公の汚穢」や「富裕の差」（41）から脱却できずにもがいているのだろうか。だからこそ、世界各国でポピュリズム政党が政権を握っているだろうか。だとしたら、今のわれわれに、ポストモダニズムが与えてくれる視点とは何なのだろうか。

ロンドンを中心に活躍する建築批評家であり、2018年にロンドンで開催された展覧会“The Return of the Past: Postmodernism in British Architecture”のキュレーターでもあるオーウェン・ホプキンス（Owen

Hopkins)は、現在とポストモダニズムの関係性を次のように論じる。"With populism on the rise, the pluralism of the [Postmodernism] movement is needed now more than ever" (Hopkins). そして、現在とジェンクスが論じた二つの時代——モダニズムとポストモダニズムが抬頭した1920年から30年代と1970年代から80年代——にまつわる考察の必要性を指摘しながら、その理由を次のように説明する。

> Looking back, it becomes abundantly clear that our present situation of political and economic flux is seeing the "grand narrative," which postmodernism had so decisively discredited, return with a vengeance, whether in narratives of nationalism and nativism, or of populism of both the right and left. (Hopkins)

事実、本章で論じた通り、ジェンクスを通して浮かび上がるポストモダニズム建築のヴィジョンは、東側と西側の両方を席捲する資本主義に対する挑戦であり、それは偶発性、個性、多元性を擁護する空間の模索と言えるだろう。そして、このようなポストモダニズム建築のヴィジョンは、先に論じた通り、アール・デコを含めたモダニズム建築の多元性を捉えるジェンクスの多角的な視点によって裏付けられていることを忘れてはいけない。つまり、そのヴィジョンとは、それぞれの時代にみられるダイナミックな勢力関係や内的矛盾を一つのイデオロギー的なフレームワークで淘汰することなく、それらのアイディアと交差することで浮かび上がるのである。それは、広義な意味で、冷戦体制期に制度化されたモダニズムとポストモダニズムの概念をリ・デザインすることであり、さまざまな二項対立の境界線を媒介し、調停しながら、重層的に浮かび上がる「20世紀文化空間」の模索の必要性そのものを示唆しているようにさえ思えるのである。

Notes

［1］『グッドバイ・ポストモダン』は、隈研吾が1895年にコロンビア大学へ客員研究員として留学していた際、当時、世界を席巻していたポストモダン建築をリードした建築家フィリップ·ジョンソン（Philip Johnson)、ピーター·アイゼンマン（Peter Eisenman)、マイケル・グレイヴス（Michael Graves)、フランク・ゲーリー（Frank Owen Gehry）などのオフィスを訪ねて回り、このときのインタビューをまとめたものである。

［2］特集にあたり、その背景と目的は次のように論じられている。“While at least since 9/11 critics have been routinely declaring that postmodernism is, now, over, in the last five years an increasing number of critics have also begun to question whether postmodernism was ever a significant aspect of postwar American literary culture. It is these contemporary abandonments of postmodernism that provide the occasion for this special issue of *Twentieth-Century Literature* . . . [T]his special issue explores how postmodernism means, when it can be thought of as not only the present but also the recent past, not only a synonym for the postwar condition but also an instituted critical fiction, not only what comes after the close of high modernism but also as a strain of modernism, not only a unifying category that contains all late twentieth century literature but also one aesthetic among many” (Gladson and Worden, 291-92).

［3］CIAM（Congrès International d'Architecture Moderne: 近代建築国際会議）は、1928年6月に設立されて以降1959年までに各国で11回開催され、創設メンバーのル・コルビュジエをはじめ、第1部で論じたモダニズム建築の礎を築いたヴァルター・グロピウス（Walter Gropius）やミース・ファン・デル・ローエ（Mies van der Rohe）なども参加し、モダニズム建築の社会理念を促進させる上で大きな役割を担った。詳細は、Mumfordの*The CIAM Discourse on Urbanism, 1928-1960* (2000)を参照のこと。

［4］チーム・テン（Team X）は、1953年の第9回近代建築国際会議（CIAM）において結成された若い世代の建築家グループであり、CIAMが推進してきた機能主義的な建築や都市計画への深い不信感から世代衝突を引き起こし、

結果的に1956年の第10回会議において事実上のCIAM解体へと導いたといわれる。チーム・テンは正式に宣言された組織ではなく、それぞれの建築向上のために互いに批評する会議を1981年まで不定期に開催した。そのため、チーム独自の理論をもたないが、主要メンバーであるイギリス人建築家のピーター・スミッソン（Peter Smithson）とアリソン・スミッソン（Alison Smithson）夫妻による「ニュー・ブルータリズム」（素材をそのまま生かしながら機能的なデザインを目指すもの）など、それぞれのメンバーによる建築理論は20世紀後半に大きな影響を与えたといわれる。詳細は、Pedretの*Team 10: An Archival History* (2013)やBanhamの*The New Brutalism: Ethic or Aesthetics?* (1966)を参照のこと。

[5] たとえば、フレデリック・ジェイムソンはル・コルビュジエの建築へのアプローチを次のように解釈している。"[Le Corbusier] saw the construction and the constitution of new spaces as the most revolutionary act, and one that could 'replace' the narrowly political revolution of the mere seizure of power" (Jameson 71).

[6] スーザン・バック＝モースは『夢の世界とカタストロフィ』において、冷戦下の対立構造で語られる資本主義と社会主義は、「大衆」の欲望を吸収し、反映論的に「多元性」または緊張・矛盾を抹消・隠蔽するように実体化しようとする点において、通念に反して同根であると論じる。詳細は本書の第8章を参照のこと。

[7] 詳細はDominiczkの"Illness and Culture: Maggie's Centre" (2013)を参照のこと。

[8] フランスの建築史ニルス・デグレモン（Nils Degremont）は当時の社会風潮を次のように評している。"In our civilization, a death outside the home can be likened to a death outside society—because, in a hospital environment and despite the existence of palliative care units, death is still something of which to be ashamed" (quoted from Worpole, p. 3). そして、このような社会風潮のもとホスピスの普及がすすめられたという。"It is within this burgeoning concern with the institutionalization of death that the hospice movement gained a foothold and a purchase on the modern social imagination" (Worpole, p. 6).

[9] 建築誌*Architectural Design*がポストモダニズム建築に及ぼした影響力について、詳細はParnellの"Architecture' Expanding Field" (2018)を参照のこと。

Works Cited

Adams, Annmarie. "Home and/or Hospital: The Architectures of End-of-Life Care." *Change over Time*, vol. 6, no. 2, 2016, pp. 248-63.

Banham, Reyner. *The New Brutalism: Ethic or Aesthetics?* Reinhold Publishing Corp.,1966.

Dominiczak, Marek H. "Illness and Culture: Maggie's Centre." *Clinical Chemistry,* vol. 59, no.1, 2013, pp. 333-34.

Fair, Alistair. "Review: The Return of the Past: Postmodernism in British Architecture and Superstructures: The New Architecture, 1960-1990." *Journal of Society of Architectural Historians*, vol. 78, no. 3, 2019, pp. 371-73.

Gladstone, Jason, and Daniel Worden. "Introduction: Postmodernism, Then." *Twentieth-Century Literature*, vol. 57, no. 3-4, 2011, pp. 291-308.

Goldin, Grace. "A Protohospice at the Turn of the Century: St. Luke's House, London, from 1893 to 1921." *Journal of the History of Medicine and Allied Sciences*, vol. 36, no. 4,　1981, pp. 400-401.

Haddad, Elie. "Charles Jencks and the historiography of Post-Modernism." *The Journal of Architecture*, vol. 14, no. 4, 2009, pp. 493-510.

Heathcote, Edwin. "Inspiration: Maggie's Centres." *British Medical Journal*, vol. 333, no. 7582, 2006, pp. 1304-05.

Hopkins, Owen. "Charles Jencks' Provocation and Ever-Enquiring Spirit Has Never been More Important." *De Shown Zeen Room*, 17 Oct. 2019, https://www.dezeen.com/2019/10/17/charles-jencks-postmodernism-opinion/.

Humphreys, Clare. "Waiting for the Last Summons: The Establishment of the First Hospices in England 1878-1914." *Morality*, vol. 6, no. 2, 2001, pp. 146-66.

Jameson, Frederic. "Architecture and the Critique of Ideology." *Architecture, Criticism, Ideology.* Edited by Joan Ockman, Princeton Architectural Press, 1985.

Jenks's, Charles. *Critical Modernism: Where is Post-Modernism Going?* Wiley, 2007.

---. "Jenck's Theory of Evolution, an Overview of 20th Century Architecture." *Architectural Review*, vol. 208, no. 1241, 2000, pp. 76-79.

---. *The Language of Postmodern Architecture*. Rizzoli, 1977.『ポスト・モダニズム

の建築言語』竹山実訳、エー・アンド・ユー、1978年。

---. *The Language of Postmodern Architecture*. 7th ed. Yale UP, 1991.

---. "Maggie's Architecture: The Deep Affinities between Architecture and Health." *Architectural Design*, vol. 87, no. 2, 2017, pp. 66-75.

---. *Modern Movements in Architecture*. Anchor Press, 1973.『現代建築講義』黒川紀章訳、彰国社、1979年。

Le Corbusier. *Towards a New Architecture*. Translated by Frederick Etchells, Butterworth Architecture, 1989.

Mchale, Brian. *The Cambridge Introduction to Postmodernism*. Cambridge UP, 2015.

Mumford, Eric Paul. *The CIAM Discourse on Urbanism, 1928-1960*. Forwarded by Kenneth Frampton. MIT, 2000.

Parnell, Stephen. "Architecture's Expanding Field: AD Magazine and the Post-Modernisation of Architecture." *Architectural Research Quarterly*, vol. 22, no.1, 2018, pp. 55-68.

Pedret, Annie. *Team 10: An Archival History*. Routledge, 2013.

Saval, Nikil.「消える建築を求めて――隈研吾の挑戦」Translated by Fujiko Okamoto, *The New York Times Style Magazine*: Japan, 24, May, 2018, https://www.tjapan.jp/ design_and_interiors/17194986.

Wagner-Martin, Linda. *The Routledge Introduction to American Postmodernism*. Routledge, 2019.

Worpole, Ken. *Modern Hospice Design: The Architecture of Palliative Care*. Routledge, 2009.

秋山正子「がん患者とその家族・友人が自分を取り戻す居場所――マギーズセンターの試み」『医療と社会』第30巻、1号、2020年、53-65頁。

五十嵐太郎「チャールズ、チャールズ――ポスト・モダンの折衷主義と保守主義」『10＋1』第16号、2012年、226-30頁、https://db.10plus1.jp/backnumber/article/articleid/1199/。

隈研吾『グッドバイ・ポストモダン――11人のアメリカ建築家』鹿島出版会、1989年。

-----, "KKAA Newsletter #26." 隈研吾建築都市計画、29 Nov. 2019, https://kkaa.co.jp/ newsletter/kkaa-newsletter-26/?language=jp.

黒川紀章「訳者あとがき」（1976）『現代建築講義』、496-97頁。

バック＝モース、スーザン『夢の世界とカタストロフィ——東西における大衆ユートピアの消滅』堀江則雄訳、岩波書店、2008年。

終章

エクセントリックな英国モダニズム研究

齋藤 一

〈本書のはじまり〉

2018年早春、20世紀イギリスの文学・文化を専門とする大田信良は、20世紀イギリス文学を建築という観点を交えて研究する菊池かおりに対して、アール・デコとはそもそもどういうものなのかと質問した。その際、菊池は近代建築史におけるアール・デコの位置づけの難しさについて触れ、そのことを奇貨として、アール・デコについて共同で学ぶ必要性が大田と菊池の間で共有された。大田はさらに、ヴァージニア・ウルフとフェミニズム理論にも詳しい松永典子と、19世紀末から20世紀前半の小説、特にジョーゼフ・コンラッドに詳しい齋藤一に連絡をとり、2018年4月27日に、4人からなる研究チームの第1回研究会が開催された。このチームはミーティングを重ねつつ、これまでもっぱら建築様式において論じられてきた「アール・デコ」という概念を、スーザン・バック＝モースやフレドリック・ジェイムソンなどを参照しつつ、さまざまな対立項――建築／文学・文化、モダニズム／ポストモダニズム、高級文化／大衆文化、ローカル／グローバル、資本主義／共産主義――を分節化するのではなく媒介していく概念としてとらえなおし、英国モダニズム研究の新たな方向性を提示しようと試みた。2018年11月17日に神戸大学において開催された日本ヴァージニア・ウルフ協会第38回全国大会におけるシンポジウム「アール・デコ時代の英国モダニズム」（司会：大田、発表者：菊池・松永・齋藤）はその成果である。本書の第1部はこのシンポジウムを活字化した特集、「アール・デコ時代の英国モダニズム」（『ヴァージニア・ウルフ研究』第36号、2019年11月）が元になっている。

このシンポジウム・特集をふまえて、大田は、第二次世界大戦後の日本の英文学、特に雑誌『あるびよん』に詳しい大道千穂、18世紀の英国文学・文化に詳しい吉田直希、スコットランドの文学・文化の専門家である髙田英和を研究チームに迎え、「英国モダニズムとアール・デコ」という問題設定を時間的・空間的に拡張して議論することを試みた。その成果が本書の「インターメッツォ」を構成している。

本書の第2部は、第1部と「インターメッツォ」の論考を念頭におきつつ、20世紀の演劇にも詳しい大谷伴子と大田、松永、菊池が、2018年から継続してきた「アール・デコ」概念再考の結果を結実させた論文によって構成されている。

〈脱中心化（エキセントリック）するイギリスとアール・デコ〉

本書に収められた論考は、イギリス文学・文化・建築に関わるものが多い。これは執筆者たちの専門が英国文学・文化であるためだが、それだけではない。私たち執筆者は、20世紀の「グローバル化」が決定するという「中心」であったアメリカ合衆国と単純ではない関係を培ってきたイギリスに注目することで、アメリカに対抗（冷戦期のソ連や今世紀の中国）するのでもなく、密接に連携する（EU諸国や東南・極東アジア諸国）のでもない、「矛盾と可能性を内包する奥行きのある空間」（菊池、本書 16）のあり方を示すことを試みている。

それにしても、なぜイギリスの建築・文化・文学を検討することが重要なのか、ここで示しておく必要があるだろう。ここで、（第1部第3章の齋藤論文が触れた）雑誌『ホライズン』（*Horizon*）に掲載されたViscount Esher（以下イーシャー子爵）、「欠乏からの自由」（“Freedom From Want”）というエッセイ（1942年4月号、237-242頁）を取り上げたい[1]。これは、1941年8月、英米両国が、第二次世界大戦の終結を見据え、戦後の世界をどのように「デザイン」するかを示した「大西洋憲章」（The Atlantic Charter）を取り上げ、特にこの「憲章」が訴えた「全人類の（…）欠乏から［の］解放」を論じたものである。

この文章について概説する前に、まずは大西洋憲章について、標準的な百科事典の項目を引用し、基礎的事実を確認したい。

> 1941年8月14日に発表されたF. ルーズベルトとW. チャーチルの共同宣言で、第2次大戦後の世界平和回復のための基本原則を定めたもの。その原則的趣旨は，42年1月1日の連合国共同宣言にも取入れられた。その交渉が北大西洋上のイギリス軍艦『プリンス・オブ・ウェールズ』とアメリカ巡洋艦『オーガスタ』上で行われたので、一般に大西洋憲章と呼ばれている。その要旨は(1)両国は領土の拡大を求めない、(2)関係国民の自由に表明する希望と一致しない領土的変更を欲しない、(3)すべての国民がその政体を選択する権利を尊重し，強奪された主権と自治が回復されることを希望する、(4)すべての国に対し、世界の通商および原料が均等に開放されるよう努力する、(5)改善された労働条件、経済的進歩、および社会保障を確保するための国際的協力を希望する、(6)ナチの暴政を破壊したのち、全人類を恐怖と欠乏から解放することを希望する、(7)全人類が妨害を受けることなく海洋を航行できるようにする、(8)侵略の脅威を与える国の武装を解除し、恒久的な全般的安全保障制度を確立することに努め、また軍備負担の軽減を助長すること、である。特にこの第8項は、国際連合の設立につらなっていくので、重要な意義をもっている。(『ブリタニカ国際大百科事典 小項目事典』〔Britannica Japan, 2014〕、コトバンク、最終閲覧：2020/09/04)

イギリスの貴族であるイーシャー子爵の文章においてもっとも重要なことは、上述した大西洋憲章における「全人類の（…）欠乏から［の］解放」という理想を実現するならば、それはイギリスの富にとって「レヴェル・ダウン」をもたらすのだという主張である。

> 貧しい人に必要最低限の生活基準を保証する（a minimum standard of life for the poor）のは、他の全ての人々の生活水準を全体的に低くす

> ることになる。ロシアは革命後そうなった。イングランドは、いかにもそれらしく、ゆっくりと確実にそうなってきた。（中略）富の移転はレヴェル・ダウン（levelling down）であって、楽天主義者がいうようなレヴェル・アップ（levelling up）ではない。（イーシャー子爵 238）

問題は、この「欠乏からの解放（自由）」がもたらす「レヴェル・ダウン」が、イギリス国内だけではなく国外においても生じるという、いわばグローバルなものだということである。イーシャー子爵に言わせると「我が国の上流階級がさまざまな社会事業を通じて労働者階級を養ってきたのと同じように、我が国の恵まれた労働者階級が貧しい外国人を養わねばならないことを把握していないということである。」（同上 240-241）

> 西側世界の労働者諸君はきっとわかっていると私は信じているが、彼らは実は金持ちなのであり、欠乏からの解放がインド、中国、南米の、汗水流して働く大衆にまで届くとなると、彼らの生活水準は一時的にではあれ低くなることは間違いない。（同上 239-240）

この引用は、20世紀後半から21世紀において私たちが経験したこと、すなわち「インド、中国、南米」が実際に発展してきたこと、そしてこれらの地域における「汗水流して働く大衆」が、イーシャー子爵の言い方を借りれば「西側社会」、ヨーロッパ主要国やアメリカ合衆国の借款や技術移転などによってかなり「養わ」れてきたことを、かなり言い当てているだろう。たとえば、2021年現在、中国が南シナ海・太平洋において、周辺諸国（日本も含まれる）やアメリカと競い合うまでに巨大化し、インドの発展も目覚ましい。南米、特にブラジルは、2016年のリオ五輪以降経済が低迷して、2020年から本格化した新型コロナウィルス禍によって大きな打撃を受けているが、20世紀末から南米を代表する国家として発展を遂げてきたことは間違いない。

重要なのは、こうしたイギリス国内にとどまらないグローバルな「富の移転」とそれに伴う「レヴェル・ダウン」が、本論集の第1部で論者たちが述べているアール・デコ様式をもたらすということである。

> 芸術と美が失われることを過小評価していけない。落ち着いた、派手なところがない完成度の高さが失われ、「風と共に去りぬ」と感じることは間違いない。とはいえ、以前よりもシンプルで派手ではない文化的生活はある。(中略) 若い人たちはもう金持ちになろうと望んでいない。(中略) 昔は長いサイフの持ち主が美を求めた。今の人の趣向は速度を速めて大量生産品に殺到している。木、金属、繊維、ガラス製の、相当な品質のなかなか凝ったデザインの製品がそこそこの値段で手にはいるのだから。(同上 239)

ここでイーシャー子爵は「アール・デコ」という言葉を使ってはいないが、「長いサイフの持ち主」(上流階級・富裕層)ではない「若い人たち」(階級的表現を避けている)が、「そこそこの値段で手にはいる」「大量生産品」、「木、金属、繊維、ガラス製の、相当な品質のなかなか凝ったデザインの製品」を使い、それらを装飾に施した建築物において「以前よりもシンプルで派手ではない文化的生活」を営むことになるだろうと言っていることは注目に値する。これは本書第1部で論者たちが述べるアール・デコ様式の少なくとも一側面を表しているものである。

さらに、イーシャー子爵は、イギリス国内外における「富の移転」と「レヴェル・ダウン」、それがもたらす「以前よりもシンプルで派手ではない文化的生活」について、イギリスならば対応できるだろうと結論している。

> (略) 西側の富裕な国々は、欠如からの解放を達成し保証するために必要な犠牲を払うことを免れようとする人間特有の過ち、つまりあらゆる卑怯さを許してはいけない。対照的なことに、まさに今この国にいるイングランド人は、エキセントリックな性質 (eccentricity) と個人主義を身にまとっているのだから、万難を排し、まだ見ぬ未来に多様性と色彩をもたらすことだろう。かつて彼らが記録の残る

過去に対してそうしてきたように。(同上 242)

「欠如からの解放（自由)」による「レヴェル・ダウン」に対して、イギリス人は「エキセントリック」だから対応できるというのがイーシャー子爵の結論である。しかし、本論集は、この結論をありふれたイギリス特殊論（礼賛）として捉えるのではなく、「エキセントリックな性質」(eccentricity）を「脱中心」(ex-center）ととらえることとしたい。すでに菊池が序章で触れていた姜・吉見によれば「第一次世界大戦は前世紀の覇権国家であった大英帝国の衰退を促し、まさしく「アメリカの世紀」と呼ぶにふさわしい時代の幕開けになった」(4）のではあるが、彼らは議論を進める中で、こうした直線的な歴史観ではない考え方を示している。

この「差異のグローバルな政治」とも言える新たな権力のネットワークの構造は、一面では後述するように、A・アパドゥライが指摘するような様々な流動的地景との類比で捉えられるが、他方では、ハートはネグリたちが指摘している通り、階層化の定常的なプロセスを通じて形作られている。しかもそれはコンテクストの違いや場所に応じて多義的に変化するような、柔軟でモジュール化された統制のメカニズムであり、古代帝国ローマのような絶対的な中心が存在するわけではない。(姜・吉見 24)

本書が試みたエクセントリックな英国モダニズム研究は、直線的(linear）な思考を反復するのではなく、また（菊池が「序章」で引用している）ジェイムソンが批判的に取り上げた「グローバル化はいまだに一つの中心（a center）を決定している」(菊池 15）というテーゼをそのまま受け入れ、たとえば2000年前から数百年はローマ帝国、19世紀は大英帝国が中心であり、20世紀はアメリカがそうであるといったような見方に与するのではなく、イーシャー子爵がイギリス固有のものとして提示した「エキセントリック（脱中心的）な性質」を称揚するのではなく、むしろ

「脱中心的（エキ/セントリック）」な運動と大胆に読み替えつつ、たとえば「戦争によって分断された二つの時代が共有する社会的・文化的時空間が胚胎する多様性や豊潤さ」（菊池 261）を語ることであった（各章の概要については、次のセクションにまとめたとおり）。

〈本書の概要〉

序章は菊池かおり「20世紀文化空間を、今一度、考える――アール・デコと英国モダニズム」（7-18）である。これは菊池が大田との対話の中で、媒介としてのアール・デコ概念を英国モダニズム研究に接続すべく試行を重ねた文章であり、研究チームの試行錯誤をも反映した、本書の「はじまり」の痕跡を示したものである。

すでに述べたように、第1部は2018年の日本ヴァージニア・ウルフ協会第38回全国大会におけるシンポジウム「アール・デコ時代の英国モダニズム」を活字化した同タイトルの特集（『ヴァージニア・ウルフ研究』第36号、2019年11月）が元になっている。

大田信良「はじめに―― モダニティ論以降のポストモダニズム、あるいは、「大衆ユートピアの夢」を「ポスト冷戦」の現在において再考するために」（21-25）は、第40回新自由主義研究会および第47回冷戦読書会（一橋大学、2016年8月16日）において西亮太（英米文学理論の専門家）が発表において取り上げたスーザン・バック＝モース『夢の世界とカタストロフ』（原著2000年、邦訳2008年）からの引用を紹介しつつ、「大衆ユートピアの夢というものが、一見相容れない対立項をなすかに思われた資本主義と社会主義」、つまり西側（アメリカ中心）と東側（ソ連中心）の「どちらの場合でも共有されたものであり、それぞれに産業モダナイゼーションを推進したイデオロギーであった」（23）こと、そしてこの「「夢自体」が、社会・自然の事物に対する集団的で政治的な欲望の備給・投資を通じて、現実の世界をラディカルに変化させるような計り知れない物質的力」（23-24）であり得たことを提示している。そしてこの「大衆ユートピアの夢」を英国における「アール・デコ時代」に接続することで、アール・

デコが、「ハイカルチャー／ポピュラー・カルチャー、ユニヴァーサル／ヴァーナキュラー等々のさまざまな「モダン」とその対立項からなるアンチノミーや矛盾をなんなく容易にまたフレキシブルなやり方で媒介・調停してしまうかにみえる」(24) こと、それゆえ「そのように特異な英国のナショナルな文化状況は、はたして、どのような歴史的移行の物語を、ひそかに、表象している、とともに、そのモダニティに規定された歴史性を、どのように刻印していたのか」(24) と問いかけている。この論考は、特集「アール・デコ時代のモダニズム」の通奏低音となる発想を明示したものであり、実質的に本書全体の方向性を示したものでもある。

菊池かおり「モダニズム建築の抑圧とアール・デコの可能性」(27-43) は、「"Modernism"から "modernisms"へ」(27) という一文から始まる。菊池論文は、こうしたモダニズムの複数性、特に「ジェンダーやセクシュアリティ、そして階級やエスニシティなど、さまざまな視点と交差しながら拡張するモダニズム研究」(27-28) の発展に寄与してきた「学際的な研究交流」(28) を「さらに活性化する新たな視点の一つとしてアール・デコを捉える」(28) ために、「モダニズム建築とほぼ同時期にありながら、同時に語られることの少なかった二つの歴史」(28) に注目し、それらを包括的に論じることを目指している。

松永典子「英国アール・デコ時代のシスターフッドの夢——フェミニストのインフラと斜塔作家のモノ」(45-64) は、「アール・デコ時代に解釈され論じられた歴史的コンテクストを今一度ふまえたうえで、あらためて、オーデン・グループにつらなる英国男性モダニストたちとヴァージニア・ウルフとの関係をとらえ直す」(46) ことを目指している。松永論文は、「有名なアーノルド・ベネットとの論争ではなく、1920年にはじまる雑誌上でのデズモンド・マカーシーらとの一連の論争、その後の講演原稿「斜塔」(1940)、とりわけそこで提示された共産主義知識人としてのオーデン・グループへの批判的言説を取りあげ、大衆ユートピアのヴィジョンとプロジェクトを包含するアール・デコと英国モダニズムそして労働者階級との関係をモノから探る」(46) という試みである。

齋藤一「文学とアール・デコ——雑誌『ホライズン』とH・E・ベイツ

「橋」を中心に」(65-79) は、大田、菊池、松永論考においてそれぞれのやり方で語られてきたアール・デコの「媒介性・包括性」(67) を、批評家シリル・コノリーによって1940年1月に創刊された雑誌『ホライズン』創刊号とそこに収録されていた短編小説であるベイツ「橋」に注目して論じたものである。この雑誌と作品を選んだ理由は、「第一に、この雑誌が美学と政治という対立を媒介し包括しようという指向性を持った雑誌であったこと、第二に、こうした雑誌に掲載されたベイツの作品が、ジェイムソンがいうところの「機械」、特に「リムジン」(高級大型自動車) と関係するモータリゼーションや地方都市の郊外化を背景にしつつ建築の装飾に触れていること」(67)、そして第三に、松永論文の議論と関連するが、「この作品が男性中心主義と女同士の絆の両者を媒介し包括していると読むことも可能だからである」(67)。

菊池かおり「第1部の結語——アール・デコ期の英国モダニズムにみられるダイナミズム」(81-85) は、特集「アール・デコ時代の英国モダニズム」を締めくくるものであり、「アール・デコ期の英国モダニズムをジェンダーの視点を交えて考えることは、その時代にみられたダイナミックな勢力関係を捉えることである。それは、広義な意味で、資本主義によって突き動かされてきた西欧中心主義を覆す可能性、さらには後期資本主義から脱却する可能性さえ示唆することもあり得る」(81) と示唆する論考である。

「インターメッツォ」には、第1部の論考において再検討された「アール・デコ時代」と「英国モダニズム」を念頭において、時代 (戦間期) や空間 (英国) を超えた、菊池がいうところの (アール・デコが表象している)「ダイナミックな勢力関係」(81) を検討し、第2部へとつなぐ役割を果たす、アール・デコと英国モダニズムの再検討の結果を踏まえた、いわば研究対象のギヤチェンジを試みた論考が収録されている。

髙田英和「スコットランドと都市計画者の20世紀——Patrick Geddesの植民地なき帝国主義」(89-116) は、都市計画論がイングランドが中心になりがちな現状に警鐘を鳴らすべく、「スコットランド人の都市計画者

Geddesを取り上げることにより、20世紀英国の都市計画を、今一度、リベラルでグローバルな観点からだが批判的に、見ていくことを目的」としている（91）。具体的には、ゲッデスの都市論において「1）どうしてGeddesの都市論が「保守的外科処置」という手法を重視したのかという点、および、2）なぜGeddesの都市計画は（結局のところ、ことごとく）失敗に終わったのかという点、この二点自体に注目する」と「同時に、これら二点を引き起こした時間と空間、すなわち、この時空間性を可能としたリベラルな歴史性に注目し、その存在・機能を再度慎重に吟味することの重要性を論じることにある」（91）。

吉田直希「ポスト・戦争国家「イギリス」と消費文化のグローバリゼーション」（117-144）は、まずDavid Edgerton が *Warfare State: Britain, 1920-1970*（2006）で論じた戦争国家論を取り上げ、イギリスが第一次世界大戦以降、今日まで福祉国家であると同時に戦争国家であったことを確認する。その際、イギリスの政治経済学が科学・技術と一体化している点と、C. P. Snowらによる非学術的な科学言説がイギリス衰退論と複雑な関係を結びつつ、「知の軍事化」に果たしてきた役割を同時に考察することで、イギリス文化研究にとって20世紀の歴史化が急務であることを検討する。Edgertonが論じている現代のイギリスは旧来のネーション・ステイトではなく、官民混交の新しいグローバルなステイトであり、その成立の起源は、近代、特に名誉革命以降の18世紀に見いだせる。そこで、次にJohn Brewer が *The Sinews of Power*（1990）で提示した「財政＝軍事国家」（“fiscal-military state”）誕生の歴史を概観しつつ、Brewer歴史学のもう一つの柱である消費文化論を検討することにより、21世紀に向けたグローバルな歴史のリ・デザインの仕方について考察する。Brewerは、18世紀イギリスが戦争国家を生み出していく歴史の裏側で、中間団体による公共圏消費文化が発展してきたことを論じており、私たちが20世紀後半の福祉政策の転換とその後の新自由主義政策、グローバリズムの加速という歴史状況の変化を検討する際にも重要な視座を提示してくれる。Edgertonが提示するポスト・戦争国家「イギリス」の歴史を消費文化のグローバリゼーションが提示する問題と共に捉え直すことを目指している。

大道千穂・大田信良「『あるびよん――英文化綜合誌』から再考するヘルス・ケアと（英語）教育」（145-184）は、「20世紀は「アメリカの世紀」」であったと言われてきたが、「冷戦の終結」、つまり「ソ連という差し迫った大きな敵が消滅したこと」で、「一見最終的なアメリカの勝利と思われるところからほころびを見せ始め」たこと（145）、つまりアメリカを「再び孤立主義へと向わせるとともに、アメリカの理念や結束を、希薄にしてしまった」（145）という認識から出発して、「終戦から4年も経たない1949年6月から1960年8月まで、原則的には隔月の出版ペースで計48号発行されたイギリス文化研究誌、『あるびよん』を再読」（146-147）する。その際、「特に、アメリカ的な個人主義、自由主義の追求だけでは解決できない、つまり国家や社会の介入なしには解決不能な領域と考えられるヘルス・ケアと教育に焦点を絞って、『あるびよん』への投稿を中心に」（147）検討する。具体的には、「ヘルス・ケアについては世代間の差異や人口問題に密接にかかわる高齢者に注目」（147）し、また「教育については英語教育」、特に著名な英文学者である福原麟太郎の「「教養英語」」が、「20世紀文化空間において、米国の「科学的」で実用的な英語学習・習得のメソッド（あるいはそれと連動した自由の概念や消費文化）とは区別された大衆化を希求」（169）したものであることを指摘しつつ、「『あるびよん』の歴史的・空間的意味を読み解いていく」（147）。

「第2部」に収録された論考は、特集「アール・デコ時代の英国モダニズム」をもとにした「第1部」、そしてこの特集で提起された問題を時間的・空間的に広げて論じるために執筆された「インターメッツォ」を踏まえて、さまざまにリ・デザインされるアール・デコを、つまり、アール・デコにおける「ダイナミックな勢力関係」（菊池）あるいは「歴史的移行の物語」（大田）をかなり自由に論じている。

大谷伴子「リ・デザインされる美しさ――ロマンスと生殖とケア」（187-216）は、「アール・デコの時代のグローバル化の動きは、冷戦期においては凍結していたようにみえて、実は、ひそかに蠢いていたのではないか」（193-194）という問いかけから出発して、この問いを、「美しさとそれを産み出す諸科学との関係性から19世紀から20世紀にかけて産業として産出された、ビューティ産業の歴史」(194) に注目して論じるものである。「インターメッツォ」に収録された大道・大田論文と関係づけるならば、本論文は「ヘルス・ケアからビューティ・ケアへの変化——あるいはまた、生殖からロマンスへの変化——としてもとらえることができそうな20世紀文化空間において、大衆性によって特徴づけられるアール・デコと消費社会においてリ・デザインされる美しさを取り上げ、その歴史的過程や変容がいかなるものであったのか、「大衆ユートピアの夢」とりわけ「ヘルシー・ボディ文化」の可能性にも目配りしながら、吟味してみる」ものということになる (193)。

松永典子「人びとの夢の世界を阻むもの、あるいは、21世紀のアール・デコ論のために——大衆ユートピアの夢とフェミニズム」(217-250) は、第1部で論じたアール・デコという概念 (大衆ユートピアの夢の共存) が20世紀初頭の現象だけでなく、現代の現象 (特にフェミニズム) を理解する時に有効であり得るためには、何が求められるのか、を考察するものである。具体的には、まず、現代のフェミニズムの問題として、トランスジェンダー排除 (TERF) というフェミニズム内部における分断現象があることを指摘し、この現象がポストフェミニズム (新自由主義下におけるフェミニズム現象) の枠組みで理解可能であること、さらにトランス排除がイギリスのポストフェミニズムの特徴であることを確認しつつ、そのうえで、(ポスト) フェミニズムを、スーザン・バック＝モース『夢の世界とカタストロフ』(2000年) の提案する「大衆ユートピアの夢」の系譜で捉えることを提案する。その際に、歴史研究者のセリーナ・トッドの著作を検討することで議論を進めていく。

菊池かおり「ポストモダニズム建築の多元性とその可能性」(251-280) は、「第1部」における菊池論文でも示された「モダニズム研究の拡張」という近年の研究状況を念頭におきつつ、チャールズ・ジェンクスがどのようにモダニズムとポストモダニズム建築を位置づけていたのか、という問いを基軸として、彼のポストモダニズム建築論にみられる急進的な折衷主義が内包する理念や理想を考察する。そのため、まず、ジェンクスの初期の建築論を概観しながら、従来の制度化されたモダニズム建築に対する彼の批評、そして戦争によって分断された二つの時代が共有する社会的・文化的時空間が胚胎する矛盾や可能性に対する彼のアプローチを読み解く。そして、1990年代を通してポストモダニズム建築に対する批評が、低俗性・俗悪な虚飾性というその表面的な要素に焦点が当てられ、一つの「スタイル」として回収された背景に潜む西側と東側の両方を席捲する消費社会・資本主義との関係性を確認しながら、商品化されたポストモダニズム建築とはことなる観点から、ジェンクスのポストモダニズム建築論を再読する。その際、これまでポストモダニズム建築の文脈において語られることが少なかった、イギリス発祥のマギーズセンターが内包する建築ヴィジョン——内的と外的空間の融合であると同時に個と共同体の矛盾を擁護しながらいまだ現在までには到来していない未来の「大衆」・「文明」・「環境」へと導きつつも、その建築ヴィジョンは、空間の使い手によって随時、リ・デザインされるという思考をそなえたもの——を読み解く。そうすることで、今、われわれにとってポストモダニズム建築とは何を意味するのか、その可能性を含めて考察するものである。

Notes

[1] このエッセイは大田信良が見つけ出したものである。ここに記して感謝したい。

索　引

おもな「人名（＋作品名)」と「事項」を五十音順に示した。
作品名は作者である人名ごとにまとめてある。
欧文表記の項目は最後にまとめてある。

【人名（＋作品名)】

◉ア行

◉カ行

◉サ行

◉タ行

◉ハ行

◉マ行

◉ラ行

◉ワ行

【事項】

◉ア行

◉カ行

◉サ行

◉タ行

◉ナ行

◉ハ行

◉マ行

◉ヤ行

◉ラ行

【編著者】

◉菊池 かおり（きくち　かおり）［序論、第 1 章、第 9 章］

大東文化大学准教授／イギリス文学・文化／“A Conjunction of Architecture and Writing of Virginia Woolf: Sexuality and Creativity in *Orlando*”『英文学研究』92 巻（2015 年）、“Pointz Hall at the Threshold of Illusionary Stability: Private Doors into the Past in *Between the Acts*”『ヴァージニア・ウルフ研究』32 号（2015 年）、“The Social Order of 22 Hyde Park Gate and the Spatial Practices in *To the Lighthouse*”『人文学報 : 英語と英文学』514-13 号（2018 年）、「イギリス文学」『専門学へのいざない』（成文堂、2020 年）他。

◉松永 典子（まつなが　のりこ）［第 2 章、第 8 章］

早稲田大学教員／イギリス文学・文化／「チック・リットとしての“ポスト”サフラジスト小説――エヴァドネ・プライス『そんなに静かではない…』におけるシスターフッド・労働・自伝」『ヴァージニア・ウルフ研究』31 号（2014 年）、『終わらないフェミニズム――「働く」女たちの言葉と欲望』（共編著、研究社、2016 年）、「ありのままで」『研究社 WEB マガジン Lingua 文化と社会を読むキーワード辞典』2019 年 4 月。

◉齋藤 一（さいとう　はじめ）［第 3 章、終章］

筑波大学准教授／イギリス文学・英学史／『帝国日本の英文学』（単著、人文書院、2006 年）、「福原麟太郎・広島・原子爆弾――研究経過報告」『日本表象の地政学――海洋・原爆・冷戦・ポップカルチャー』（彩流社、2014 年）、*“Embracing Hiroshima”, Journal of East-West Thought* (California State Polytechnic University, Pomona, USA) Vol.6, No. 3 (Fall), September 2016、「慰霊碑碑文論争」「英米文学者と核時代」「復興」『〈原爆〉を読む文化事典』（青弓社、2017 年）他。

◉大田 信良（おおた　のぶよし）［はじめに、第 6 章］

東京学芸大学教授／イギリス文学・文化／『帝国の文化とリベラル・イングランド――戦間期イギリスのモダニティ』（単著、慶應義塾大学出版会、2010 年）、「オクスフォード英文学と F・R・リーヴィスの退場――『グローバル冷戦』におけるポスト帝国日本の『英文学』とロレンス研究」『D. H. ロレンス研究』29 号（2019 年）、「ノエル・カワードと再婚の喜劇としての『或る夜の出来事』――『長い 20 世紀』のなかの映像文化」『アメリカ映画のイデオロギー――視覚と娯楽の政治学』（論創社、2016 年）他。

【執筆者】（掲載順）

◉**髙田 英和**（たかだ　ひでかず）［第 4 章］

福島大学教授／近現代イギリス文学・モダニズム／「リベラリズムと帝国主義――少年冒険物語『ピーター・パン』の（不）可能性」『言語社会』9 号（2015 年）、「F・R・リーヴィスの偉大なる伝統とスコットランド文学の分離」『D. H. ロレンス研究』29 号（2019 年）、「A・A・ミルン、スコティッシュ・モダニズム、菜園派」『ヴァージニア・ウルフ研究』36 号（2019 年）他。

◉**吉田 直希**（よしだ　なおき）［第 5 章］

成城大学教授／イギリス文学・文化／ “When Pleasure Becomes Word: Sexual Desire in *Memoirs of a Woman of Pleasure*”『試論』第 46 集（2011 年）、“Female Gaze and Male Sensibility in *A Sentimental Journey*”『十八世紀イギリス文学研究』第 6 号（開拓社、2018 年）、「反復と差異の歴史性――ヘンリー・フィールディングの『トム・ジョウンズ』とトニー・リチャードソンの『トム・ジョーンズの華麗な冒険」『イギリス文学と映画』（三修社、2019 年）他。

◉**大道 千穂**（おおみち　ちほ）［第 6 章］

青山学院大学教授／イギリス文学・文化／「おひとりさまのロンドン――『遍歴』に見る働く独身女性表象と現代」『終わらないフェミニズム――「働く」女たちの言葉と欲望』（研究社、2016 年）3-30 頁、「ユダヤ人、ホロコースト、そしてアイリス・マードック――ポスト・ヒットラーの世界における癒しの可能性」『戦争・文学・表象――試される英語圏作家たち』、福田敬子、伊達直之、麻生えりか編（音羽書房鶴見書店、2015 年）119-41 頁、「あるびよん・くらぶ再評価――『あるびよん――英文化綜合誌』から再考する戦後日本の英文学」『ヴァージニア・ウルフ研究』第 36 号 (2019 年 11 月）79-98 頁、他。

◉**大谷 伴子**（おおたに　ともこ）［第 7 章］

インディペンデント・スカラー／イギリス文学・文化／ “Juliet’s Girlfriends: The Takarazuka Revue Company and the *Shôjo* Culture.” *Performing Shakespeare in Japan* (Cambridge UP, 2001 年)、『秘密のラティガン――戦後英国演劇のなかのトランス・メディア空間』（春風社、2015 年）、「戦間期英国演劇と『郊外家庭劇』――ドゥディ・スミスとはだれだったのか？」*Kyoritsu Review* 47 (2019): 1-35 他。

アール・デコと英国(えいこく)モダニズム

20世紀文化空間(せいきぶんかくうかん)のリ・デザイン

2021年5月31日　第1刷発行

【編著者】
菊池かおり、松永典子、齋藤一、大田信良

【著者】
高田英和、吉田直希、大道千穂、大谷伴子

発行者：高梨 治
発行所：株式会社小鳥遊(たかなし)書房
〒102-0071　東京都千代田区富士見1-7-6-5F
電話 03 (6265) 4910（代表）／FAX 03 (6265) 4902
http://www.tkns-shobou.co.jp

装幀：中城デザイン事務所
印刷：モリモト印刷株式会社
製本：株式会社村上製本所
ISBN978-4-909812-57-5　C0070
2021, Printed in Japan